EUFORIA

ELIN CULLHED

Euforia
Um romance sobre Sylvia Plath

Tradução do sueco
Kristin Lie Garrubo

Copyright © 2021 by Elin Cullhed
Publicado originalmente em sueco por Wahlström & Widstrand, 2021
Publicado mediante acordo com Ahlander Agency

KULTURRÅDET
A editora agradece o subsídio concedido pelo Swedish Arts Council para esta tradução.

Grafia atualizada segundo o Acordo Ortográfico da Língua Portuguesa de 1990, que entrou em vigor no Brasil em 2009.

Título original
Eufori: En roman om Sylvia Plath

Capa
Cristina Gu

Foto de capa
Warren Kay Vantine, 1954. CA-MS-00142. Coleção Mortimer de Livros Raros/ Documentos de Sylvia Plath/ Coleção Especial Smith College, Northampton, Massachusetts. Espólio de Sylvia Plath. Faber and Faber Ltd.

Preparação
Natalia Engler

Revisão
Camila Saraiva
Bonie Santos

Dados Internacionais de Catalogação na Publicação (CIP)
(Câmara Brasileira do Livro, SP, Brasil)

Cullhed, Elin
    Euforia : Um romance sobre Sylvia Plath / Elin Cullhed ; tradução Kristin Lie Garrubo. — 1ª ed. — São Paulo : Companhia das Letras, 2023.

    Título original: Eufori : En roman om Sylvia Plath.
    ISBN 978-65-5921-396-2

    1. Ficção sueca 2. Plath, Sylvia – Ficção I. Título.

23-142955   CDD-839.73

Índice para catálogo sistemático:
1. Ficção : Literatura sueca   839.73

Aline Graziele Benitez – Bibliotecária – CRB-1/3129

Todos os direitos desta edição reservados à
EDITORA SCHWARCZ S.A.
Rua Bandeira Paulista, 702, cj. 32
04532-002 — São Paulo — SP
Telefone: (11) 3707-3500
www.companhiadasletras.com.br
www.blogdacompanhia.com.br
facebook.com/companhiadasletras
instagram.com/companhiadasletras
twitter.com/cialetras

Para minha mãe

Euforia é uma obra de ficção sobre Sylvia Plath que não deve ser lida como uma biografia. Os eventos e as personagens que figuram no livro e que podem ter alguma ligação com a realidade são, no contexto do romance, transferidos para o plano da ficção e do imaginário literário. Sylvia Plath se torna assim uma figura fictícia nesta obra.

7 de dezembro de 1962, Devon

SETE RAZÕES PARA NÃO MORRER:

1. Pele. Nunca mais sentir a pele de um filho amado. Nicholas na cama quando vira palhaço e eu esfrego a cara em seu bumbum. Frieda, que precisa de cócegas para se sentir viva e se acalma com uma risada que depois a purifica. Minha pele ao encostar na deles e saber que somos a mesma carne para sempre e eternamente, amém. Oh, nunca mais sentir a forte pulsação latejante deles, que eu engendrei. Jamais posso deixar de viver para eles, por mais que também tenham a pele de Ted, a pele de serpente de Ted, ele que abre a boca e empurra a presa inteira goela abaixo até você engasgar.

2. Tempo. Quero ver meus filhos crescerem e ralarem o joelho aprendendo a andar de bicicleta, quero arrancar essa corda

do meu pescoço e rir na cara dele quando ele já (e muito sozinho, as serpentes são patologicamente egocêntricas) estiver a caminho da próxima presa e eu estiver ocupada vivendo. Quero chupar um pirulito e sentir como o açúcar e o tempo se dissolvem dentro de mim, quero acordar para um dia de verão com o café na mão e uma necessidade de escrever até a última gota, até que o tempo também pare e se conserve, fluindo como a água do mar, e me perdoe. Tempo, quero que me perdoe. Também quero sentir como o tempo torna tudo tão perdoável, como faz os morangos brotarem mais uma vez (embora a morte esteja muito presente, a decomposição a um passo), como faz as pessoas acordarem sobre o travesseiro e mais uma vez terem a ilusão de que tudo está bem.

    Meu Deus, me sinto tão bem agora que vou morrer, enxergo tudo com mais clareza do que nunca. Eu deveria sempre viver para morrer; é como heroína, como a sensação de ver seu ex-amado perder o oxigênio porque gastou todo o ar que o cercava dentro de sua armadura. A pele de serpente é trocada, ela desbota feito um trapo largado numa praia britânica. Prefiro queimar, estou convencida da superioridade do fogo como metáfora para minha própria vida. Oh, fogo, que não pode ser recebido de braços abertos. Oh, pavor, quando o fogo se apoderou dos escritos de um homem vivo que os confunde com material de prêmio Nobel. Digo: serei lembrada no futuro. Ou seja, não preciso ser pele, tempo e o início dos anos sessenta, porque o tempo será transformado em mim, mas sem minha interferência. Impecável, como uma palavra sublime numa página iluminada de um livro de poesia. Ted lavará as folhas dos meus livros assim como lavei sua camisa feia. Ele mesmo murchará feito uma maçã agridoce no solo de outono. Uma das macieiras bravas que temos aqui.

3. Nunca mais transar, sentir a vara quente que invade minha carne e me transforma em animal e obliteração. Se alguém tivesse vontade de transar comigo todo dia, eu não precisaria morrer, HAHA. Não me cite, mas pode mostrar isso para minha mãe, a pessoa que menos transa na face da Terra (e por isso tão azeda, tão seca, tão banalmente transparente, como um copo de água, minha mãe é um copo de água, impossível ficar sem, mas chatérrima e previsível a ponto de ser insípida. Ela que me tornou tão desdenhosa, tão cheia de ódio das outras mulheres, embora sejam as mulheres as que talvez pudessem me ajudar, ela me fez sentir como se eu não precisasse de água, como se eu estivesse além da água; não sou uma criatura necessitada de água, não sou uma mamífera, estou acima dos meros mortais com sede de água, odeio água, poupem-me do meu copo diário de água!).

4. DÊ isso a ele. Dê a ele minha morte e que todas as suas profecias se confirmem. "Seria mais fácil se você estivesse morta", como ele me cuspiu neste verão, para tomar impulso e criar coragem de me deixar. "Você e seu raio da morte, você tem um talento especial para a morte" — todas as suas lamúrias sobre como eu mato tudo. Não quero dar isso a ele. Quero ficar no centro do círculo e brilhar e viver. Se não for eu na minha vida, então quem? Não quero dar a ele a história da minha vida. Para ele declarar: *Sim, crianças, sua mãe era uma pessoa especial, nem sempre estava bem, amava a vida quando fluía para ela feito ouro, mas a vida também são arestas duras, frio e bactérias em março e não ter dinheiro. Devemos preservar a memória dela, crianças, devemos contar suas histórias, e todo ano, quando os narcisos brotarem da terra, devemos colher um ramo de flores em sua homenagem. A voz de sua mãe Sylvia era grave e forte, mas nunca conse-*

guiu sair do seu corpo e passar para a página do livro, por isso ela queria tanto apagar seu próprio corpo e deixar apenas o espírito viver. O que escreveu para a posteridade lhe valia mais do que sua vida conosco. Blá-blá-blá. Foda-se! Não quero dar a ele os melhores pedaços do bolo da minha vida. Não quero que Olwyn, sua irmã mais velha, fique ali com suas pernas de ferro e os braços cruzados afirmando: Pois é, falei isso desde a primeira vez que a vi, você não vai longe com aquela mulher, Ted, a força frágil dela, aquele véu de tristeza sobre o rosto tão tentadoramente fácil de afastar com um sarcasmo que faz a autoimagem dela desmoronar, o largo sorriso se transformando numa careta. Uma garotinha malvada, Ted, uma gostosinha, uma americana fraca com o coração envolto em papel-celofane. Você vai ficar com essa daí por um tempo, depois ela vai se desfazer feito açúcar na chuva. Pode acreditar!

E ele vai escutar a irmã e ganhar força e pensar: Sim, fui um tolo por tentar amá-la, porque ela não podia ser amada.

Mas a verdade é que é a casa dele que não tem espaço para o amor. Na casa dele, de onde ele vem, lá onde as pessoas trabalham e aguentam firme, onde a mente, a estética e a maneira como as pessoas interagem NÃO IMPORTAM. Não há cultura na casa dele, nenhum requinte, nenhuma nobreza; lá as pessoas são rudes e grosseiras e têm maus modos à mesa, e como posso ser culpada por ser alguém dotada de amor, dotada de beleza e que entrou na casa dele, no país dele, na Inglaterra dele, em sua herança agreste de carvão e roupa encardida.

Eu quis dar do que eu tinha, minha perspicácia meus conhecimentos meu dom para as palavras e para as coisas que se veem. As observações. Mas veja, o mundo não quer ter meninas feitas de ouro bonitas e aplicadas. O mundo não as suporta. O mundo quer meninas duras e malvadas à imagem de Olwyn, o tipo de meninas que não são amadas pelos homens, que nascem

para se virar sozinhas no mundo, mulheres europeias do pós-
-guerra que sabem o que significa pegar no pesado, mas não o
que significa ser intelectualmente sofisticada e dar aula para as
alunas da Smith e escrever poemas incrivelmente lindos nas horas vagas. Elas têm inveja, ah, como têm inveja de pessoas como
eu, mas ainda assim são elas que ganham — que ganham a vida,
apesar de elas mesmas nunca darem filhos a um homem para
continuar a linhagem real, nunca escancararem suas pernas sobre a maca e expelirem um magma incandescente no mundo.
Olwyn, ela não vai sacrificar merda nenhuma, porque nunca vai
queimar. Vai ficar ali aguentando firme, aguentando firme, e
deixar a vida passar por ela até morrer. Nunca vai agarrar a vida,
remodelá-la, ditá-la, moldá-la em formas belas, dar à vida novos
filhos. Assim, ela também evita sentir como o mundo não tolera
sua força sua beleza esmagadora sua genialidade. Ela vai rir da
minha morte, vai suspirar com a minha morte, também vai invejar a minha morte, porque não, nunca terá a mesma coragem!

5. O mar, e as pedras. Caminhar sob a luz clara numa tarde
em Winthrop e catar pedras para meu pai, ter sete anos e sentir
como a natureza que colho para ele tece um laço entre nós mais
forte que qualquer outro no mundo. Os mistérios que lhe dou
são nossos para descobrir e guardar com ternura, como os próprios segredos do coração. O mar lambe minhas pernas bronzeadas e cheira forte a sal e ao viço de algas molhadas, e ele me pede
que dê uma volta para encontrar as conchas mais belas, as pedras mais lisas, a respeito das quais ele me contará alguma coisa
depois. A praia e meu pai, o mar, sua eternidade. Amo meu pai.
Sei que também nasci dele, que ele me deu o mistério e as palavras, a intensidade. Ao voltar a Winthrop agora, não vejo mais
o esplendor das praias, e o mar me aborrece — sei que tenho

outras tarefas me aguardando. Penso que vou redescobrir a calma e o cintilar da infância, mas o único resultado é que eu vejo através dele e o traio, com meus novos olhos. Portanto, essa talvez não seja uma razão para viver. Mesmo que meus filhos amassem o mar como eu, eles nunca conheceriam meu pai, seu avô materno, nunca teriam as mãozonas enormes dele nas quais depositar pequenas pedras redondas. Meu pai é e não é uma razão para viver. Eu gostaria de preservar sua memória, defendê-lo e deixar meu corpo viajar até o fim dos tempos como uma âncora para sua embarcação naufragada. Mas também gostaria de ser poupada de ver o mar, as pedras, as conchas se transformarem em fantasmas. E de sentir o estertor da morte em torno do meu pescoço.

6. Frieda, oh, Frieda.

7. Nicholas.

UM ANO ANTES

A minha vida é que era o texto.

Meu corpo, minha pele, meus pulsos brancos e cintilantes é que me levavam a pedalar por Devon. Se eu passava por alguém que reconhecia, tremia, era como se os nervos e as veias formassem uma malha fina por fora do meu corpo e o coração fosse minha boca; foi o coração que falou e disparou um "Olá" ao encontrar uma vizinha (a esposa do diretor do banco), que me olhou com atenção para descobrir se eu era normal.

O coração palpitava ali no meu centro. Minha boca. Minha boca vermelha. Eu era o assunto, o tema em si; então, como eu mesma poderia sair de mim e criar meus próprios temas? Como poderia me posicionar longe do centro do tema?

Ted sabia disso, por isso era casado comigo: eu era os nervos, eu era o sangue, eu era o coração, eu era a pele branca, eu era o colar de pérolas, eu era o mármore, eu era a pomba, eu era o cervo, eu era a toupeira morta que encontramos no chão, eu era a menina, eu era a mulher, eu era a mãe dos filhos dele. Eu era a América, eu era um continente inteiro, eu era o futuro, eu era o tema que ele queria descobrir, eu era uma pessoa que ele queria colonizar, ele queria me consumir, ele queria me abrigar, ele queria me guardar. Ele queria me trazer da América onde nasci e me deixar sentir o pulsar da vida londrina no meu coração e depois queria me pôr numa casa de campo em Devon, entre todos os narcisos e pássaros. Ele me comprou uma bicicleta. Ele me comeu com força no sofá da fria sala de estar, eu era uma poça molhada e quente debaixo dele, dentro da qual ele gozava. Cheirava a carne e sangue. Esperma. Depois ele se sentia onipotente. Ele tinha conquistado a América, tinha ampliado os próprios limites, tinha burilado o tema: a mulher que precisa morrer.

A mulher condenada à morte.

Ele havia me criado.

Eu me erguia da poça e me lavava sorrindo, feliz; eu estava emprenhada com seu filho seu sonho suas promessas. Inglaterra. Eu estava em seu solo. Suas caças à lebre. Suas macieiras, setenta e uma delas (contei setenta e duas). Suas palavras, suas árvores, sua escrita. Sua voz. Eu completava a vida dele. Deixei uma filha sua sair da minha carne para o universo. Frieda. Uma maçã da árvore. Boca vermelha, coração vermelho, pulso vermelho. Então eu também senti que estava viva. "Nada tem me deixado mais feliz do que as crianças", escrevi numa carta para minha mãe. Mas também sabia que tudo o que eu dizia e escrevia (TODA A MINHA VOZ, O QUE EU ERA) um dia seria usado contra mim. Minha realidade mudava de forma o tempo todo, Ted sabia; num momento eu estava contente, no outro feliz, num terceiro desesperada, num quarto chorava, transpirava, ansiava, desejava e esperava.

Na verdade, nada disso podia ser levado a sério.

Então, quando a esposa do diretor do banco me encontrou no vilarejo depois de eu descer do selim a duras custas (eu estava muito grávida outra vez), desejei que eu fosse ela, que eu estivesse olhando para ELA, não ela olhando para mim. Eu, Sylvia, devia ser bem mais bonita de se olhar, e ainda assim não conseguia enxergar a mim mesma!

Sorri tensa, sem fôlego, tirando uma gota de suor do rosto. Quente na roupa quente. O vilarejo estava enfeitado, faltavam poucas semanas para o Natal. A esposa do diretor do banco tinha comprado alguma coisa que eu também deveria ter comprado, percebi como não a deixei ocupar nenhum espaço por si só, mas como eu também, imperceptivelmente, já a havia colonizado, aproveitado sua aparição cerimoniosa no vilarejo e dado a ela o poder de avivar a ansiedade e o estresse dentro de mim.

"Veio buscar algum pacote?", perguntou ela.

"Isso mesmo, faço questão de manter algumas assinaturas dos Estados Unidos", respondi, já arrependida de ter dado uma resposta tão longa e complicada para algo na verdade muito simples.

Tentei imaginar como seria ser sua amiga, mas afastei esse pensamento com outro: meu Deus, que casaco horrível.

"E onde você deixou Frieda?", perguntou ela.

Abri um grande sorriso por baixo do suor.

"Em casa com o pai", respondi com orgulho.

"Como é bom o seu marido", disse a esposa do diretor do banco.

"Ted", lembrei-lhe. "Ted Hughes."

A esposa do diretor do banco fez que sim. Parecia estar remoendo uma ideia.

"Vocês gostariam de jantar lá em casa uma noite? Só comer alguma coisinha juntos. Está na hora de nós, vizinhos, nos conhecermos. Será que... amanhã seria um bom dia?"

Tão... tão *apropriado*. Claro. Ela me pegou — veja só a astúcia com que aproveitou a oportunidade! As relações entre as pessoas não eram nada como no meu país de origem, onde você podia dizer as palavras *I Love You* para uma pessoa com quem havia compartilhado apenas uma refeição pouco entusiasmada e sem graça. *I Love You* — você tirava um pedaço do seu coração com a maior facilidade, não precisava significar que estava criando uma união particularmente íntima. Mas aqui na Inglaterra me parecia que a socialização tinha de seguir um protocolo rigoroso, as pessoas não socializavam por prazer, mas por uma sensação curiosa de obrigação. *Está na hora de nós, vizinhos. Devemos. Não podemos viver lado a lado e nos ver diariamente sem também mostrar quem somos, que móveis velhos e empoeirados temos em casa.* Ai, eu não suportava aquilo. Mas também não consegui olhá-la nos olhos e dizer: Não. Não! Não quero! Esqueça!

Recebi meu pacote de um jovem carteiro que trabalhava no balcão, e havia alguma coisa na minha aparência que fez seus olhos trepidarem, ou será que eram os nervos, a boca como um coração, o vermelho que não parava de palpitar. O nervosismo.

Voltei-me para a mulher:

"Claro", resplandeci. "Não temos nenhum outro programa. Será um prazer."

A esposa do diretor do banco sorriu satisfeita de dentro do seu casaco de pele. Ela estava *radiante*. Que seja, pensei: eu tinha feito alguém feliz.

"Ótimo, querida!", soou a voz dela do outro lado da praça.

Eu nunca aprendia! Buscar um pacote, fazer tarefas normais, andar de bicicleta, soltar palavras como "olá" e "obrigada", tudo aquilo parecia a coisa mais desgastante do mundo. As pessoas trabalhavam diariamente com coisas que demandavam muito mais, e tudo o que eu fazia era 1. estar grávida e 2. pedalar para buscar um pacote no vilarejo, e nem *isso* eu conseguia, nem isso eu conseguia sem deixar algum tipo de pegada no mundo.

Será que eu precisava? Precisava mesmo? Precisava ser um circo vivo? Precisava ter um coração? Precisava lembrar as pessoas de alguma coisa — de suas próprias emoções e motivos? Precisava ser um calendário em carne e osso pedalando por aí?

Eu tinha meu pacote no bagageiro, segurava o guidão sem equilíbrio, estava decepcionada porque a ida ao vilarejo já estava chegando ao fim, e o que EU tivera em mente — que algo ia acontecer, que uma ideia ia se manifestar, que o verso de um poema ia se pôr em movimento com o esforço ou que algo divertido simplesmente aconteceria, algo legal — não ocorreu. Nenhuma palavra na cabeça, nenhuma abertura de capítulo, nenhum romance, nenhuma personagem tomou forma. Nada.

Eram duas horas quando subi a escada da frente, pesada e enorme como um troll da montanha. Estava de volta à casa. De volta ao reino que eu compartilhava com Ted Hughes.

E com Frieda. Ela veio ao meu encontro, encostando o peso do seu corpinho de um ano de idade no meu. Antecipei-me e disse: A mamãe não pode te carregar agora, você está pesada demais. Quase a enxotei enquanto me desvencilhava do casaco e mantinha a blusa de lã.

Para minha grande surpresa, descobri que Ted estava sentado no meu estúdio, escrevendo.

Ele ainda não tinha me notado, mas agora se levantava da cadeira diante da máquina de escrever e descia a escada com passos pesados.

"Está escrevendo?", perguntei. Ele parecia ter sido pego de surpresa. Eu estava com meu sorriso espantado, aquele que se projeta com força.

"Estava escrevendo uns versos, sim", admitiu. "Querem que eu mande mais material para a BBC."

Esse homem alto e forte. Cabelos castanhos, rosto alongado, nariz afilado. Nossa casa estava fria, gelada de cima a baixo, precisávamos acender a lareira. Não estava certo ficar escrevendo enquanto eu andava lá fora em liberdade; EU é que deveria ter sido livre naquele momento, livre de bicicleta no vilarejo. E ainda assim...? Ainda assim, ele tinha escrito?

"Como você consegue?", perguntei e me inclinei para nossa filha, assoando seu nariz. "Se eu fizer qualquer outra coisa por um segundo, ela chega e fica me puxando."

Ted encolheu os ombros.

"Como eu já disse, só ia escrever um verso."

Frieda tinha companhia e estava precisando de carinho, minha sensação era de que ela tinha ficado sozinha por muito tempo. Agora precisava de alguém. Ela grudou no meu quadril, mas eu estava cansada demais depois do passeio de bicicleta.

"Está com um pacote?", perguntou Ted.

Bufei para o pacote, tinha perdido a graça. Não importava.

"Hm", respondi. "São só umas revistas que minha mãe mandou."

"Que legal", disse Ted. "É bom ter alguma coisa que lhe dê prazer."

Estava falando sério? Olhei para ele. Devia estar brincando comigo. Devia ser ironia. Ele não podia estar falando sério... Umas revistas americanas para donas de casa realmente me *dariam prazer*?

"Já falei, não é nada", disse e me levantei com um desejo violento de me livrar de Frieda. Ela tinha agarrado o meu quadril feito um cachorrinho com seu osso.

"Fomos convidados para jantar amanhã à noite", gemi enquanto lutava para vestir as meias de lã, sentada numa cadeira.

"Talvez a casa deles seja mais quente, a do casal Tyrer. Encontrei a esposa do diretor do banco no vilarejo."

"Ah é?", disse Ted. "Então vou falar sobre todos os meus projetos na BBC para pessoas que podem se interessar."

O que ele quis dizer? Que lama negra aquelas palavras continham? Ele estava cansado? Estava chateado? Não era prerrogativa minha estar cansada e chateada? Uma borboleta desassossegada esvoaçou dentro de mim, tinha ficado à espreita o dia todo, e agora suas asas delicadas faziam meu âmago estremecer. A borboleta estava presa e buscava a saída certa, lançando-se diretamente contra a minha carne. Procurei por alguma palavra.

"Frieda já dormiu?", perguntei, em vez disso.

"Não, você pode colocá-la para dormir", respondeu Ted.

"Ela almoçou? Já são duas da tarde!"

"Temos bacon."

"O que você comeu?"

"Não estava com fome para almoçar."

Suspirei, abri a portinha da lareira da sala e joguei lenha na cama de brasas, mas isso não fez o fogo crepitar e se levantar como eu esperava; pelo contrário, o pedaço de lenha sufocou a brasa e a lareira ficou preta. Nossa casa era um gelo — a parteira havia dito que precisávamos aumentar a temperatura até janeiro, para a chegada do bebê.

"ELA COMEU BACON NO CAFÉ DA MANHÃ!", gritei, fazendo o bebê na minha barriga dar uma cambalhota.

"Dê papel-manteiga a ela, então! O que temos é bacon!"

Fiquei sem responder.

"Vou acabar de escrever esse poema agora!", Ted prosseguiu impaciente, subiu e fechou a porta do sótão.

"Bacon", falei para Frieda, me sentindo faminta também. Desenganchei a frigideira, me entregando à fome. Um pequeno pedaço de mim se derramou. Estava com minha blusona azul-

-cobalto, larga como uma barraca sobre a barriga; ela não me fazia jus. No topo da grande montanha (que era eu) formava-se uma grande mancha gordurosa. Fiquei observando-a se espalhar pelo tecido. Comecei a chorar, fazendo caretas para afastar as lágrimas, mas o choro estava ali e ardia. Maldito poema! A longa fatia de bacon havia se contorcido na frigideira por um bom tempo, agora estava rígida e dura no prato. Cortei-a para Frieda. Ela mastigava encolhida de nojo porque a carne estava muito rançosa e salgada. Eu havia fritado demais. Peguei seu prato, espetei uma nova fatia de bacon flácido e fritei outra vez, baixando o calor da chama de gás sob a frigideira.

Era minha responsabilidade acertar as coisas.

Ela já fora pura e inocente e se alimentara somente do meu leite, o leite que fluía do meu seio e que eu não sabia direito de onde vinha. Leite. Leite branco e quente. Os seios estavam grandes e sensíveis agora também, e neste último trimestre eu tinha estado com muito tesão, sentindo vontade todas as noites. Mas Ted não entendia bem o que eu estava fazendo. Eu deitava de conchinha com ele, mas, já que a barriga fazia pressão contra suas costas, não tínhamos contato de verdade. Ele suspirava, virando-se para o outro lado da cama, enquanto eu me arrastava atrás dele, meus braços e pernas quentes e suados apesar do quarto gelado...

Coma, filha. Dei a fatia mais macia do bacon para Frieda. Ela o chupou rindo. Era como se o sorriso estivesse gravado em seu rosto: talvez seja uma defesa, pensei, uma armadura contra a escuridão que ela vê em seus pais e que o sorriso, como um vigia, não deixa passar. Também pensei: Frieda é dura como pedra, vai sobreviver a todos nós.

Por que eu não estava feliz hoje? Por que eu havia acordado com o céu cinzento na minha cabeça? Era apenas um dia como outro qualquer. O que fez esse dia achar que era assim tão especial? Como podia uma pessoa, o movimento de uma única pessoa através da existência (a esposa do diretor do banco lá no vilarejo), ser capaz de sabotar minha realidade tão completamente? Ela ainda estava dentro de mim, seu sorriso presunçoso, ela estava tão cheia de si e ao mesmo tempo tão cheia de vontade de *saber*. Ela queria saber coisas sobre mim e Ted e Frieda. Em Londres não era assim, lá estávamos sozinhos e protegidos pelas ruas. Aqui tudo era cru, desnudo, e era desagradável a ponto de ser nojento estar à mercê das outras pessoas dessa forma. Eu era uma ratazana que corria para lá e para cá querendo passar despercebida, e eles queriam me capturar. Será que eu resistiria? Tudo era apinhado aqui na zona rural da Inglaterra. Eu vinha de Boston, o que, em comparação, era como viver com vista para o mar.

Sentei no sofá para ler a primeira edição da *Ladies' Home Journal*. Sofá vermelho, sala escura, luz pálida de inverno entrando pela janela. Numa carta para minha mãe, eu havia escrito que de repente estava adorando costurar e cuidar da casa, que a gravidez fazia isso comigo: me deixava vagarosa e amável. Estava com vontade de ler revistas femininas e não queria me dedicar a atividades intelectuais. Mas agora, ao abrir a revista... Agora não era assim. Agora eu abria a revista e nesse momento traía minha mãe.

As páginas acetinadas da revista, as imagens coloridas de vasos com plantas e tecidos de sofá amarelos e verdes me deixaram enjoada e vazia. Era isso que eu havia dito que amava. Era isso que eu havia pedido à minha mãe. Esse mimo. Numa das folhas, um pão branco macio recém-saído do forno se destacava na foto. Um pão de forma branco que poderia ser feito em casa. Aquilo me tocou, era uma lembrança de casa, era um sinal: ah, não seria gostoso um pão de forma caseiro, alguma coisa deliciosa para tostar no forno de manhã? As receitas inglesas eram tão nojentas, eles punham especiarias e mosto nas coisas, uvas-passas, centeio, um horror. Eu faria um pão de forma e pronto.

Ted já havia descido do andar de cima; estava abrindo um envelope na cozinha. Três cartas tinham chegado para ele. Parecia feliz, recebera uma mensagem da associação dos escritores: bolsa concedida. Ele urrou de alegria à mesa da cozinha. Eu estava folheando a revista, mas não olhava para as páginas abertas, não lia as letras. Era uma boa notícia para a família! Por que, então, algo havia congelado dentro de mim? Que inquietação era essa que não conseguia expressar? AGORA AQUI ESTAVA EU NA MINHA PRÓPRIA NATUREZA-MORTA, A PERFEIÇÃO ATEMPORAL, EU ESTAVA SENTADA AQUI. Seja feliz! Eu era a esposa gravidíssima do meu marido escritor, não era isso que eu queria? Pronunciei as palavras: "Parabéns, que maravilha" e me levantei e o beijei a muito custo, porque meu corpo era enorme. Pensei: Vou escrever também sobre isso para minha mãe. Vou fazer as palavras faiscarem, lançá-las como pequenas princesas patinadoras sobre gelo polido. Minhas palavras vestirão pequenos laços. As cartas eram minha melhor modalidade nesse sentido, porque nelas ainda podia manter as aparências como esperado, podia retratar o esplendor e permanecer nele, onde tudo estava certo e acabado, e onde a realidade para a qual as palavras apontavam ainda era possível. Nas cartas, minha existência era como deveria ser, não como esse dia idiota que não queria me obedecer de forma alguma — e ainda era só um dia como qualquer outro.

E ontem, quando não chegou nenhuma notícia, quando dormi pior durante a noite e realmente só fiquei em casa fazendo comida com Frieda enquanto Ted estava em Londres trabalhando, aí eu estava transbordando de felicidade. Para mim, o dia foi exatamente como os dias devem ser. Senti a promessa no peito, senti o aconchego de dezembro, enfeitei as cortinas com pequenas fitas de seda vermelha, brinquei com Frieda e me *diverti* de verdade, decidi que era assim que os dias como esposa de Ted e como dona de casa deveriam ser.

Tentei freneticamente escrever a receita do dia de ontem na minha cabeça. O que eu tinha conseguido? Por que a inquietação não desparecia como ocorrera ontem? Foi porque eu só havia preparado o bacalhau fresco com molho de salsinha, sem ter feito um bolo para a sobremesa? Foi isso que deu errado hoje, o fato de eu ter me esgotado completamente indo de bicicleta até o vilarejo? Será que a ausência de Ted ontem é que tinha sido tão deliciosa? Por que eu não aguentava quando ele estava aqui? Será que foi a gravidez, eu ter dormido muito mais e mais profundamente esta noite e de certa forma não querer parar de dormir nunca mais — se eu me entregava ao sono, descobria como estava cansada —, foi culpa de Frieda, que estava muito mais carente, chorona e grudenta hoje? Foi porque Ted estava escrevendo? Sim, provavelmente foi porque Ted estava escrevendo e porque sua escrita me fez lembrar o buraco horrível que eu tinha na cabeça, do qual nunca mais sairia nada literariamente bom.

Ted já havia reconectado o telefone, que tinha ficado fora da tomada, e agora estava no hall de entrada conversando com alguém em sua voz suave e clemente — o tipo de prosódia do lado certo da qual você sempre queria estar. Ele havia ligado para alguém, estava falando, explicando: era para a casa inteira se encher com sua voz.

Senti a bolsa concedida a Ted corroer a minha própria, aquela que recebi no final do verão e cuja produção solicitada eu já havia concluído antecipadamente. Um romance inteiro que intitulei *A redoma de vidro*, por falta de imaginação. No próximo verão, o dinheiro teria acabado... E eu tinha assado um filho para nós no forno do meu corpo, era com isso que eu havia me ocupado, nada mais, nada de escrever.

Ted encerrou o telefonema e estava de volta com uma mão na minha lombar; havia notado meus gemidos no sofá e queria ajudar.

"Será que você não deveria se deitar e descansar um pouco?", perguntou.

"Eu tinha pensado em fazer pão."

Ted suspirou.

"Você não precisa fazer pão agora", disse.

"Mas não temos pão em casa. É sexta-feira. Você também vai querer pão para o café da manhã, não é?"

"Deixe comigo", disse ele. "Fique deitada."

Eu me deitei no sofá, vencida. Pensei: ele não vai fazer. Quero fazer pão para minha família, ponto-final. A família precisa de pão! Será que eu era a única a entender isso? De certa forma, eu ansiava pela chegada do bebê e pelo dia em que nos tornaríamos uma família de verdade, uma família de quatro pessoas. No momento, éramos um casal com uma filha. Quando o bebê nascesse, Ted não teria mais tempo para nada — então ele seria *forçado* a fazer pão, seria forçado a cuidar de mim... Eu mal podia esperar.

Ouviam-se ruídos vindos dos armários da cozinha. Ignorei meu próprio desejo de me locomover feito uma pata choca até a cozinha para controlar cada detalhe enquanto Ted fazia o pão. Que tipo ele faria? Seria um pão malfeito, isso era certo. Nada de pão de forma branco e macio. Por que eu não podia fazer o pão? Por que eu não estava feliz hoje? Por que a gravidez não funcionava em mim? Por que eu só me sentia embolorada e quase podre? Eu havia mofado inteira, não sobrara mais nada do meu antigo *eu*, somente a transformação, a erupção vulcânica. Às vezes era isso que fazia o estado de gravidez parecer tão agradável, passar despercebida da pessoa que normalmente somos e se tornar outra, com outros temas e questões. Uma aparência completamente diferente. Mas só hoje.

Tentei encontrar outra voz dentro de mim, a da minha mãe, a da minha tia, a do meu irmão: Descanse agora, Sivvy. Relaxe e se permita descansar.

Respirei fundo. Mas nem isso consegui. Por que eu descansaria se não queria descansar? Queria escrever! Queria fazer pão! Queria viver como Ted!

E enquanto Ted enchia a cozinha com os mais incríveis aromas da vida e assuntos de conversa ("Vou me tornar um magnata cultural. Amo essa palavra: 'magnata', você e eu vamos nos tornar magnatas, Sylvia, magnatas da cultura"), eu ficava sentada ao lado fazendo hum-hum e corroendo a realidade dele. Fiz isso ainda que minha bunda doesse de tanto ficar sentada, mesmo odiando cada centímetro do pão preto inglês dele, que eu de fato odiava, e isso eu dificilmente poderia esconder no dia seguinte, no café da manhã — mas esse era um problema para depois.

No que consistia a culpa? Em não me sentir bem? Dei uma caminhada na friagem da tarde. O sol havia lançado sua última luz sobre a terra. Os pássaros estavam acordados, apesar de o mês de dezembro não lhes querer bem. Andei devagar, pensando em oxigênio. O oxigênio no corpo. O oxigênio no quadril. Aqui na terra, eu estava a serviço, eu era um corpo com outro dentro, eu era dois. E ainda assim arrastei meus pés, me arrependendo de ter aceitado o convite para o jantar esta noite.

Eu tinha um pedaço do pão de Ted no bolso, o café da manhã de Frieda, que esmigalhei entre os dedos. Os altos arbustos ingleses eram uma cobertura protetora entre mim e as propriedades rurais. Friagem, pensei. Congelada pelo frio. Eu andava por aqui e ainda não estava adequadamente vestida para enfrentar aquilo que o mundo queria me oferecer. Eu era uma criança mal-agradecida. Havia recebido tudo o que queria na vida. Estava quase na linha de chegada do sonho plathiano: dois de quatro filhos. Marido escritor. Eu escritora. Bolsista. Era mãe do outro lado do planeta. Eu tinha a ousadia de ver tudo que era tão bom sob uma perspectiva totalmente diferente. Por que eu era alguém que pescava nas águas sombrias da morte? O que eu estava fazendo lá, comedora de traças, velho peixe que eu era? Levante-se e se livre do emaranhado, arranque o peso que seus dias carregam. Eu estava aqui, eu era inglesa, eu estava firme e forte e com uma criança a caminho. Não havia motivo. Não havia motivo!

Eu tinha um homem, corvo, um homem corvo lá em casa que me queria. Ele cuidava de mim. Ele me desejava. Ele estava ligado a mim... Éramos inseparáveis, unidos pela terra. Sua Inglaterra negro-carvão úmida áspera de pelagem de raposa, verde de grama irlandesa. Minha América branca esmaltada perolada, de pernas compridas. E minha boca, que outrora fora uma larga cereja doce na qual se podiam afundar os dentes, vermelha e suculenta, mas que agora mais parecia um peixe, incolor, tirado da água — uma sardinha, quanto mais Ted olhava para mim.

Nós éramos nós. Por que essa culpa... por que esse sentimento de culpa que eu carregava? Era só uma caminhada, nada mais! Eram só paralelepípedos, eram só arbustos, era só o tempo. O passeio me deixou tremendamente nervosa por estar perdendo tempo sem ser produtiva. Eu caminhava e era material. Vinha daí a culpa? Não estava coletando material, eu *era* o material, mas como medir a distância até meu próprio material (que era eu) e começar a criar a partir dele? Era tudo que eu sempre quisera fazer, era tudo que eu já havia feito, mas nunca era o suficiente. Ninguém queria isso de verdade e, quando alguém queria, não era exatamente aquilo que eu queria que eles quisessem. (ELES: A *MADEMOISELLE*, A *NEW YORKER*, REVISTAS). Se eu ao menos pudesse decidir! Então teria sido outro poema, outro conto ou romance ou ensaio, teria sido do meu jeito, mas ninguém nunca fazia o que eu desejava.

Eu era uma perda de tempo. A gravidez que andava por aí

e habitava meu corpo era o perfeito exemplo dessa perdição. Eu havia até me dado de empréstimo.
   Culpa.
   Quando o dia estava assim, eu sabia como se desenrolaria. Era como despejar um frasco de tinta negra no chão. Esparramava-se, contaminava tudo, manchava Ted, começava a devorá-lo, e no fim o deixava louco. Não valia a pena ir ao jantar. Íamos ficar perdidos lá, já que eu estava perdida nesse dia, e Frieda ia me atormentar como uma crise insana de culpa (ela reclamaria porque eu reclamava, já que me sentia uma merda), e Ted desejaria estar longe dali, talvez com outra mulher.

   North Tawton — ai! A decomposição se desenrolava diante dos meus olhos enquanto as folhas marrons de outono grudavam nos meus sapatos. Os moradores do vilarejo me tinham como uma bonequinha na palma da mão, e eu sabia que precisava dançar. Precisava dançar, costurar e tricotar sob seus olhares. Ted era homem, ele podia desaparecer lá em cima na salinha do sótão e escrever o quanto quisesse. Eu era propriedade pública, eu era material. Eu era mulher. Eles queriam me capturar.
   Será que foi por isso que procurei a igreja anglicana, nossa vizinha de porta? Bati no portão para poder entrar na capela. Não tinha a menor vontade de me fingir de cristã, não praticava nenhuma fé e certamente não dava ouvidos a nenhum falador no púlpito que não levasse a vida e a humanidade a sério. Aqueles padres nada diziam de significativo, falavam com palha na boca! Palha e mata-borrão. Eram patetas fantasiados de pessoas importantes e se vangloriavam, pois, ah, como eram bons e respeitados. Blé! Aquilo me dava nojo.
   Dei alguns passos para trás sobre o cascalho para olhar a igreja, tão cinza e soberba, bradando sua lança no ar. Uma ere-

ção perversa em meio à inglesidade acinzentada. Mas por que então eu a procurei, por que insisti em mandar Frieda à escola dominical? Eu queria que ela tivesse uma boa infância. Queria criá-la em alguma cultura. Em Londres, a cultura estava no rosto das pessoas interessadas, viajadas e urbanas e nas coisas sobre as quais escolhiam conversar; aqui em Devon o desejo por conhecimento estava morto, a espirituosidade, extinta — era preciso recorrer à igreja.

Quase forcei minha entrada quando o pároco abriu a porta, e ele foi obrigado a recuar diante da minha monstruosa aparição. Fiquei no vestíbulo de pedra gelado olhando para ele com olhos perdidos. Será que podem encarregar-se da minha filha? Na Inglaterra chove com frequência, e ela ficará calada e muda que nem uma boneca, tendo dois pais escritores como única fonte de inspiração. Alguém precisa ajudá-la, alguém que não seja eu.

"Minha filha logo fará dois anos", consegui articular, tremendo muito, audivelmente. "Vocês teriam atividades para ela?"

"Vocês são o casal que acabou de se mudar para cá?", perguntou o pároco, que tinha uma franja torta peculiar e ficava mexendo numa partitura guardada no hinário desgastado.

"Somos os moradores da Court Green."

"Ah, a antiga residência do pároco." Seu rosto se iluminou.

"Somos a nova promessa", ri, e ali estava meu sorriso, o sorriso que eu oferecia tão incondicionalmente a sacerdotes e a outras pessoas que precisavam dele. Meu sorriso que começava na boca e podia se estender sem limite pelo rosto. Eu nem sempre era capaz de permanecer no sorriso e oferecer *apenas* isso, tinha que seguir o sorriso até seus becos mais profundos e distantes, como se arrastada por uma compulsão... até a escuridão. Tinha que liberar a escuridão. Tinha que oferecer a alegria e a tristeza da minha alma. Precisava forçar o outro a reagir à minha escuridão, a *interagir* com ela. Precisava deixar o outro desconcertado e pasmo. Aqui está alguém que sorri tão forçadamente que não pode ser levada a sério! Eu minava meu próprio sorriso ao sorri-lo tão exageradamente, sim, eu desvirtuava toda a minha pessoa. E depois eu voltava de joelhos, tendo de me remendar diante do outro, de implorar que me levasse a sério; tome meu sorriso, sou alguém, sou uma pessoa de verdade, me tome.

Eu sempre tinha que apresentar todo esse meu circo.

Não conseguia parar o movimento do meu próprio sangue.

Agora eu estava com medo, medo de que o pároco visse a falha no meu rosto americano oco, medo de que visse que eu na verdade não estava feliz.

Medo de ficar triste diante dele. Talvez seja eu, pensei, talvez eu é que precise de uma igreja, eu é que precise de um padre.

Me confessar.

Talvez fosse eu quem precisasse de uma escola dominical, talvez fosse eu a criança aqui.

Recebi um panfleto da solene mão do pároco, que certamente nunca havia tocado um pedaço de carne tão vibrante como aquele do qual eu era feita, que certamente nunca havia pecado. Ai, quem me dera um milímetro de sua insípida mansidão!

O pároco olhou nos meus olhos castanhos.

"A senhora também é muito bem-vinda a participar", disse ele, apontando para a minha barriga. "Temos orações de vésperas às terças e quintas."

Senti o nariz escorrer, claro, e ali estava eu oferecendo meu sorriso intenso.

"Obrigada!" Fiz uma reverência e percebi como era péssimo fazer reverências a um padre. Havia outros gestos? Estendi-lhe a mão.

"Vai ser muito bom para a Frieda frequentar a escola dominical", eu disse, apertando a mão do pároco várias vezes. "Ela realmente tem uma necessidade espiritual neste momento, e também de disciplina, é claro."

"Não disciplinamos as crianças, talvez as eduquemos", protestou o pároco.

"Pois é! Claro." Agora eu mudava de estratégia, queria que o pároco gostasse do que eu dizia.

"Uma educação cristã", menti. "É realmente o que procuramos."

O pároco pôs uma mão solene em meu ombro e indicou a saída.

"Será um prazer conhecer os novos moradores da residência paroquial", disse ele, e eu sorri para a palavra, sorri para o momento e para a gentileza; será um prazer.

"Muito bem", respondi. "Agradeço ao senhor por ter me recebido esta tarde. Nem sabe o quanto estou grata."

"Certo, certo, mas não precisa exagerar. Estamos à disposição de quem nos procura, é só isso. A Frieda é muito bem-vinda, com a senhora ou com o seu marido."

Ele se cansou de mim! Ele se cansou, bem na minha frente! Não pude acreditar que era verdade! Me encolhi de vergonha — eu havia errado o alvo, havia exagerado, havia desperdiçado a oportunidade de parecer discreta e equilibrada a seus olhos. Volúvel — eu havia revelado minha volubilidade ao pároco. Droga! Quando chegasse em casa, ia recorrer a Ted para que me deixasse descansar no seu peito e zombar desse padre inglês chato e de sua imaginada perfeição. Blé! Eu queria vomitar.

Sorri para o pároco e acenei. Tropecei no cascalho como uma bêbada, querendo voltar para casa, voltar para a outra pessoa que me salvaria de mim mesma — Ted.

E em casa chorei ao lado de Ted, chorei lágrimas longas, que escorriam devagar. Estávamos sentados no sofá e Frieda ainda dormia. Me senti ansiosa com o fato de que ela acordaria em breve. "É tanta coisa", eu disse. "É tanta coisa." Ele perguntou se eu estava triste.

"Não sei", respondi.

"Mas você está chorando."

"Só estou com raiva daquele padre."

"Por que você foi até lá?"

Me senti atacada pela pergunta de Ted, ela congelou e se instalou sob as palavras que acabavam de trazer consolo, ficando ali como um punhal gélido a me espetar com sua lâmina afiada. Eu não queria mais ataques, não queria mais movimentos fatigantes nesse dia — já tinha sido o bastante —, íamos sair dali a umas duas horas, eu precisava de descanso, de conforto. Só precisava me deitar e cair nos belos braços de Ted.

Talvez fosse o suficiente ficar aqui com ele.

Senti meu coração desacelerar.

Sua mão quente, foi por ela que me apaixonei em Cambridge, em fevereiro de 1956. Seus dedos infinitamente longos haviam quase contornado meu corpo, eles tinham longo alcance. Me alcançaram a noite toda. O calor não acabava. Eu confiava neles. Sabia que não podia derrotar esses dedos. Não podia quebrá-los. Ted, uma ave longa e formosa, um corvo grande e imponente que abriu suas asas fortes e me envolveu com elas. Me deixou ficar ali. A Inglaterra estava cheia de pássaros negros que voavam em bandos, passarinhos negros desnorteados que não sabiam para onde ir se não se apoiassem uns nos outros, pareciam um enxame de abelhas alto lá no céu, um corpo perdido que desesperadamente tentava reunir suas negras partes cadavéricas no ar. Mas Ted. Ted, no entanto, era maior, era mais forte. Ele estava sozinho. Era o gigante no reino dos pássaros, o soberano de si mesmo, um grande poeta, e a única coisa que formava enxame nele eram as palavras, o fervedouro de caracteres negros com os quais enchia as folhas da máquina de escrever. Seu próprio mundo interior, aquele que me fortalecia e fascinava, e sobre o qual ele se sentia tão calmamente seguro que tinha seu devido lugar no universo, de modo que ele podia se dar ao luxo de me escutar. Escutar minhas formulações hesitantes e minhas palavras roucas e rachadas.

Podia ver esse encontro toda vez que encarava seu olhar cinzento, às vezes enegrecido, de pós-guerra. Nunca pude esquecê-lo. Andamos lado a lado por tantas perguntas e juntos encontramos as respostas. Ted me permitira. Ted me perdoara. Ted me segurara. Ted me abandonara. Ted voltara. Ted me exigira. Ted me perguntara. Ted ficara ao meu lado. Ted havia ido e vindo. Ted continuara a ser meu amigo. Ted vira minhas profundezas e minhas dificuldades, Ted ficara ao lado observando. Ted me condenara. Ted voltara mesmo assim. Ted me mudara. Fora por isso que eu o amara mais. Porque Ted havia, lentamente, mudado minha maneira de ver, falar e entender as coisas. Ted me permeara, me marcara; eu tinha deitado pertinho dele como um pedaço de vidro na orla do mar que era polido pelas fortes ondas. E agora ele se levantou e saiu.

Agora ele me deixou. Tudo está tão vazio.

Meu ciúme de Ted não tinha limites. Esse era meu maior desafio, e eu sabia. Quando ele se levantou do nosso tenro momento no sofá, quando ele se desvencilhou da nossa cova de consolação para ajudar Frieda, que tinha acordado na cama.

Então tentei alcançá-lo, querendo me infiltrar nos membros de seu corpo e por alguns segundos ser ele. Não bastava viver ao lado dele. Eu queria viver dentro dele. Queria chegar ao seu âmago, queria copiá-lo ou apenas obter permissão e acesso, talvez uma chave para o seu corpo, para que eu pudesse entrar e sentir como era ser ele quando ele andava, ser ele quando se ergueu alto e poderoso no chão da sala, firmemente decidido, convencido do que estava prestes a fazer. O coração dele batia forte e calmamente, e a convicção fluía por seu corpo com a mesma facilidade de seu sangue: ele estava indo até Frieda. Ele era pai, ele era corvo, ele tinha duas pernas, longas e estáveis, que o carregavam pela realidade, e agora ele havia se separado de mim, cujo corpo jazia mutilado no sofá.

Mutilado. O cadáver no sofá.

Foi uma agressão. Foi uma agressão me deixar assim sozinha.

"Como está a minha menina?", perguntei a Frieda, que saíra voando do quarto de bebê para os fortes braços de Ted. Ela esfregava os olhos de sono.

"Mamãe", disse ela, estendendo os braços magrinhos para mim, desprendendo-se do pai e pedindo meu colo.

O corpinho macio de Frieda, seu corpo de criança confiante sem resistência. Inspirei o peso de sua leveza. Macia delicadeza de algodão. Seus cabelos radiantes. Eu tinha um anjo no colo, e isso também fez meu coração se elevar e desacelerar. Segurei-a num momento cheio de espontaneidade, de felicidade desprotegida. Foi um momento repleto de Ted também — ele ficou nos observando, o encontro de uma bochecha com a outra, bem diferente. Ele sorriu para nós. Me enterrei nela com tudo que eu tinha.

Era em instantes como esse que Ted não deveria me deixar. E era o que ele sempre fazia. Ele achava que Frieda bastava para mim, que a maternidade era o suficiente — eu não precisava dele e de sua abençoada energia? Precisava, sim! Quem me dera poder dar uma rasteira nele, fazê-lo andar de muleta! Quem me dera que ele não se afastasse sempre de mim! Meu corpo estava pesado demais para ficar aqui no hall de entrada e ainda por cima segurar uma criança de um ano. Foi só um beijo divertido na bochecha, e agora a vida precisava continuar; eu também queria me sentar neste dia, mesmo que fosse apenas por um instante, e dar uma olhada nos meus papéis. Além do mais, tinha uma carta à *New Yorker* que eu queria escrever. Será que todo mundo nessa casa pensava que eu não trabalhava? Que eu não ganhava dinheiro? Deveria lembrá-lo de que eu de fato tinha recebido uma bolsa, da qual estávamos vivendo, e que o livro já havia sido escrito, o livro que escandalizaria o mundo (talvez), ou pelo menos divertiria alguma alma perdida (provavelmente), ou ao menos ficaria na prateleira de uma livraria tendo *potencial*?

Saia, Frieda, saia! Eu a empurrei, explicando que precisava tomar muito cuidado agora que a barriga estava grande como uma montanha.

"Quem mola aí?", perguntou Frieda e espetou um dedo em mim. Não consegui conter um breve sorriso.

"Um pequeno ser humano", respondi. "Um adorável pombinho."

"Quem mola aí?"

Eu quis chamar Ted de volta — seus ouvidos também deveriam escutar isso. O fascínio de Frieda, sua tagarelice lúdica e sua linguagem já tão desenvolvida. Deveríamos estar juntos em cada momento.

"Ah, minha filha", eu disse. "Aqui mora uma raposa."

Fiquei deitada na caminha de Frieda enquanto ela brincava. Aqui, a luz da janela caía diferente, era como um clarão eterno e cortante. Fechei os olhos, Frieda pegava os brinquedos para mastigar ou para entregar a mim, com expectativa e seriedade infantil em igual medida. Aqui era o meu lugar — aqui na fofura, na futilidade. Eu também queria subir ao sótão como Ted e ser importante, mas sabia que alguém precisava ficar deitado aqui e ser infinito diante da nossa filha. Estendida no tempo, atrás de uma barriga alta como uma colina num parquinho obsoleto. Alguém precisava ficar deitado de boca aberta sem se mexer enquanto Frieda enfiava um patinho de banho na minha boca. Tinha gosto de borracha.

Eu gostaria de cessar, de me fundir tão completamente a Frieda que o outro roer do meu intelecto não pudesse insistir. Gostaria de entregar minha carta de demissão à escrita. Se abrisse os olhos, poderia ver no olhar de Frieda que ela achava uma boa ideia. Eu sabia que Ted era da mesma opinião. Eu sabia que as palavras que eu escrevia para minha mãe quando pedia uma *Ladies' Home Journal* eram realmente verdadeiras. Eu falava sério: *Eu adoro cuidar da casa, costurar roupas para Frieda e o bebê e me servir de biscoitos e revistas femininas de papel brilhante.* Eu sabia que todo mundo adoraria que minha escrita se calasse, porque então o lobo também se calaria (a maior parte do tempo).

Eu podia viver na bênção do meu corpo. Viver na plena graça do meu bebê.

Ela me entregou uma caixa de música.

"Toga, mamãe", mandou.

"Não podemos incomodar o papai."

"Toga!"

E eu toquei, era a Internacional; eu sabia que eram os olhos do lobo soltando faíscas no meu íntimo. Senti que ele queria perturbar Ted. Girei a pequena manivela seguindo a instrução de Frieda, cada vez mais rápido, até escutar os passos no andar de cima; logo ele desceria, logo ele desceria...

Até que ele chegou com peso e labuta nos passos e, sem olhar para mim, passou a tomar conta de Frieda.

Sem uma palavra.

Subi gingando a escada sob fortes protestos de Frieda.

A janela do meio sobre a nossa cama de casal tinha cortinas brancas costuradas à mão. Costuradas pelas minhas mãos. Agora eu me deitaria e escreveria algo aqui. Sob a luz que insinuava seus finos raios pelo tecido; a mísera luz de dezembro em Devon. Afundei na colcha, de lado para que o bebê não interrompesse o suprimento de sangue e de ar para os meus pulmões. O coração batia acelerado. Verifiquei com a mão — franja — testa — olhos — que eu ainda estava aqui. Respire fundo e com calma, pensei. Respire no coração.

Eu precisava de um descanso de pelo menos meia hora antes de me trocar e me preparar para o jantar.

Eram esses momentos: desejei que o tempo fosse elástico e o lobo, domado, que fizessem o que eu mandava. Isso se o tempo me obedecesse. Se o lobo estivesse amarrado. Então haveria a possibilidade de descansar, escrever a carta à *New Yorker* e me vestir esta noite como uma bela prima-dona, para Ted. Mas eu só precisava sobreviver ao tempo. Aceitar que ele tinha seu curso, independentemente do que eu desejasse. Eu não gostava de ser controlada. O bebê começou a chutar; era sempre assim quando eu me acalmava, aí ele despertava. Ele fez minha barriga se agitar como as ondulações num oceano, e eu senti azia — o estômago estava tão espremido para cima que os sucos andavam de carrossel pela minha garganta até entrar na boca. Engoli azedo.

Abri o guarda-roupa, será que este servia? Este daqui? A roupa estava fria, e meu corpo estava grande e quente. Estufado. Lerdo. Calcei uma meia-calça grossa, macia e preta, teria que fazer as vezes de uma meia de náilon, e eu havia afrouxado o elástico da cintura para que não apertasse o ventre; precisava de espaço ali.

As coxas estavam inchadas e raspavam uma na outra quando eu andava. Eu não estava bonita, podia ver no espelho. Estava toda inchada. Quem vivia em mim? Gemi. Pus uma espécie de vestido que mais parecia um avental. Era azul-celeste. Eu o descosturaria, poderia usá-lo para fazer um colete para Frieda. Arranquei a roupa. Precisava vestir outra coisa. Por que ninguém costurava roupas para mim? Por que eu não tinha mãe aqui? Será que Ted não percebia como sua esposa seria linda de morrer se apenas tivesse umas roupas mais ajeitadas?

Fazia algum tempo que eu sentia certa frieza por parte de Ted; recentemente, seu desejo, que minha aparência sempre havia despertado, fora substituído por um silêncio, um olhar distante, como se ele me olhasse mas não me absorvesse, não me deixasse entrar plenamente em seu campo de visão. Ele não podia construir muros agora, pensei. Eu não sabia lidar com muros. E eu ainda derrubaria muros, nem que precisasse de garras. Pois uma guerra entre os muros de Ted e minhas garras afiadíssimas de sabre poderia se tornar sangrenta.

Me virei na frente do espelho — agora eu havia optado por algo preto, parecia vestida para um funeral; mas era um vestido que reforçava minha dignidade, que pelo menos dava um ar de respeitabilidade a meus braços e pernas. Pintei um coração vermelho nos meus grandes lábios inchados de gravidez. Parecia um coração que alguém havia pisoteado.

Foi uma jovem de cabelo chanel escuro e saltitante que abriu a porta da casa dos vizinhos. Estava embebida num perfume marcante. Quantos anos teria, uns dezesseis? Pôs os olhos em Ted e depois os passou para minha barrigona. Eu quis estender as duas mãos e endireitar aquele olhar, segurar seu queixo e direcioná-lo até que ela me olhasse direito nos olhos. "Nicola", apresentou-se a moça educadamente. Eu segurava o colarinho do macacão azul-claro de Frieda, do qual havia pouco tinha tirado manchas com cuspe na mão. Ela puxou o gorro de bebê até o cordão apertar o pescoço, e imediatamente eu estava ali, ajudando-a a soltá-lo.

Com seu jeito semieducado, Ted cumprimentou o casal de anfitriões, que apareceu no hall de entrada para nos receber, o sr. e a sra. Tyrer, os pais da jovem.

"Prazer, prazer", disse ele ironicamente com seu longo braço por cima de mim, enquanto eu me agachava.

Por que ele tinha que dizer aquilo como se não fosse a sério? Era como se estivesse zombando do casal Tyrer bem na cara deles, deixando-os perceber que vir até ali havia sido um incômodo para nós. Chega, agora eu estava assumindo o controle com meu sorriso radiante de revista, levantando da posição de Frieda no chão e irrompendo feito uma boneca de propaganda de TV.

Marjorie Tyrer me deu um beijo na bochecha e pegou meu casaco antes de derramar-se em deleite com a fofura de Frieda e seus passinhos incertos. Que gracinha!

Frieda ganhou um ursinho de pelúcia antigo para segurar e pôs a boca no nariz dele, levando o grupo todo a se encantar num coletivo "Ohhh...".

Minha menina, pensei. Boa menina. Meia hora antes, eu estivera curvada sobre as poças de seu xixi no chão, passando um pano duro e frio no seu bumbum até ela gritar.

Assim mesmo. Era assim que deveria ser: representação.

A jovem Nicola nos ofereceu uma taça de xerez de boas-vindas; carregava-as desajeitadamente, uma em cada mão — poderia ter usado uma bandeja. O tempo todo ela olhava para Ted, atrevida, irreverente e imbecil. Ela tem um olhar estúpido, pensei, estudando-a atentamente. Pernas informes e grossas numa meia-calça branca e uma saia marrom irritantemente curta. Os pais eram mais velhos, em idade bastante avançada para ter uma adolescente em casa.

"O último Natal de Nicola em casa", explicou Marjorie e se virou com cautela para mim. Eu não quis falar da pequena Nicola de forma que ela se sentisse comentada, por isso só murmurei e olhei para um quadro sem sentido na parede. Nicola se curvou para ajudar Frieda a endireitar a cabeça do ursinho de pelúcia. O marido de Marjorie, o diretor do banco, estava ansioso para monopolizar Ted; havia se preparado deixando uma pilha de livros na mesa de vidro. Agora queria que Ted se separasse do quinteto; com uma mão em suas costas, o ancião George, de verde, com o colarinho por baixo de um pulôver escuro, levantou o primeiro livro e deixou tudo nas mãos de Ted. Pelo visto, era Auden, meu velho Auden que outrora me fizera começar a escrever; agora Ted tinha a oportunidade de falar sobre poesia, e eu fui para a cozinha com Marjorie, que enfiou o garfo no assado e começou a fatiá-lo.

A carne exalava um cheiro nojento. Tive que me virar por pura aflição e ficar de olho na filha, Nicola, em suas façanhas na sala ao lado. Pela fresta da porta, pude ver como se intrometeu na conversa entre os dois homens; entreter Frieda era só uma desculpa. Já havia soltado a mão dela. Desprendi-me das garras de Marjorie — ela naturalmente queria falar sobre as doentes da vizinhança e me explicar os detalhes de suas enfermidades — e me encaminhei para a sala de estar com minha taça de xerez na mão. Abaixei-me. Estava à disposição de Frieda. O rosto de Frieda se iluminou. Alguém para brincar comigo...

E Nicola?

Ela estava com uma perna levantada em ângulo reto em relação à poltrona, o que fazia seu corpo assumir uma curiosa autoridade sexual, embora fosse estúpida e desajeitada e só tivesse dezesseis anos. Ted havia começado a incluí-la na conversa. Mal pude acreditar. Ele pensava em conversar com *ela*? Sobre poesia?

Eu precisava me acalmar.

Não era comum uma mulher casada de vinte e nove anos, com uma filha e um bebê a caminho, ter necessidade de enveredar pelas trevas lamacentas do ciúme.

Ela falou sobre sua ânsia por poesia de verdade. Por escrever. Ela gostaria de aprender.

Escutei às escondidas. Senti seu perfume chegar até onde eu estava sentada, encalhada no chão com Frieda. Ted já tinha virado todo o corpo para ela; estava discursando para a pirralha. A pirralha ficava de boca aberta, concordando com a cabeça. Tinha

uma língua irritante que batia no lábio superior quando falava. Meu Deus, George, Marjorie, não conseguem fazê-la se calar?
Como ele se atrevia... Ted?
Meu marido?
A pessoa que eu procurava de noite?
Como suportava falar sobre poesia com uma criancinha?
Ninguém viu que eu estava sacrificada no chão?
Ninguém ia me pedir que me levantasse?
Aliás, por que eu estava sentada aqui?
EU fui convidada para jantar! EU era adulta! EU era a mulher da família Plath-Hughes; EU era a mãe, EU deveria ser tratada com interesse e respeito!
Fiquei sem ar...
Precisava escrever sobre isso!
Aquela ideia me salvou no mesmo instante. Levantei-me vagarosamente — Frieda estava se entretendo sozinha com o ursinho — e me deixei cair no sofá de couro, que chiou e esfriou meu traseiro. Respirei fundo.
Ted estava no meio da sua fala — "Posso ler seus poemas e te dar uma opinião se achar interessante" — quando se virou para me observar por um segundo.
Ele não olha para mim, pensei. Está dentro das próprias palavras. Está dentro da afirmação que recebe da jovem.
E George disse alguma coisa sobre a caça à raposa. A menina deu uma risadinha.
Era disso que se tratava, de origens? Os três tinham algo em comum de que eu era excluída? A Inglaterra, a "inglesidade", vaga, tão exaustiva para mim, tão difícil de entender. Um campo cheio de grama. Turfeiras, botas de borracha para caminhar, o ar eternamente gelado e úmido. Será que a menina atraiu a atenção do meu marido porque vinha de um buraco parecido com aquele de onde ele...? Meu Deus. Eu mesma poderia ter inter-

rompido a conversa e me metido nela. Poderíamos ter sido eu e ela absortas numa conversa profunda sobre poesia, entre irmãs. Senti uma pontada de tristeza porque as coisas não tinham acontecido dessa maneira. Ela não estava nem um pouco interessada em mim.

A jovem enfiou os dedos grossos no copo de bebida. Pescou uma cereja em conserva e a pôs na boca. Retirou-se da roda e foi a passos largos para a cozinha, para sua mãe:

"Mãe, Ted Hughes me falou para eu me dedicar aos meus poemas! É o máximo!"

"Que maravilha!", exclamou a mãe na cozinha, beijando rapidamente a face da filha. "Como você foi corajosa, filha! Estamos muito gratos, Ted!"

Sentamos à mesa. Eu estava mais próxima de Frieda, para poder enfiar as coisas na sua boca. Ted estava sentado o mais longe de mim. Ele ocupava o lugar ao lado de Marjorie, em frente ao dono da casa, George, e na diagonal oposta à jovem Nicola, que também estava a meu lado.

Cortei pedaços da batata assada, amassando-os com o garfo e despejando pequenas ervilhas verdes sobre a montanha de batata que Frieda ia comer. Se eu estivesse em casa, teria feito o que costumava fazer quando servíamos carne assada: eu mesma teria mastigado a carne e cuspido para Frieda, como as pessoas faziam na Idade da Pedra. Ted achava nojento eu fazer isso, mas de fato tive um parente nos Estados Unidos que morreu asfixiado por causa de um pedaço de carne, e manter a morte longe dos meus filhos era algo que eu via como uma tarefa honrosa. Sendo convidada para um jantar, porém, é claro que me contentaria com garfo e faca.

Durante o resto do jantar fiquei escutando o falatório de Nicola sobre coisas de menina — esse foi o assunto que ela deixou para mim. Ela adorava ir ao cinema, suspirou.

"Verdade?", perguntei, com as mãos enterradas em papinha e tiras de carne mole, que eu enfiava na boca suja de Frieda.

"Sim, e é divertido imaginar que um dia eu mesma me tornarei atriz", prosseguiu.

"É mesmo?", repeti distraída, "mas você não acabou de falar em ser poeta?"

Ela não me respondeu.

Ela quis contar sobre moda, sobre Brigitte Bardot, sobre seus planos futuros de sair desse maldito buraco de uma vez por todas e se tornar famosa, e me senti profundamente ofendida, já que EU, em breve com trinta anos e vinda dos gloriosos Estados Unidos, havia acabado de vir morar nesse buraco, que era meu agora, ao mesmo tempo que seus planos de se mudar obviamente me deixaram feliz, e eu queria que ela o fizesse o quanto antes.

Voltando para casa depois da visita aos vizinhos, não pude senão me dar os parabéns por: 1. poder ticar na lista que havia me relacionado com os vizinhos e ainda por cima me saído muitíssimo bem; e 2. conseguir material suficiente para encher um pequeno romance.

"É minha arma", comentei, enquanto caminhava de mãos dadas com Ted ao longo da escura rua noturna. "É minha arma, é assim que vou suportar esses dias: vou escrever sobre eles. Vou escrever sobre esses estranhos vizinhos ingleses. Será que não entendem como são paródias de si mesmos? George, sua voz monótona, rouca e estrondosa, como se tivesse engolido um maço de notas lá no banco e não conseguisse expectorá-las."

Ted riu: vi seus olhos brilharem, por isso continuei.

"Os pelos grisalhos que saem do nariz e seu completo desinteresse por qualquer coisa que não seja masculina e ele próprio! Caça à raposa, viagens ao sul, souvenirs das viagens ao sul, armas e munições. Os negócios do banco."

Apertei a mão de Ted. Entramos no hall. A grande residência do pároco era nossa propriedade havia quase seis meses, mas até agora eu nunca me sentira em casa de verdade. Com muito cuidado, Ted levou Frieda para o quarto e voltou pé ante pé, tirou meu casaco gentilmente e o pendurou no cabide. Demos risadinhas enquanto ele me beijava, éramos cúmplices porque os vizinhos mais próximos eram completamente malucos! Ted soprou quente no meu ouvido e estava de bom humor — três copos de cerveja, dois de xerez, um uísque com George. Ele girou e se posicionou de modo que pudesse fazer pressão com seu sexo em mim por trás, enquanto suas mãos pousavam sobre minha barriga.

"Faça a gentileza de me passar o molho de hortelã, querida Sylvia", Ted imitou o velho banqueiro George com sua voz rachada de aposentado. Ele se balançou contra mim, como se fizéssemos isso em desafio à velha geração inglesa; estávamos dançando em conluio. Desmanchei de rir, até minhas pernas cederem, e Ted teve que me segurar e me dar um beijo, e alguma coisa estremeceu dentro da minha barriga, como se eu estivesse prestes a ter uma contração.

Gemi. Afinal, era a joia dele que eu carregava dentro de mim, independentemente de quantos olhares melosos garotas como Nicola lançassem no decorrer de uma noite. Não importava quanto desejo estivesse compulsivamente alojado atrás de seu lobo frontal. Era eu quem ele havia penetrado e marcado a ferro e fogo. Para o resto da vida... Aquilo me deixou excitada, os pelos duros de Ted roçando minhas coxas, sua ânsia de me abrir — aqui e agora — esta noite. Ele me despiu. Desabotoou meu vestido tenda preto por trás. Eu queria tanto preservar o momento e não pôr tudo em risco com meus palpites de costume, minha maneira de dirigir e controlar. Eu devia fechar os olhos. Fechei os olhos.

Suas mãos quentes. Ele se ajoelhou diante de mim e venerou minha barriga gorda. Dei risadinhas. Ele também deu risadinhas. E pensar que eu ainda não tinha feito isso hoje — dado risadinhas! Pensei na palavra "risadinha" e dei risadinhas outra vez, descobrindo como era maravilhoso. A essa altura, não queria parar mais. Dar risadinhas — uma coisa tão fácil e para mim tão difícil. Quantos minutos cabem num dia? Um dia inteiro — todo um lapso de tempo — uma rotação do eixo da Terra — os esforços de um planeta inteiro para que o tempo siga seu curso — e eu havia respondido apenas com lamúrias e reclamações. Eu queria dar risadinhas. Queria ser acariciada com a mais deliciosa fome de vida na terra dos mortos e dar risadinhas na cara da morte. Estiquei a língua para meu Ted e ficamos nos esfregando um no outro, bem na cara da morte.

Era desse jeito, geralmente? Eu estava nua no quarto; Ted me rodeou, beijou meu quadril, meus ombros, meus braços desmedidos, e levantou meus longos cabelos para ter acesso à nuca. Era geralmente desse jeito? Fiz a pergunta a mim mesma rápido, pois não queria me ocupar com pensamentos agora que estava tão perto da glória... Mas ainda assim. Era geralmente desse jeito? Que Ted e eu descobríamos um prazer sombrio em fazer amor depois dos afazeres do dia serem exatamente assim; e de eu ter lutado contra meu lobo e meus demônios? A borboleta malvada. Era geralmente desse jeito? Eu não podia ficar mais excitada, eu estava no auge, como se fosse parir. Ted beijou o ponto mais alto onde minhas nádegas se encontravam. Um magma incandescente fluiu das minhas entranhas. Ele queria entrar em mim. Senti que se levantou, ouvi o tilintar apressado do seu cinto. Agora seu sexo estava no ar, e eu tinha tudo logo atrás de mim: seu sexo nas minhas costas, um bastão flexível e quente. Eu precisava ficar parada, a barriga atrapalharia muito se eu me virasse, e ele se apertava contra mim, plantando beijos ardentes, seus gemidos estalando em meu pescoço, nas orelhas. Respondi com um lamento. Eu estava tão excitada nesse último trimestre, será que carregava um filho homem? Será que estava com testosterona no corpo? Será que era por isso que os meus ciúmes também eram de outro tipo? Não me lembrava de nada disso com Frieda.

Ted: sua escuridão finalmente veio; agora era sua vez, ela avançou. Era quando minha escuridão passava para ele, e eu me erguia feito um anjo branco na noite. Era quando Ted sorvia a angústia que eu tivera durante o dia e a transformava em paixão. Era quando ele bebia um pouco e ele mesmo aceitava que suas mãos eram exigentes e belas, eram mãos que pertenciam a um corpo, que eram desejosas.

Era quando ele parava de lutar com seus débeis olhos de bolinha de gude, seu olhar de poeta, quando não havia fragilidade em tudo que ele via, quando Ted não me julgava por ser a pessoa angustiada que eu era e media sua distância até mim para que pudéssemos viver juntos.

Era quando eu de repente não mais ameaçava Ted.
Era aí que podíamos fazer amor.

Ted — seu nome como um ursinho de pelúcia amarelo, *teddy bear* — seu desejo tinha um quê surpreendentemente angelical; ele era tão vitoriano, eu achava, era delicado e infantil, como se sua mãe nunca tivesse mobilizado um modelo sexual e conseguido oferecer isso a ele. Eu o havia chamado de *alérgico* à intimidade. Em tom de superioridade, eu o havia repreendido por não ser romântico o suficiente. Uma espécie de moleza no corpo, uma falta de desejo. Como se a única coisa que pudesse despertar a curiosidade e o entusiasmo de Ted fosse ele mesmo. Uma tristeza tão grande nisso. Um erro de vida tão grande... uma *falha*. Por dentro, eu odiava sua mãe por ter feito isso com ele. Por não ter dado a seu filho uma libido. Nenhuma sexualidade? Havia tanta piedade em seus movimentos — e parte dessa piedade significava que seu tesão, quando finalmente se manifestava, o deixava excitado de um jeito tão adolescente que quase não dava para levá-lo a sério — fechava os olhos, punha uma mão cuidadosamente sobre meu peito e o amassava, como se tivesse dezessete anos.

Dezessete anos e vitoriano — um ursinho de pelúcia antiquado.

Eu! Eu fui feita para céus muito mais vastos! Eu tinha sido ferrada pelo machismo! Eu tivera uma variedade de amantes de sangue quente. E como me pegaram... Como eu havia feito amor com eles... Eu e Ted nunca chegamos perto disso, e às vezes eu me divertia com essa constatação. Eu tinha vantagem em relação a Ted porque sua sexualidade era desprovida de qualquer tipo de ardor.

Ele era frio como presunto enlatado.

E às vezes isso era a única coisa que eu tinha para usar contra ele.

Mas em noites como esta, quando eu também ousava ficar completamente nua. Quando eu só me decidia. Quando eu percebia que alguma coisa havia desatado devido ao nível de intoxicação no seu sangue, e tínhamos nos comparado a tolos maiores do que nós mesmos — os vizinhos Tyrer. Talvez tivéssemos até recebido uma dose de paixão injetada diretamente na carne graças ao cio deplorável daquela menina de dezesseis anos — fosse lá o que fosse.

Agora estávamos aqui, e havia luar, e ele me penetraria. E tudo que era quente sairia dele e de mim ao mesmo tempo, enquanto eu descansava os cotovelos sobre a cama e acolchoava seu corpo com minha grande bunda.

Depois, ao me olhar na frente do espelho, com o rosto todo afogueado de amor e suor, desejei que o espelho fosse uma câmera capaz de tirar uma foto do meu sorriso naquele instante. Eu queria ser fotografada no exato momento em que o mundo fluía por mim e deixava sua pegada no vidro espelhado, a maneira como a elasticidade da pele chegava até a imagem refletida, meus cabelos despenteados, o modo como eu me sentia erótica por dentro. Ted estava no lavabo se enxugando, remexendo nas coisas. Eu não tinha medo de que seus ruídos acordassem a pequena Friedazinha, não agora, com minha mente aberta. O que era vivo devia viver. Peguei o pente e passei nos cabelos quentes. O fio de água saiu de minhas entranhas conforme eu me mexia, como um pequeno parto. Sorri para minha própria imagem refletida. Eu deveria sempre ser apresentada ao mundo assim — como um lindo momento cravado no tempo, pregado ao espelho. Minha pele molhada, meus membros amolecidos. Ted havia me tratado como realeza. Eu era a protagonista no centro do palco, eu tinha um rosto com o qual criancinhas como a aspirante a poeta Nicola Tyrer só podiam sonhar. Lolita, Brigitte Bardot — e eu. A poeta Sylvia Plath. Meus olhos me fitavam. Pequenas pupilas lunáticas feitas de globos de luz.

Sim, mas é assim que é, pensei e sorri mais uma vez, diabolicamente. Sou uma histérica. Meu marido me tira a ansiedade transando comigo.

"Vou te comprar um pedestal", Ted me consolou beijando a ponta do meu nariz, na cozinha. "Vou te comprar um pedestal e te colocar sobre ele, e então vou te idolatrar, vou me ajoelhar a seus pés."

Mas eu não estava no clima.

Eu segurava uma cenoura em uma mão e dei uma mordida sem entusiasmo. Era para rir, mas bufei. Tinha a ver com a minha escrita, já que a sra. Jenkins havia entrado em contato por carta, informando que não haveria espaço para um conto meu no novo número da *New Yorker*. (Eu havia ido lá fora receber o carteiro que me traria os frutos mais dourados do mundo no frio de dezembro, mas fiquei desiludida, e agora a carta de rejeição tremelicava na minha mão.)

Era o mercado americano. E quando o mercado americano me traía, eu tinha a sensação de que o chão desaparecia sob meus pés e eu não tinha nenhum lugar para chamar de casa. Era como se a Grã-Bretanha inteira fosse uma ilusão e eu estivesse descalça no meio do oceano, onde o Atlântico encontrava o Mar do Norte. Eu era uma estranha neste país, eles não recebiam meus poemas muito bem; mas e daí, o problema era deles, pensei — eu ainda tinha a minha América. Meu trunfo minha América. A segurança na minha mente, minhas lanternas cintilantes e reluzentes de festa, minha América. Minha maneira de me tornar real diante desses europeus vagarosos. Eles talvez não entendessem minhas metáforas grosseiras e exageradas, mas também era porque eu era americana e escrevia diferente e em outra tradição. E a América vai me publicar, a América vai me apoiar, eu estava contando com isso. E por isso o fraseado da carta de Jenkins foi tão fatal: *O que imaginei que ia ler não era exatamente um processo de escrita. É claro que você é bem-vinda para me enviar o material completo quando estiver pronto.* (Na minha prepotência, eu havia pensado que seria perfeitamente possível, até mesmo bem-vindo, enviar-lhe material em fase de desenvolvimento, para receber um empurrãozinho, para tirar proveito de seus comentários, ou por que será que lhe mandei o texto mesmo? Eu me lembrava? Se eu fizesse uma autoanálise, e foi o que fiz, na cozinha, na frente de Ted, que só tentava me animar enquanto eu chorava e comia a cenoura ao mesmo tempo — se eu me analisasse, será que era porque eu precisava ser vista reafirmada amada de novo? Era um dos meus métodos? Será que a hora havia chegado novamente, a hora de eu me tornar vulnerável para depois ser rejeitada para depois abrir aquele buraco voraz dentro de mim, aquele que se *alimentava* da rejeição? Que a devorava como se fosse comida?)

Agora eu queria queimar a carta dela.

Ted tirou a carta das minhas mãos abaladas, que estavam prestes a atirá-la às chamas. "Não, Sivvy", disse ele. "Não se deixe *consumir* por seu próprio ressentimento com os editores dessa forma. O ressentimento não vai te salvar."

"Mas eu estava contando com a publicação!"

"Nesse caso, o problema é você ficar contando com as coisas." Ele estava tão calmo, como ele podia ser tão calmo quando uma vida circulava na minha corrente sanguínea, exigindo minha total concentração, e a editora nos Estados Unidos carecia do mínimo de educação? Ela nem sequer tinha um tom simpático. Como alguém poderia ser tão calmo?
"Você criou expectativas, querida, por favor não faça isso."
Ted era compreensivo nessas horas, ele me queria bem. Soltou a cenoura da minha mão ranhosa e a deixou sobre a bancada.
"Quer tomar um chá?", perguntou.
"Eu tentei!", insisti. "Fiz de tudo para conseguir aquele tom que sei que eles querem. Tudo! Sabe, me esforcei durante mais de um mês, outubro inteiro, e agora estou no final da gravidez e na verdade não aguento mais pensar nisso. Com apenas essa pequena peça do quebra-cabeça publicada, eu estaria feliz em ficar sentada no sofá tricotando gorros. Agora não posso nem fazer *isso* — isso que eu estava com tanta vontade de fazer..."
Ted acendeu a boca do fogão sob a chaleira.
"Chego com minha grande vontade e quero, mas sou a única que quer!"
Então Ted esticou seus longos braços e me envolveu, oferecendo a calma palpitante do seu peito. Um firme trem de carga na noite. Eu era dele. Ele fez minha respiração desacelerar. Eu seria capaz de dormir em seus braços.
Essa realidade era fatal demais para mim, ela me queria mal, e eu fitava as portas dos armários, os papéis de parede marrons, o fogo que se encolhia na lenha e se transformava em brasas na portinha aberta do fogão. A luz de dezembro que cuspia a realidade para mim. Nunca conseguia me livrar dela. Se eu fosse mestra na arte do conto, eu poderia usar tudo, e as partes duras, bolorentas, todos os odores matinais que permaneciam nas sobras do café da manhã de Frieda, a sujeira no piso de madeira

e esse bebê — realmente, esse bebê — que não parava de comer da minha carne, tudo isso se tornaria útil em algum momento, teria seu papel. Todos os afazeres que a vida me impunha, a maneira como tudo parecia e era, e como eu sentia tudo — ah, Deus, se eu não pudesse descrever aquilo e transformar aquilo em significado e dignidade para os outros, minha vida estaria acabada.

A editora não sabia que a minha razão de ser aqui na terra residia naquele conto que me dignara a lhe enviar! Havia um mês eu sonhava — desde que o entregara — com a forma como ela me elogiaria na sua carta de resposta. Finalmente, temos uma mestra na arte de retratar essa realidade que todos nós vemos e vivemos — finalmente. Eu tinha feito planos sobre como minha carreira de escritora seria dali em diante. Toda vez que Ted subia para escrever no sótão, eu me detinha na ideia de como era maravilhoso sermos um casal de escritores na ativa. O poeta e a contista. O conto seria publicado e me daria renome antes que o romance, que eu havia preparado e pelo qual já havia sido remunerada — A *redoma de vidro* —, fosse lançado, graças a Deus, e escandalizasse o público. Era preciso trabalhar lenta e metodicamente. Ted havia subido ao sótão e eu... Eu tinha tudo sob controle, sem motivo para nutrir o sentimento maligno de inveja quando Ted se sentava e elaborava os textos mais mágicos para a BBC, como se os seus dedos não fossem dedos, mas varinhas de condão que ele passava sobre a máquina de escrever. E pronto, a BBC já tinha exatamente o material de rádio que queria — nunca uma lacuna, nunca uma dúvida a respeito do assunto ou do resultado — e se houvesse algo, eu teria me movimentado e tapado todos os buracos, teria com prazer passado uma noite editando seus textos.

Ted falava sobre o Cosmo, será que não havia uma justiça cósmica?

Estávamos no carro, indo para o litoral oeste, com Ted ao volante.
Todos os outros eram poetas, menos eu.
Adrienne Rich, por exemplo.
Ted Hughes, por exemplo.
Marianne Moore, com seu infame veneno, que ela derramara sobre mim durante um coquetel em Nova York, depois de eu lhe mostrar meu trêmulo poema.
Quanto mais crescia a barriga, e ela crescia, mais eu sabia que minha vida estava andando para trás, enquanto a dos outros avançava em disparada.
Eu estava no carro que Ted dirigia; uma coisa preta que nos levaria até o mar. E já no instante em que me instalei no banco da frente ao lado dele, soube que era uma má ideia, era dezembro e estava chovendo, e ainda assim ele insistiu em provar para mim com aquele jeito tediano otimista que às vezes se apossava dele...
Que *isso é uma boa ideia*.

Você precisa ver o mundo, Sylvia.
Você não está presa.
O mundo está aqui para você.

E eu via tudo como que através de um véu de luto; o rádio contava que uma criança tinha sido morta numa praia no noroeste da Inglaterra, não era para lá que estávamos indo agora?

"Não, Sylvia, estamos bem ao sul, não se preocupe, por favor."

Ênfase especial na expressão "por favor".

Desliguei o rádio.

Me encolhi no assento em posição fetal, tentando ficar deitada meio de lado. Havia uma montanha estacionada sobre meu tronco, e por baixo eu tinha um mar; eu já tinha um mar, não precisava viajar para ver outro.

Mas, num momento de fraqueza, havia dito que "precisava de um mar", e então eu teria um mar, Ted decidiu.

Vale após vale, e o sobe e desce das colinas no labirinto que era Devon e do qual você sempre queria escapar (se fosse eu), uma luz cinzenta e severa no céu pesado, e nós.

Enfiados num carro, onde tudo sacudia e estava quieto.

Como eu poderia saber se o que me causava náusea e azia era ou não o estado precário das estradas conforme nos aproximávamos do nosso destino? O bebê já era colossal, e agora ele batia com os pés para cima, a cada curva da estrada os sucos subiam do meu estômago para a garganta.

"Pare", pedi. "Quero vomitar."

Ted entrou por uma pequena estrada de terra. Saí tropeçando e me agachei numa vala, mas o que saiu foi ar. Ted me observou da janela do carro. Era fácil para ele ficar ali julgando alguém como eu. Era como se tivesse torcido para eu vomitar.

"Nada?", perguntou quando voltei.

"Pare com isso!" Lancei-lhe um olhar cortante. Ficar ali se divertindo às custas de uma grávida passando mal. "Estou tentando sobreviver aqui."

"Você não quer ir até o mar?"

"É claro que quero ir até o mar. Me leve agora."

Ted queria me mostrar que a Inglaterra também tinha mar, que a Inglaterra também era ladeada de generosas praias oceânicas, aonde as focas vinham para tomar sol, e no verão você podia afundar no cascalho quente e coletar pedras especiais e sentir o frio atlântico na pele enquanto saía nadando.

Eu reclamava tanto da Inglaterra; aqui nunca se via o mar!

Então Ted queria me fazer um favor, era o lado romântico de Ted, aquele que de vez em quando (mais ou menos uma vez por mês, por inspiração minha) o deixava com vontade de fazer um pão, de consertar um brinquedo infantil, de encomendar sementes por catálogo. Na verdade, a Inglaterra não era um país particularmente romântico, não de verdade, a não ser que você considerasse romântica a estética edulcorada fofinha e muito bebedora de chá de Beatrix Potter. Tão inocente, tão inofensivamente vitoriana, nem sequer vitoriana *afiada*. Nem sequer — e isso era verdade, eu tinha visto — uma escuridão *afiada*.

Aliás, Ted era apaixonado por mim porque eu era uma fonte de escuridão perfeita. Uma mina de ouro de escuridão, um poço de lama americano.

E eu mesma só estava na Inglaterra como refugiada da escuridão, e, se ele tivesse um mínimo de interesse por mim, teria percebido.

"Chegamos." Ted estacionou o carro e desligou o motor.

Naquele ponto chovia ainda mais, os vidros do carro estavam cobertos de água e eu não conseguia ver o mar.

"É lá embaixo. Vamos. Quero te mostrar o mar. Já estamos aqui."

Ted abriu a porta do carro e pela fresta pude ver o oceano, aquele que me carregaria até a América se houvesse aqui um navio para me levar de volta; era um oceano imenso e violento que não pedia desculpas, que não se adornava com praias de areia branca; estávamos em cima de um penhasco que dava diretamente para o mar bravio; era íngreme e as ondas eram grandes.

Fui tomada por uma sensação de vertigem. A barriga grande e gorda de grávida que eu carregava, o bebê ali dentro, eu tinha um planeta inteiro. Enquanto Adrienne Rich já estava publicando seus poemas regularmente, de verdade, aqui estava eu, sentada no banco da frente de um carro preto em cima de um penhasco perto de Woolacombe Sands, em dezembro.

Eu não queria ser eu. Por causa do bebê, senti uma responsabilidade de permanecer no carro e não arriscar nada, mas isso não bastaria para Ted; ele nunca entenderia o que significava estar acorrentada, porque ele era livre, tinha a liberdade de simplesmente levar suas pernas descomplicadas para fora do carro e descer pelas rochas até esse mar áspero e cinzento.

"Estou muito enjoada. Não quero. A viagem me deixou nauseada, me desculpe."

Os cabelos de Ted se agitavam ao vento. O ar frio entrou pela porta do carro cheirando a sexo e algas e rocha dura, molhada e gélida. Ele suspirou, estendeu um braço para dentro. Eu quis agradá-lo me dispondo a fazer essa viagem com ele, uma viagem a dois, Frieda com a babá, empanturrada de biscoitos e suco — só ele e eu.

E aqui estava eu com meu corpo de vaca, me afastando e me prendendo ao banco do carro. Aqui estava eu soluçando, e ele viu que eu era uma vítima; tudo que ele veria era essa vítima das circunstâncias, incapaz de se livrar de suas amarras e simplesmente sair e soltar uma risada, explorar um pedaço do litoral oeste em sua companhia.

Assim que ele começou a descer a falésia, sem poder ser visto pelo vidro embaçado, a azia se acalmou, e palavras brotaram na minha cabeça, palavras. Pude me reclinar no assento e sentir que o bebê parara de me chutar o esôfago, e uma calma se instalou em mim, quase como um sono.

Sentia-me em paz quando Ted não estava. Assim que ele se retirava da minha vida, eu ficava contente, e dessa vez isso me deixou maravilhada. Havia sido a mesma coisa quando tentamos a vida como dois escritores bolsistas em Yaddo, Saratoga Springs. Claro que eu podia pensar enquanto ele estava por perto — mas não. Sua exigência de que eu fosse uma garota que soubesse escrever e sentir felicidade ficava entalada na minha garganta. Na verdade, ele constituía os sucos azedos que ganhavam minha garganta. Meu corpo nada mais era do que uma reação.

Fiquei ali sentada em meio à minha solidão e escrevi um poema. A bem-aventurança encheu minha cabeça, aqui eu já sentia que estava diante do mar, lançando uma grande rede de mão para capturar um peixe muito especial. Eu já tinha oceanos de mar na cabeça, no acervo da memória; afinal, eu tinha crescido junto ao mar, já tinha o mar dentro de mim. Com esse sentimento, escrevi o poema, e quando Ted voltou, encharcado e com um sulco gelado demarcado entre as sobrancelhas, eu o cobri de cuidados para que trocasse de roupa e pudéssemos voltar em segurança.

"Você não pode dirigir?", perguntou ele enquanto se enxugava com a manta que eu lhe estendera do banco de trás.

Assim que ele fez a pergunta, a realidade me atingiu outra vez. Ele perturbou minha paz de espírito com sua realidade; será que queria mesmo que eu estivesse com as mãos no volante? Em estágio avançado de gravidez? O caminho todo até chegar em casa?

Só balancei a cabeça, e ele soltou um suspiro.

"É tão lindo lá embaixo", disse. "O oceano vasto e indomável, foi como estar cara a cara com o universo."

"Fico feliz por você."

Ele secou o cabelo, deixando-o em pé feito uma vassoura.

"A próxima vez que viermos aqui vamos sair os dois", disse Ted. "Até lá, você deve ter dado à luz o bebê, e será verão."

Ele beijou a ponta do meu nariz e pisou no acelerador.

Havia um tricô em cima da mesa da sala de estar. Eu o deixara ali, e agora, do meu lugar no sofá vermelho, ele me encarava. Pensei que o mundo inteiro deveria girar em torno de mim e do meu tricô, já que eu havia optado por fazer tricô, e então minha história naturalmente tratava disso; a questão era que ninguém mais nesta casa se importava com a minha história.

Olhei pela janela, vi o pai e a filha.

Eles tinham saído — me viram sentada no sofá fazendo tricô e Ted proferiu as palavras: "Que fofo, vamos sair e fazer uma faxina no jardim", e Frieda ergueu seu pequenino ancinho vermelho. Quinze de dezembro, inverno cinzento e gelado na Inglaterra, e eu ainda tinha pouco mais de um mês de gravidez. Pela fresta da porta da frente, os ventos de dezembro em Devon se insinuaram sob meus pés; à noite fazia um frio de rachar, mas agora o sol havia voltado, deixando tudo ameno por algumas horas no meio do dia.

Eles saíram e me deixaram sozinha. Tão logo se foram, não consegui achar nenhuma graça no tricô. Ela evaporou, seu potencial morreu. Eu tinha algo que me dava prazer, mas como podia sentir prazer se Ted não estava aqui para ver? Estou fazendo tricô, pensei comigo que deveria ter dito, chamando sua atenção para mim.

Ah, se ele pelo menos fosse alguém que se *interessasse*. Era tão raro ele estar com disposição para isso. Quase sempre estava ocupado demais com seus próprios afazeres. E logo os papéis se consolidaram. Pois quando ele fazia pouco caso de mim, meu interesse principal se deslocava do que era meu, eu e meu mundo, para o que era dele. Única e exclusivamente dele. De Ted. E eu não era mais capaz de ficar com o meu tricô. Precisava sair. Precisava sair e participar de sua definição do que era a vida. Tudo que era verdadeiro, tudo que era genuíno, tudo que era essencial. Ele.

Tomei um gole do chá frio que ainda estava na mesa. Gosto de terra na boca. Devia ter alguma coisa lá fora que eu pudesse fazer para ajudar, mesmo que fosse só espalhar farinha de osso sobre os bulbos. Havia tanta coisa a fazer aqui no nosso magnífico casarão. O que era um tricô comparado com tudo aquilo? O que era eu comparada com tudo que era ele?

Farinha de osso.

Com muito esforço, consegui calçar as botas de borracha e saí ao vento com meu sorriso e a embalagem de farinha de osso. Eles ainda não haviam me visto, estavam perto da macieira, inspecionando os galhos. Será que ele ia cortar alguma coisa? Frieda estava de pé no chão em meio à ventania, tinha juntado gravetos numa pilha como que para uma fogueira. Seu gorro voou, e eu mal consegui ouvi-la gritar enquanto ela corria atrás dele; o vento abafou sua voz.

Em toda parte do gramado, via-se a vegetação morta da estação passada, aquela que florescia diante dos nossos olhos, no verão, quando compramos a propriedade. Nunca antes eu estivera tão feliz. A casa havia brilhado à nossa frente, revelando-nos a nós mesmos; era como estar diante do espelho e ser reafirmado. Todas as outras casas que vimos carregavam um ar sombrio e desagradável. Tudo ordinário, aquela mesmice britânica. Jamais poderíamos nos imaginar numa casa assim. Eu e Ted... precisávamos de algo dilapidado que já havia sido grandioso e importante, e que nós, com nosso ânimo e força especiais, poderíamos reavivar. As residências paroquiais eram construídas com orgulho e materiais sólidos. Tudo de que precisavam agora era um jovem casal que se encarregasse de levar o passado até o futuro. Ted e eu e nossos filhos. Eu arrulhava como uma pomba, estava entrando na leveza do segundo trimestre da gravidez e coelhinhos felpudos haviam se aninhado no meu seio. Estufei o peito para Sir Arundel, que era o dono do lugar, projetei a barriga para a frente, mostrando como estava grávida. Queria que ele nos amasse. Ele deveria nos amar por quem éramos e porque eu levaria um novo bebê para sua casa e porque eu era tão bela e porque meu sonho inteiro estava ali no chão da cozinha dançando diante de nós, e também era exatamente o que estávamos comprando. Estávamos comprando meu sonho. O proprietário sorriu sem entusiasmo, mas não importava, deixei passar, porque a emoção bastava por si só. NÓS CONSEGUIMOS. Nós conseguimos! Agora era só uma questão de cuidar do que nos fora dado.

"Tem certeza?", perguntou Ted, cheio de preocupação, ele que até recentemente havia sido tão firme em sua convicção.

"Certeza ABSOLUTA. Certeza ABSOLUTA", cantei. "Só preciso pegar o telefone e ligar para minha mãe."

Era ela quem ia nos emprestar o dinheiro e, tremendo, disquei o número dos pais de Ted em Yorkshire, onde minha mãe estava hospedada.

"CONSEGUIMOS, MÃE!", eu quase gritei. Meus olhos lacrimejavam com o esforço. "CONSEGUIMOS, COMPRAMOS A CASA! ENCONTRAMOS A NOSSA CASA!"

Minha mãe ficou indefesa, como qualquer pessoa ficaria diante de uma intenção tão consumada — de fazê-la entender meu entusiasmo, minha felicidade completa. Minha mãe, com seu conhecimento das minhas oscilações, minha mãe, com sua desconfiança quando eu me desgastava assim e usava todo o meu espectro emocional. Minha mãe, que conhecia minhas reações. Será que ela pelo menos poderia parecer feliz?

"Mas que legal, Sivvy, que emocionante, meus parabéns. É uma boa casa, então?"

"É a MELHOR casa, mãe. Melhor impossível!"

"Ted está contente?"

"Está eufórico."

"Então eu talvez nem precise ir aí para inspecioná-la?"

"Pode confiar em nós, mãe. Encontramos nosso lugar na terra."

"Que bom, Sivvy. Vou ter que confiar em você."

Sua frieza desdenhosa, seu desejo de controlar, sua maneira de me negar minha própria felicidade.

"Não está feliz?", perguntei.

"Estou curiosa para ver os documentos. Gostaria que me mandassem os documentos."

Imediatamente fui puxada para baixo, logo eu estaria no fundo, logo ela teria cortado o laço que até pouco antes parecia tão forte dentro de mim — o laço da felicidade. Logo eu cairia no chão, figurativamente falando, e me sentiria morta.

Suspirei.

"Vamos mandar todos os documentos do mundo, mãe", eu disse. "Se você pelo menos pudesse entender como sou grata a você por cuidar de Frieda neste momento para podermos fazer essa viagem e acertar tão em cheio!"

"Calma, calma, mas é claro que eu faria isso."

"Estou tão feliz, mãe", acrescentei. "Estou tão feliz!"

Minha mãe não respondeu nada. Desligamos e eu saí outra vez para o jardim de agosto, repleto de budleias silvestres com seus jorros de ramos lilás. Tanta amplidão, tantas macieiras vistosas magníficas deslumbrantes. Tanta variedade de flores maravilhosas com nomes para aprender, morangos vermelho-vivos sob folhas verdes — podíamos criar abelhas... Abelhas, como meu pai.

Entrei no esplendor e peguei uma maçã da árvore carregada, e naquele momento pensei: agora estou no Paraíso. Bem-vinda, Sivvy, bem-vinda ao Paraíso! Ainda bem que Ted está me tirando da imundície e da fuligem de Londres, com suas convulsões pós-guerra, sua angústia de bombardeios e seu ranho preto.

De início era eu quem não queria deixar a cidade de forma alguma, pois ali tínhamos tudo que eu poderia desejar em termos de uma vida literária — lugares de encontro e conversas culturais, escritores bacanas para conhecer e grupos dos quais eu podia fazer parte, cinemas, livrarias, tudo. Mas quanto mais o desejo de Ted se tornava minha lei, mais eu me atirava de cabeça naquilo que ele exigia, permitindo que se tornasse minha realidade, minha linguagem. Depois de ter apresentado todos os argumentos contrários possíveis e imagináveis, com a máxima convicção e emoção, agora eu havia abraçado totalmente o outro lado. O lado de Ted, suas vontades, seu conceito, suas ideias. Agora eram meus. Eu não ligava mais para a vida urbana. Isso daqui, isso era a única coisa que importava!

Dei uma mordida na fruta e senti a doçura áspera passar dos dentes à garganta, e de repente me senti como um clichê ao sol.

E agora o verde estava morto e desbotado no chão, transformado na mesquinha realidade de dezembro. Turfa, palha e barro endurecido, era quase impossível imaginar que aqui houvera vida.

Ted tirou as ferramentas do galpão — tesoura de poda, serrote, garfo de jardinagem e ancinho; ele queria cortar galhos, usar seus braços fortes para *fazer* coisas. Havia uma lista inteira lá dentro na mesa da cozinha — um longo rol de reparos pendentes, trabalhadores que viriam em datas marcadas (ah, será que não poderíamos esperar até o bebê pelo menos ter alguns meses, mas NÃO, se dependesse de Ted, tudo tinha de ser feito já). Os canteiros seriam revolvidos para a primavera, já que íamos começar o cultivo tão logo o solo estivesse preparado. Ted queria que vendêssemos algumas verduras na feira. Flores também, em buquês; contávamos que teríamos um mar de narcisos amarelos e brancos aqui no final de março, se a primavera chegasse cedo. Assim poderíamos ganhar um dinheiro a mais. No verão, as vendas seriam incrementadas com morangos e, para eles, Ted queria confeccionar caixas de plantio, usando velhos caixilhos de portas que ele pretendia encher de terra.

De repente, ele me viu: virou-se e o rosto severo e anguloso suavizou ao perceber que eu estava indo em sua direção.

"Queríamos cortar galhos e fazer uma fogueira!", gritou ele, apontando para a pilha de gravetos de Frieda.

Sorri.

"Estou vendo."

Ele veio, estava quente, passou o braço pelos meus ombros. Explodi por dentro com o cheiro de seu cheiro. Tão especial para mim. Eu o amava.

"Não estou chorando, juro!", ri, enquanto Ted enxugava uma lágrima do canto do meu olho. "É que está ventando muito!"

Ele beijou minha boca. Um beijo gelado, doce, seus lábios finos me acertaram em cheio.

"Como foi o tricô? Você não ia fazer tricô?"

"Vou fazer mais tarde. Quer que eu espalhe a farinha de osso?"

Mostrei a caixinha.
Ted encolheu os ombros, não muito impressionado.
"Pode ser, se quiser."
Aconteceu tão imperceptivelmente rápido — outra vez — como quando perdi o interesse em fazer tricô.
Ted me abandonou com minha caixa de farinha de osso. Fiquei ali, sentindo a empolgação murchar e desaparecer. Tinha ido até ele... tinha ido até ele e Frieda querendo participar. Tivera um sonho, uma visão, aqui estava eu como resultado desse sonho, e então, bem na hora que cheguei, o sonho morreu. Eu sonhara que espalhava farinha de osso. Havia pensado, inspirada no progresso de Ted com os canteiros, as árvores e seu papel de pai para Frieda, que eu queria participar, eu também queria participar do sonho! Não queria ficar sentada sozinha lá dentro fazendo tricô.

Enquanto eu olhava, Ted serrou três galhos grandes e disformes da árvore, aqueles que, como havíamos falado havia vários meses, precisavam ser cortados antes da chegada da primavera. Ele se desvencilhou de um dos galhos que havia ficado preso na sua roupa, virou-se para mim e gritou para o vento:

"Você pode jogar a farinha de osso nos bulbos. Não seria uma má ideia! Pegue todo o campo de narcisos brancos e amarelos. Sabe do qual estou falando, certo?"

Ele acenou com a mão.

Sim, eu sabia do que estava falando.

Mal contendo as lágrimas, andei como uma lavradora ao vento jogando farinha de osso sobre o campo de centenas de bulbos de narciso que estavam enterrados à espera da primavera, cobertos por turfa pesada e retorcida.

Frieda só ligava para o pai e sua brincadeira.

Grãos pequenos e estranhos de ossos triturados. Coitados dos animais. Coitados dos animais inocentes moídos no triturador da fábrica para que eu tivesse bulbos bonitos para vender na feira. Horrível, realmente horrível.

    Olhei para os pequenos grãos que eram capturados pelo vento e caíam estúpidos no chão. Fazer isso era tão ridiculamente simples, tão desprovido de intelectualidade. Me *doía* fazer coisas. Eu não gostava do fazer em si; fazer significava selar as coisas e seguir em frente, significava deixar ir e não mais sonhar em fazer. Para mim, o fazer nunca se tornava perfeito. Eu preferia permanecer no sonho, era uma doença, mas espalhar farinha de osso sobre os bulbos acompanhada da minha filha e do meu marido tinha sido infinitamente mais divertido no sonho. Eu tinha visualizado... era algo ligado a uma forte emoção... Será que essa emoção existia agora? Na realidade, tudo só me parecia feio, e a vergonha me mordia por causa disso. Filha ingrata, ouvi as palavras da minha mãe dentro de mim. Filha ingrata!

    E Ted gritou: "Ótimo, Sylvia, muito bom!".

    Atirei a caixa vazia no chão num gesto exageradamente dramático, mas não foi possível controlá-lo; os membros se mexiam como que por vontade própria. A caixa ganhou impulso com o vento, e Frieda correu atrás para pegá-la.

    Voltei para o meu tricô.

Em algum lugar eu havia lido que a última coisa que a pessoa faz na vida é chamar pela mãe. Era o momento da morte: à beira da morte, cessava a luta de sempre para não atribuir tanta importância à própria mãe. Desapareciam os esforços para afastar-se dela, e a essência humana ficava clara: uma pessoa que estende a mão e chama. "Mamãe."
"Mamãe, onde você está?"
"Mamãe, vem cá."
Na minha vida, Ted com frequência fazia exatamente isso. Ele me fazia: 1. querer escrever; e 2. chamar minha mãe.

Tínhamos brigado. Havia alguma coisa que parecia morta no meu peito, como se eu estivesse prestes a afundar.

Depois de uma briga, eu nunca conseguia olhar nos seus olhos, uma situação que podia durar a noite inteira. Em vez disso, eu olhava nos olhos de Frieda. O brilho cintilante de seu olhar enquanto arrancava as meias de lã na frente da lareira, onde estava quente.

A fralda. O tufo de cabelo. Ela tinha um pequeno elefante

de pelúcia com uma orelha roída; agora ela o enfiava na boca. Ela ia escovar os dentes com Ted, mas eu queria ficar um pouco sorrindo para ela, sentindo desvanecer a briga que eu e seu pai tivéramos.

Deveria escrever sobre isso, pensei (mas nunca consegui levar as brigas para o papel, nunca seria capaz de descrevê-las). Frieda ainda era pequena, por enquanto não seria prejudicada por nossas brigas. E desde que alimentassem a escrita e me fizessem buscar alternativas à vida com ele — pequenos respiros — por exemplo erguer os olhos e procurar minha mãe — estava tudo bem. Revigorante.

Fazia apenas meia hora que eu tinha pronunciado as palavras na cozinha: "Esqueci que jamais se pode ofender Ted Hughes".

O homem comprido, o poeta alto e magro com tanto músculo e cérebro, o intelecto brilhante por trás dos olhos. Ele não poderia se dar ao luxo de ser generoso comigo? Ele não seria capaz de manter a calma?

Ele *rosnou*, como se fôssemos animais. Deixou Frieda com medo. Me deixou com medo, já que deixou minha filha com medo. Meu primeiro impulso era mantê-la longe da dor, limpa como um osso lambido, branco e poroso. Mantê-la longe do peso de seu passado (nós dois), limpa do medo.

Meu coração palpitava no sofá.

Mas isso não teria dado certo, então pensei: vou escrever sobre isso depois.

Ted deu um forte abraço em Frieda, como que para me mostrar: este abraço foi destinado a você, mas não o ganhará agora, porque caiu em desgraça. De qualquer forma, quero te mostrar que ele ainda existe, por isso dou meu amor à nossa filha. Pois sou um bom pai.

O que eu havia feito?

Pesquei o pequeno pingente do colar no meu peito palpitante e levei aos lábios o antílope que usava ao pescoço. A prata tinha um gosto metálico. Eu escreveria sobre isso quando Ted e Frieda tivessem ido dormir; a única maneira de me livrar da dor. Eu ia usá-la. Ele faz bem para meu autocontrole, pensei. Ele mortifica minha alma de escritora, me mantém acima da superfície de uma gélida água inglesa.

O que eu lhe havia dito?

Ele não tinha limpado a gaveta da cozinha antes de guardar de volta os talheres, os medidores, as conchas e as facas. Tínhamos limpado a cozinha depois da reforma que fora feita durante o outono, e agora ele achava que estava tudo pronto, mas eu não suportava a tendência que tinha observado nele havia muitos anos de fazer as coisas pela metade, de, para ser bem franca, ser desleixado. Eu adoraria expurgar essa qualidade. Era herança de sua mãe, as panelas imundas que ela largava em sua cozinha em Yorkshire, o cheiro azedo do pano mal torcido. Tudo que eu via na sua cozinha era feiura e os germes que se propagavam enquanto comíamos; eu literalmente podia ver como eles cobriam suas mãos. Não sei como a mãe de Ted podia ficar feliz numa cozinha assim, ser capaz de encher a barriga dos outros e se sentir satisfeita com o resultado da tarefa! Ted, ela e Olwyn davam risada naquela cozinha, apesar da imundície, das coisas penduradas nas paredes de forma desleixada, torta e destituída de beleza, do chão coberto de migalhas que ninguém se preocupara em limpar. Era uma cozinha de operários. Ted Hughes me fez lembrar tudo que minha mãe me havia ensinado a desprezar, e com o que eu agora queria açoitá-lo. Eu idolatrava minha mãe por todos os ideais esmerados e modernos de dona de casa que ela me ensinara. Eu a invocava no meu peito. Ted me faria chamá-la, repetidas e repetidas vezes.

Mamãe.

Eu tinha aquele berloque no rosto; percorri meu nariz com ele, era um antílope da savana; meu pai me deu quando fiz sete anos. *Por seu olhar, minha querida Sylvia, seu olhar relâmpago de gazela.* Chupei-o por um breve momento. Frieda pulou no meu colo para dizer boa noite. Inalei o cheiro de seus cabelos, desejando poder parar o tempo; perfume de cabelos de mel e pomada. Seu rosto estava completamente aberto; se todo o resto me invadia, inundava e puxava, ela era um respiro, um ponto no tempo em que tudo se equilibrava.

A cada minuto, eu escolhia ser sua mãe. Eu beijaria seus cabelos tantas noites, independentemente se eu e Ted tivéssemos feito amor ou brigado. Porque era a vida. "Boa noite, mamãe", disse ela, pendurando-se no meu pescoço e quase me sufocando com seus movimentos desajeitados. "Boa noite, abelhinha", respondi.

E então, durante a briga, eu havia dito a ele, já que eu não tolerava desleixo na cozinha, não suportava sua herança simples de operário e gostaria de um dia arrancar aquela merda dele a tapa — e, sim, eu faria isso —, eu disse: "VOCÊ FOI REPROVADO DESSA VEZ, TED".

E foi aquela palavra, a palavra "reprovado", que ele não conseguiu aceitar. Era como se eu tivesse cuspido a sujeira que ele trazia dentro de si e a depositado na sua frente. Como se eu tivesse sugerido que era SUA sujeira que estava lá dentro da gaveta do armário. Sua sujeira que ele não havia se preocupado em limpar. Como se dissesse respeito a nós — dissesse respeito a ele. Repetir a lição. E tão logo proferi a palavra lá na cozinha, pude ouvir como soava feia para ele. A seus ouvidos: feia. Horrível. Seus olhos se estreitaram. Os olhos de pastilha de menta de Ted, pequenos cristalinos astutos. Estreitos de raposa. Finos, duros. Seus olhos, tão ressentidos.

"Que tal falar algo positivo?", ele disse. "Limpei a cozinha inteira. O que você fez? É muito bem-vinda para limpar também."

"Cuidei de Frieda."

"Mas você sempre cuida de Frieda. O curioso é que por acaso fui eu que cuidei de Frieda e *ainda* fiz a limpeza. Isso me deixa triste. Você não consegue ver o que fiz?"

"Você não está triste coisa nenhuma, está ofendido."

"Estou triste, sim."

"A pessoa mais facilmente ofendida da história do mundo", rebati.

E era como se todo o ar da cozinha tivesse sido trocado, se tornando radioativo, cheio de gases tóxicos, e agradeci a Frieda, agradeci por ela ainda não ter uma linguagem propriamente dita.

"Não me venha falar em reprovar. Seja um pouco gentil!"

"Meu Deus, falei isso em tom de brincadeira."

"Que tom de brincadeira? Seu senso de humor é péssimo!"

"Falei isso com amor!" Nesse ponto, percebi, para minha humilhação, minha voz falhando; era uma voz de grávida, ela não se projetava, estava em desvantagem.

"Você não falou nada com porra nenhuma de amor."

"Não fale palavrão."

"Posso falar quantos palavrões eu quiser, caralho."

Dissemos essas palavras sob os gritos crescentes da boca de Frieda. Quanto mais brigávamos, mais escândalo ela fazia. Ela esperneava na cadeira alta, era impossível fixar os olhos em seu corpo. Dei-lhe uns grãos de milho — isso a acalmou.

Para o jantar, sopa de peixe insossa que ele tinha preparado — achei que estava sem sal, mas não ousei acrescentar sal; avaliei que era grande demais o risco de ele se sentir ainda mais ofendido. Jantamos em silêncio sem olhar um para o outro.

Comida é uma coisa boa, pensei. É bom comer, assim se recupera o clima de família.

No entanto, veio a próxima onda de acusações, e foi a última delas a que me feriu mais profundamente; Ted sabia e eu

sabia. O último golpe mortal tinha sido reservado a ele, era para ele desferi-lo. Afinal, eu o havia magoado e então eu ia sofrer ainda mais por causa disso (era mais um defeito herdado da infância, pensei; ele tinha tanta bagagem daquela época, tanta baixeza, tanta raiva distorcida e apodrecida ali).
Ele disse:
"Você pode reprovar os seus alunos. Você poderia reprovar seus alunos se tivesse algum, mas é isso: você *não tem* mais alunos."
Silêncio. Ele, de novo:
"Essa profissão você abandonou, já que seria escritora em tempo integral."

Havia acontecido centenas de vezes e ainda aconteceria centenas de vezes: meu arrependimento e meu pânico se elevaram. Usei a expressão "reprovar" — eu o ofendi, tudo fora minha culpa e eu havia arruinado o jantar, mas como meu marido usava artilharia bem mais pesada quando me humilhava em relação à minha carreira de escritora, a faca enfiada mais fundo, a ferida mais sangrenta, eu nunca poderia lhe pedir perdão. Era meu orgulho, eu estava ciente disso, mas também tinha a ver com o poder do meu marido sobre mim. Eu o odiava. Sim, ainda, agora que eu estava sentada no sofá vermelho, observando como ele dava um banho de amor na filha que estava indo para a cama: eu o odiava. Mais um filho com ele — me preocupava como aquilo seria.
E nesse ponto me agarrei a uma salvação: a primavera. A escrita. Vou escrever no jardim, pensei. Procurei a salvação definitiva da humilhação repentina que acabara de ocorrer.
Mamãe.
Minha mãe viria. De repente ela parecia uma possibilidade. Minha mãe, que eu também detestava e de quem eu precisava estar separada por um oceano inteiro. O Atlântico.

Minha mãe, sua fria virtude, sua dura perfeição que nunca se expressava, somente existia. Suas cobranças sobre mim que nunca vinham acompanhadas de nenhuma ternura, nenhum amor. Somente cobranças, somente cobranças, para ela poder se sentir superior, para aliviar sua ansiedade.

Eu devia ser aplicada — devia fazer faculdade — devia ter um diploma — ao mesmo tempo, devia me tornar aquela mulher livre que ela, prisioneira de sua geração, nunca pôde ser plenamente. Eu devia ser famosa (na medida certa), devia viajar para fora do país e concretizar aquela habilidade profissional — a escrita — que ela mesma nunca pôde ostentar, ela, que só aprendeu a estenografia, aquela linguagem hieroglífica coadjuvante que existia para ajudar o outro a captar a essência.

Minha mãe, que nunca se cansava de me encher de aflições, ideais, domesticidade e pequenos segredos que eu deveria conhecer para ser uma mulher neste mundo. Ela ansiava tanto para que eu me emancipasse, mas não conseguiu deixar de me educar com dureza para eu poder enfrentar minha liberdade. Ela via minha fragilidade e não a suportava, não suportava a ferida que provocava nela, como eu conseguiria ser forte e livre no mundo com essa fragilidade? Mulher, nunca histérica. Mulher, nunca histérica. Mulher, nunca frágil. Mulher, somente regrada, respeitável. Como ela teria coragem de me soltar? Para mim, mentir para minha mãe havia se tornado um esporte. Mentir que eu estava feliz. Que eu estava me dando bem. Que eu amava minha vida. Que eu era livre de verdade. Mentir que era possível ser livre e ao mesmo tempo profundamente envolvida num relacionamento com um homem. Que era fácil ser escritora. Que eu acreditava em mim mesma, nunca duvidava.

Para ser amada por ela, eu tinha que mentir.

Eu havia mentido para ela minha vida inteira.

Agora eu mentia para mim mesma que minha mãe me salvaria.

* * *

Então peguei um envelope e papel de correspondência e comecei a escrever uma carta.

Está na hora de minha querida mãe vir nos visitar, escrevi. Enfeitamos a casa toda para o Natal: as cortinas de veludo cotelê que eu mesma costurei e as fitas vermelhas amarradas nelas.

Escrevi sobre a parte prática: todo dia acendemos a lareira; neste exato momento estou sentada diante do lume da lareira, e tivemos de encomendar um aquecedor elétrico que será entregue depois do Ano Novo, a tempo da chegada do bebê (se bem que detesto todas as coisas elétricas). A parteira que nos visitou achou que deveríamos manter a casa mais quente. Para mim, é pesado carregar lenha, já tenho peso suficiente para carregar, mas você precisava ver como Ted trabalha para mim! Tudo que não consigo fazer, ele faz.

Frieda está no seu momento de glória agora, uma fofura deslumbrante que encanta todos os vizinhos. Quando olham para ela, ficam com vontade de doar todos os seus brinquedos antigos. Amarro a fita de seda azul-clara no cabelo dela toda manhã, ela fica uma gracinha de laço. Estou muito contente com as edições da *Ladies' Home Journal* que você mandou, você não faz ideia de como deixam uma americana feliz! Receber suas cartas e mensagens é o ponto alto da semana para mim, é quando me sinto mais em casa. Tenho saudades das receitas americanas, a comida aqui é muito sem graça e inglesa. Será que é a gravidez que me torna tão desinteressada pela comida inglesa? De qualquer forma, já sinto uma aversão.

Ted é muito gentil comigo, ele massageia meus pés todas as noites, e, se há algo que me deixa calma e confiante, é a certeza de que nosso bebê terá os melhores pais do mundo. Quero tanto que você venha nos visitar! A casa é absolutamente perfeita para uma pequena família como a nossa, estamos mesmo bem instalados. Na primavera/verão, quando você vier (já comecei a planejar a sua viagem!), tenho certeza de que todos os maravilhosos bulbos que estão à espera no subsolo terão esticado suas folhas e botões e desabrochado ao sol. Nos canteiros temos tantos narcisos brancos e amarelos que Ted acha que podemos vender na feira e ganhar dinheiro. Bem, todos os recursos que pudermos obter são bem-vindos, agora que nossas despesas com a casa e os reparos ficaram altas. Mal posso esperar que você chegue e nos proporcione estabilidade e segurança.

Frieda diz que está com saudades, ela começa a falar de você toda vez que vê as fotos que você mandou nos porta-retratos que pusemos em cima da cômoda. "Vovó!", ela diz então. "Vovó!", o que me deixa imensamente feliz por dentro. Não tenho dúvida de que você se apegará muito ao bebezinho que está dando cambalhotas dentro de mim... Uma nova vidinha. Quem poderia imaginar? Sylvia, mãe de dois filhos aos trinta anos. Quero quatro, por isso inventamos nomes para quatro filhos, é um passatempo divertido imaginar nossa grande família. Megan, Nicholas, Frieda e Gregor. Acho que será outra menina.

Agora queremos saber, como está a nossa vovó, e como está Warren? Mandamos um grande abraço aos dois do outro lado das águas frias do Atlântico. Espero que tenham um Natal lindo e calmo juntos. Estou com muitas saudades, e não poder estar com vocês me parte o coração. É melhor ficar quieta, já que espera pelo grande milagre é o mais importante. Saiba que por agora deixei a escrita de lado e apenas me alegro com o sucesso de Ted no rádio e meus projetos de tricô. Fico literalmente deitada no sofá crescendo feito massa de pão, do jeito que deve ser! E se bater a vontade de ler alguma coisa, tenho sempre as revistas acéfalas como a *Ladies' Home Journal*. Em relação às publicações que competem entre si para rejeitar meus contos, eu as jogo no fogo, não aguento me importar com elas. De fato, não conseguem me causar nenhuma dor no momento.

Ontem espalhei farinha de osso em todos os nossos bulbos de tulipas, narcisos amarelos e brancos, enquanto Ted e Frieda brincavam ao vento. Foi maravilhoso imaginar como os pequenos bulbos sugam a farinha de osso dos pobres animais mortos e, vorazes, despontarão depois, ainda mais alto no ar da primavera, quando você chegar. Aqui no campo é tão evidente como todos os seres vivos fazem parte de um grande ciclo. Nós também! Com essa última ideia (e a esperança de uma primavera rosada e carregada de cerejeiras em flor), um grande beijo de sua Sivvy.
Feliz Natal!

Quando Ted chegou arrastando os pés feito um animal cansado depois de ter posto Frieda na cama, pesado, vencido e formidável, impassível desta vez — me senti cheia de coragem e esperança novamente. Eu estava ardendo por dentro, incendiada de orgulho, o que me deixou contida, calma, viável. Do sofá vermelho, eu lhe disse, triunfante, para que a guerra pudesse continuar:

"Esqueci que ninguém pode ofender Ted Hughes."

Num instante, a guerra voltou — era a nossa guerra, eu não podia viver sem ela. Era algo que nos alimentava.

Ted rosnou longamente para mim no hall de entrada, o que me convenceu ainda mais da minha superioridade — minha herança era melhor, minha mãe era a mais sadia entre as nossas mães, portanto, eu também —, e me xingou:

"Vá em frente, desenterre toda a merda que encontrar. Vá se foder, sua vaca."

Pronto! Ganhei. Ele saiu perdendo. Era sempre Ted que caía. Lambi triunfantemente o envelope, fechando a carta para minha mãe, enquanto Ted vestia o macacão para sair e cavar na noite de dezembro.

Era nosso primeiro Natal na Court Green, e a vida era absolutamente maravilhosa. Eu havia superado as brigas, superado o desânimo — era meu destino fazer exatamente isso na vida: superar, dar a volta por cima. A gravidez havia tornado o café insosso por alguns meses, mas agora estava uma delícia de novo. Os feriados — para que serviam os feriados, senão para deixar todos os tons cinzentos da vida cotidiana para trás e finalmente se permitir celebrar? De certa forma, tinha sido feita para festas — para calçar um par de sapatos de seda vermelha, seguir a receita de um bolo gostoso e finalmente poder exibir meu sorriso para o mundo.

Bem, não teríamos tanta diversão neste Natal; eu e Ted havíamos decidido passar a data a sós. Eu tinha ansiado por finalmente me achegar a ele, ou melhor, tê-lo só para mim, mas não queria dizer isso. Era apenas uma sensação. As velas foram compradas, as toalhas de mesa eu havia passado a ferro, metro após metro, sobre nossa nova tábua de passar; eu tinha enfeitado a casa com jacintos, e os botões duros e grossos dos amarílis logo desabrochariam em todo o seu esplendor. Pedi a receita do bolo de cenoura da minha avó e já tinha feito três (sem cobertura), que eu guardaria no freezer. No dia de Natal, nossas tradições natalinas se tornariam uma, uma só, mas senti que a ênfase maior seria nas minhas tradições, já que Ted vinha de uma casa com a qual eu ainda não concordava muito.

Era manhã de Natal. Eu estava usando meu vestido vermelho. Embora a barriga se projetasse feito uma bola de basquete sob o tecido, eu me espremera dentro do vermelho, e por enquanto a sensação era maravilhosa: poder ser uma pessoa, uma mulher viva de verdade, a mulher de Ted, sua esposa, num vestido que também lhe evocava outras lembranças de mim.

Eu. Quem era eu? Quem era eu hoje?

Quem era eu que ia fazer o mingau de aveia matinal assim como minha mãe e minha avó sempre fizeram na manhã de Natal? Quem era eu, com meus brincos de pérola?

Quem era eu, no meu avental, cujos beijos tinham o gosto do mel nesta manhã, quando os dei a Ted?

Quem era ele?

Meu jovem rapaz comprido, aquele que eu amava mais que tudo, que mantinha a morte e minha mãe a uma distância segura. Quem era ele que tinha o poder de tornar realidade tudo o que sempre imaginei da vida? Quem era ele, o homem alto e moreno que esta manhã deixara de escrever por nossa causa?

Ele era uma pessoa que enxugava a boca com a manga da camisa depois de comer o mingau de aveia matinal.

O gosto não era nada parecido com o do mingau que minha mãe fazia em casa, e nossa cozinha estava quieta; ninguém havia colocado uma música de Natal.

"Tinha um gosto melhor quando eu era pequena", observei.

Outra pessoa podia ter dado risada com o fiasco do mingau, mas eu voltei a vergonha para dentro, como um caco de plástico duro e rachado, afiado como vidro.

"Pelo menos Frieda está gostando", eu disse, apreensiva.

"Está ótimo, Sylvia, está ótimo."

Passei os olhos por nossa sala de estar, que eu havia decorado em tons de vermelho, e me dei conta de que não sabia nada sobre o que Ted imaginava para nosso Natal.

Que tipo de noz ele queria pôr sobre a mesa.

Eu havia optado por avelãs.

Preocupei-me com o que *ele* achava da minha escolha de cor: que era muito desesperada, todo aquele vermelho, como se eu tivesse criado uma caverna de sangue para nós, o interior de um coração; como se eu precisasse desesperadamente nos inserir em algo que pulsasse com sangue quente; caso contrário me perderia em pânico e crises de ansiedade o inverno todo. A Inglaterra é tão fria, eu reclamava com frequência, tão fria e cinza daquele jeito malévolo e triste — nunca nada se abre aqui, o que afeta até as pessoas — tão fechadas, úmidas, cansadas e cinzentas — nunca soltam faíscas ou raios, e nunca parecem estáveis e largas e prolixas como lá em casa. Vivem como numa caixa! E eu não sabia o que Ted pensava de mim quando eu dizia isso — talvez eu é que vivesse numa caixa, que tentasse comprimir a vida numa superfície polida. Talvez eu é que fosse a quadrada, a cerimoniosa — não o povo inglês, como fiz parecer. Talvez eu é que reprimisse tudo e estivesse estourando por causa disso. Às vezes, durante nossas conversas noturnas, Ted tentava ser sábio o suficiente para me fazer ouvir:

"Na verdade, o que você julga nos outros é o que julga em si mesma", disse ele, mas a ficha não caiu para mim, ainda não — de que o que ele dissera realmente tinha a ver comigo.

O que eu sabia sobre os pensamentos mais íntimos de Ted

a meu respeito, ele que provavelmente nunca me deixaria perceber (seria arriscado demais) que minha cor de forma alguma era vermelho: era azul, como o mar.

O que eu sabia sobre Ted, já que não tive coragem de deixá-lo estar diante de mim com toda sua força?
Será que eu tinha medo dela?
Será que eu precisava domá-la?
O que eu de fato sabia sobre Ted?
Que eu o amava?
Como eu lidaria então com o fato de que ele talvez se sentisse pouco à vontade no meu Natal?
Na minha história sobre o nosso Natal.

No final da tarde, quando me sentei para escrever uma carta (mais uma) à minha mãe, eu estava cheia de bolo de cenoura. O fogo crepitava na lareira, e Ted estava lendo seu livro de presente de Natal — sim, ele lia realmente pela primeira vez —, *Admirável mundo novo*, de Aldous Huxley. Sua mão estava no meu pé.

Sempre que me sentia tão feliz — sempre que era gratificante estar viva — eu ficava com medo, pois sabia por experiência própria que era nessas horas que a calamidade chegava. E tentei afastar a sensação de terror, mas a percebi claramente como um esvoaçar que crescia de leve na garganta. Como se alguém estivesse ali com uma pena. Tentei me recompor e apenas escrever a carta, e talvez a carta fosse o que me acalmaria — no entanto, sua presença era inconfundível: o tique-taque da contagem regressiva para uma desgraça mais pesada do que aquela com que me acostumara até então.

Chupei a ponta da caneta.

Será que o bebê morreria?, pensei. (Essas coisas aconteciam.) Será que eu é que pereceria ao dar à luz? Será que meu marido ia se perder numa de suas muitas viagens a Londres, ia quebrar uma perna e demorar para chegar em casa e perder o parto? Teríamos um apagão? Será que minha mãe sofreria um derrame lá em Boston? Enfim, o que será que fazia pressão no meu peito, puxava minha coluna vertebral?

Tentei respirar normalmente. Era Natal! A cena era uma perfeita natureza-morta, se a vida pudesse consistir só em naturezas-mortas: era o crepitar do fogo e era a mão de Ted sobre meu pé no sofá. Era meu belo vestido vermelho. Eram seus escritos no andar de cima, que só aguardavam ser transformados em rádio. Era meu romance que também estava à espera e era fantástico.

Era nosso Natal, era nosso primeiro Natal juntos celebrado sem a interferência de parentes e amigos (uma delícia). Era meu amado.

A essa altura ele se inclinou para a frente e me contou que era uma escritora sueca, "Como ela se chama mesmo, Karen alguma coisa, Karen Blixen... Não, essa é a dinamarquesa, mas tenho quase certeza de que havia um 'B' no sobrenome... Bem". Seu nome era Karin, uma escritora sueca, Lucas havia lido sua distopia intitulada *Kallocaína*.

"Aposto que saiu antes do *1984* de George Orwell", disse Ted, "mas é muito melhor. Orwell merece reconhecimento, merece, sim, mas os malditos britânicos, eles monopolizam a fama e o mérito por tudo, até mesmo por coisas que outras pessoas criaram."

Ele estava segurando meu pé com muita força. Será que poderia soltar?

"Mas talvez a Karen que escreveu *Kallocaína* tenha buscado toda a sua inspiração em Aldous Huxley, e você nem fala dele..."

Ted encolheu os ombros.

"Intertextualidade normal."

"Também é porque ele é homem", eu disse, malcriada, mexendo os dedos do pé para que o aperto de sua mão se soltasse.
"Você não percebe isso?"
"Claro", disse Ted. "De certa forma..." Ele deixou o olhar se deter no fogo. "De certa forma, acho que trabalhar como escritor é um inferno igual, não importa o sexo."
Dei risada.
"Um inferno?"
"O suor é o mesmo. Leva uma eternidade para captar seu tema, e uma vez que você consegue, você precisa sentar e escrever e reescrever, e escrever e reescrever..."
"Qual é o seu tema?", perguntei, como se fosse a primeira vez que tínhamos essa conversa.
Ted sorriu.
"Qual é o seu...?", ele rebateu, apertando as duas mãos em torno do meu pé. Isso não era uma massagem, era outra coisa. Acupressão? O que ele estava fazendo?
Ergui os olhos e os passei pela sala, procurando uma abertura, um movimento em algum lugar, onde tudo me pareceria cheio de vida e fervilhante como numa tela de cinema. Mas todos os silenciosos espaços do cotidiano estavam como que paralisados, embora fosse Natal. Eu detestava a mecânica do pensamento, a contração da repetição, aquele vazio quando nada de novo pode ganhar velocidade e se expandir. Pensei que como mulher eu seria essa coisa nova, para minha família toda. Eu seria o circo e a loteria e o parque de diversões e a força grande da lua nova, eu seria o batom a transa e os cuidados posteriores. O grande colo. A comida na mesa, a quente e irresistível boceta. As coxas no escuro. Uma espécie de componente divino de matéria-prima que a vida nunca dispensaria. Eu seria a própria fiadora do eterno renascimento na nossa casa. Aquela que redimia as convulsões emocionais de Ted quando ele as tinha (sim, ele as tinha).

Mas então ele me fez uma pergunta literária, e minha boca ficou como que desprovida de palavras. Era como se alguém tivesse passado por cima de mim com cimento. Não queria ficar diante dele vazia e sem resposta. Tudo tinha que permanecer em movimento, incluindo eu. Eu não suportava estagnação — não seja estagnação, então! Não no dia de Natal.

Ele vai perder o interesse por mim, pensei. A grande carreira de escritora que eu imaginava, que SABIA que tinha à frente, teria sua dignidade encolhida assim que fosse examinada atentamente e eu, como escritora, precisasse me mostrar. Eis como é frágil, pensei. Eis como é frágil o ofício de escritora. Eu nem sabia lidar com uma pergunta.

Pigarreei.

Frieda se arrastava no chão com sua boneca, de bruços como ela. Pareciam estar envolvidas em algum tipo de brincadeira.

"Meus poemas nascem da alegria, acho", eu disse enfim, percebendo como soava maluco. A ruga de preocupação de Ted se alisou. Ele parecia genuinamente interessado.

"Fascinante", disse ele. "Prossiga."

"Mas em relação à distopia, em relação aos cenários de futuro e às grandes emoções."

"Pode falar à vontade."

"Não sou o tipo de escritora que quer cavoucar na escuridão e na melancolia. Sinto isso com muita força — meus poemas vêm da luz, da felicidade. Da edificação. Estou bem quando os escrevo. De certa forma, quero que atinjam a luz interna de outra pessoa... Entende?"

Ted fez que sim.

"Claro. Já vi isso em você", concordou. "É por isso que você vai escrever romances que serão best-sellers."

Dei risada — olha aí, uma abertura. De repente era fácil respirar.

"Você é romancista ou pintora, sempre falei isso. Prosa. A prosa é a sua praia. Os poetas são loucos, você não é."

Nesse ponto, afastei sua mão, prevenindo-o de apertar meu pé, e peguei seu pezão enorme para compensar.

"Tenha dó. De qualquer forma, VOCÊ não é louco."

Fiquei muito preocupada que ele quisesse alguma coisa.

"Como você sabe?"

Soltei uma risada, tensa. Olhei para Frieda no chão. Nunca a deixaria ouvir isso. Um pai se dizendo louco, não, meu Deus.

Ri para disfarçar.

"Meu querido Ted... Meu amor. Pode dizer o que quiser, mas, pelo menos para mim, você é a pessoa mais estável, mais forte, mais calma e mais paciente com quem estive!"

E esse foi o fim da conversa, para mim. Mas não para Ted.

"Não pense que sabe coisas sobre mim que nunca te contei."

Eu estava impaciente, agora ele devia parar. Ele soava odioso.

"Precisa fazer isso no Natal?"

Ele se levantou, me seguindo quando fui procurar o quebra-nozes na cozinha. Ficou parado atrás de mim com seu livro, que agitava no ar.

"Acho que você deveria ler umas distopias. Leia esta aqui, *1984*. Leia *Kallocaína*, tente ler em alemão. Para o bem da sua escrita poética, acho que precisa entender que tudo que você escreve não pode nascer da alegria. Que isso é impossível..."

Ele me pegou com o alemão. Eu sabia que Ted falava por enigmas — ele queria ser casado com uma mulher que falasse alemão, essa era a verdade, e, com minha formação alemã, eu não poderia lhe negar isso — mas foi o que fiz. Eu, o paradoxo em pessoa!

Era isso o Natal?

Ele precisava falar de distopias agora? Tudo estava tão tranquilo e agradável até então, eu não estava a fim de pensar em ambições e motivações de escritora, muito menos em cenários distópicos de futuro. Por que ele não me deixava em paz? Por que era Ted que fazia a bola de neve rolar... Por que eu parecia estar parada? Comi uma avelã rançosa e tive dificuldade de engolir. Ted jogou as cascas de avelã na pia com estrépito. "Bem, vamos ter que terminar essa conversa outra hora", disse ele com amargura e subiu a escada.

Porque meu marido era irresponsável nesse grau. Tão desatento quando se tratava de lidar com os sentimentos de outras pessoas com tato e consideração. Agora ele havia desencadeado estresse e pânico no meu corpo, que, acima de tudo, precisava manter a calma. O bebê que eu carregava dava cambalhotas lá dentro, até pouco tempo antes estava dormindo calmamente! Era culpa dele... Ted não suportava que eu fosse alguém que escrevia e era *feliz*. Ele tentava fazer com que eu me tornasse aquela poeta perfeita e afiadíssima em preto e branco com um véu de luto sobre o rosto e que falava alemão. Aquela que cavoucava no impossível, no passado e no futuro. Mas e se eu não fosse assim? E se eu fosse colorida e lustrosa como as revistas, moderna e ousada, imagine — Deus o livre — se eu fosse *feliz*!

Estendi minha mão com quatro avelãs quebradas para a pequena Frieda, depois ajustei a enorme safra de cartões natalinos que estavam enfileirados sobre a cornija da lareira. Eles me animaram. Aqui estavam votos dos quatro cantos do mundo — votos para deixar você feliz, pois para que servia a vida, senão para se encantar e alegrar e juntos colher belos êxitos? Um dia Ted talvez me permitisse despir seu desânimo apagado, puritano, contido, para ressurgir do marasmo como o homem forte, animado e positivo que eu sabia que ele era.

Meu Adão completamente inalcançável.

Não, minhas costas estavam apertadas demais; desabotoei o vestido vermelho e vesti a camisola que ganhei de presente de Natal da minha mãe.

O Ano Novo já havia passado. Um vento norte vinha da costa, e lá fora o tempo estava horrivelmente cinza e chato. De madrugada, Ted havia tomado o ônibus de dois andares para Exeter, eu lhe dera um beijo de despedida e mordera meu pulso depois, a parte grossa, enquanto a outra mão segurava Frieda com força. A casa estava um gelo, tive que pôr a bolsa de água quente na cintura. Agora eram dez da manhã, e as horas já haviam se evaporado sem que eu tivesse conseguido escrever.

Esse vazio monstruoso e patológico quando Ted não estava em casa. Eu poderia ter atirado num pato, deixando-o estraçalhado no jardim como testemunho, ou, por que não, numa criança. Ted precisava entender, Ted realmente precisava compreender o que fazia ao me deixar sozinha assim. O brilho aconchegante do fogo que costumava me encher de serenidade e algo como... consolo? era apenas um brilho da morte quando ele não estava aqui. O brilho da morte. Quando ele não estava aqui, eu olhava fixamente nos meus próprios olhos, no meu cérebro, algo que ninguém que me conhecesse a fundo deveria me deixar fazer. Deveria ser proibido deixar Sylvia Plath a sós consigo mesma.

Como eu me contorcia para que meu marido entendesse! Ele não havia me dado algum tipo de voto de sempre ficar em casa na hora do aperto, na alegria e na tristeza etc.? Eu gostaria de lembrá-lo desse fato, mas um telegrama levava três dias para chegar, porra. Tudo era moroso, somente meu cérebro tinha a rapidez de um lagarto. Deus me livre que isso acontecesse agora... Quando só faltavam duas semanas!

Gemi para Frieda na hora que ela puxou minha mão e disse: "Hum, mamãe, hum". Ela quis me tirar do sofá, achou que eu não deveria ficar deitada.

"Mamãe cansada", falei, sentindo vergonha bem lá no fundo. "Mamãe cansada", uma criança não deveria ter que escutar esse tipo de coisa. Com esforço, me levantei lentamente e liguei o rádio na cozinha. Era jazz e mensagens de Ano Novo, o que felizmente a distraiu. Eu pude voltar a me deitar debaixo do cobertor com a bolsa de água quente na cintura.

Eu queria que esse estado de emergência que a gravidez impunha a mim também passasse para o homem. Para Ted. Era terrível a injustiça com a qual eu era obrigada a viver. A gravidez tecia uma densa névoa de teias de aranha sufocantes em torno de mim, fio por fio, até que eu mal conseguisse respirar e muito menos me reconhecer no espelho. Eu tinha o corpo de outrem, usava outro rosto. Esperava-se que os pensamentos ainda fossem meus, mas eu desconfiava deles ainda assim; sabia que não eram meus. Os pensamentos eram aberrações, convites para divagações que levavam às imagens mais banais que uma mente lúcida poderia evocar: um perfeito jogo de chá na vitrine de uma loja. Taças de sobremesa recheadas com banana split. Marilyn Monroe de camisola e cabelos desgrenhados e sensuais. Torta de limão, receita da minha mãe. Um grande buquê de flores marfim cortadas. Salve-me de mim mesma e de minha ruína mental, implorei a Ted. Fique aqui e proteja meu corpo de ser envolvido por este amargo lusco-fusco de lugares-comuns. Me proteja de ficar deitada de lado aqui, gorda e larga em cima do sofá, e me rebaixar a ponto de pensar em sapatinhos de bebê! Tricotados pela vovó! Eu estava doente.

Estou doente, Ted, você me deixou doente e estou reduzida a destroços, então o mínimo que você pode fazer é ficar aqui e conter essa loucura, essa gravidez ardilosa que me deixa burra e lerda quando quero ser rápida, feia quando quero ser a moça mais linda que Deus colocou nesta terra.

(Eu não acreditava em Deus, mas como metáfora para o mais elevado do mais elevado a palavra era útil.)

Foi isso que fiz, em meu estado de abandono, enquanto Frieda reclamava e puxava meus braços:

Arranhei minhas entranhas com unhas compridas conjuradas por meu pensamento... Decapitei-me dentro da minha mente com um machado grande e forte. Pisoteei meu próprio corpo. Despedacei Frieda. Quando Ted voltasse, eu não estaria mais aqui, não, eu destruiria tudo, aí ele veria como lidar com os destroços que sua escolha de vida havia provocado, Sylvia Plath reduzida a destroços. Eu quebraria todos os espelhos. Queimaria todas as cartas de rejeição, meus diários idem, tudo seria jogado fora numa única e violenta tacada. Eu me desfaria de tudo, inclusive de mim mesma. Quando Ted voltasse da sua viagem a Londres no dia seguinte às nove da manhã, depois de ter papeado com as mulheres da BBC no rádio, que lhe enchiam de beijinhos e risadas até ele não se aguentar mais de tanta vaidade, então eu estaria deitada aqui, morta. Então meu amado se arrependeria amargamente.

* * *

Fiquei imóvel no sofá enquanto Frieda, sentada no tapete carmesim da sala de estar, brincava com a boneca que ganhara de Natal da vovó. Ela falava, ela cantarolava, ela estava calada? Eu não sabia. Talvez estivesse quieta em consideração a mim, talvez já tivesse aprendido as regras da psique da sua mãe. Como que em câmera lenta, observei a menininha deitar a boneca no berço que Ted fizera para ela antes do Natal e que em dezembro eu pintara de branco e enfeitara com corações vermelhos e estrelas azuis. Parecia que tínhamos feito aquilo em outra vida, enquanto tudo ainda estava esperançoso e real, agora que tudo estava perdido.

Ted tinha ido a Londres, apesar de eu ter lhe pedido e implorado durante dias que ficasse em casa; é só essa única peça de radioteatro, disse ele, é só essa última gravação na BBC antes da chegada do bebê, é só essa conferida final para ver se nossos inquilinos no apartamento em Londres estão indo bem. Tive vontade de vomitar a gravidez em cima dele e deixá-lo limpar os restos sozinho.

Será que eu deveria fazer comida para Frieda agora, brincar com ela, será que deveríamos dar uma volta juntas e comprar ovos e pão? Não encontrei nenhuma inspiração. O trabalho, o trabalho era minha salvação, mas agora não havia porra nenhuma de trabalho a escolher.

Somente uma mesa de café da manhã ainda por tirar e a paciência de Frieda com a brincadeira, que logo acabaria, e aí ela chegaria para mim aos pulinhos e perguntaria: Cadê o papai? Cadê o papai? E eu gostaria de responder: Ele está morto, Frieda, está morto para mim.

Por que a solidão era mais cruel para mim do que para qualquer outra pessoa? Meu maior medo era essa solidão, esse total fechamento em mim mesma — embora Frieda segurasse minha mão com sua luva de lã furada (andando na ponta dos pés para me alcançar, e soluçando, porque eu já havia lhe dado uma bronca), e apesar de eu ter cumprimentado gentilmente o carteiro (nenhuma correspondência hoje!) e um vizinho imbecil, eu continuaria na minha lata de conserva de solidão. Era esse medo existencial que me paralisava, que paradoxalmente me tornava incapaz de entrar em contato com meus amigos. Eu imaginava que as amizades enriqueciam a vida, e eu sabia que *tivera* amigos, tivera pessoas na minha vida que me amavam. A imagem arquetípica era a primavera de 1956, quando conheci Ted, minhas sapatilhas vermelhas como dois pirulitos sobre os quais deslizava pela vida; para onde quer que eu fosse havia alguém que queria me ver, me beijar, parar e conversar comigo.

Escolhi Ted. Eu havia alcançado um estado de perfeito equilíbrio no mundo. Havia estudado até adquirir a sabedoria da vida e da ciência. Eu tinha tanta formação que começara a aplicar as teorias à própria vida, esquecendo de onde as tirara; de modo um tanto traiçoeiro, era possível acreditar que haviam surgido no meu cérebro, que as ideias eram minhas, as percepções minhas, a filosofia toda minha.

Mas de certa forma era assim, exatamente assim, já que meu corpo jovem, meu olhar jovem, eu, a mulher moderna, bela, nova, educada, culta, também era a primeira da minha espécie a possuir e a articular isso; portanto, no momento em que saí para o mundo e o retratei, foi um evento de marcar época, uma coisa tão extraordinária quanto a rotação do sol.

Eu tinha acabado de receber tudo nas mãos em forma de concha, como um punhado de areia tirado do mar, e o que fiz? Bem, me vendi para Ted, casei com ele em junho daquele ano, apenas pouco mais de três meses depois de nos conhecermos. Era para acontecer tão rápido a ponto de a vida não ser mais sentida, a uma velocidade tão alta a ponto de a vida me sugar e não poder me arremessar. Quase às cegas. O amor parecia ser mais belo então. (Do meu diário àquela altura: Ah, meu Deus, não há tempo, tudo precisa acontecer agora).

Na hora eu não escrevi nada, quando Ted entrou na minha vida. Até o período anterior àquelas semanas, eu havia chegado exatamente ao ponto onde queria estar na minha escrita, estivera no auge, quase tocando o sol, a garota mais bela do mundo, a garota americana, eu tinha imagens detalhadas dos lugares para onde iria, como tudo era, como tudo me parecia. (Londres, Paris, Nice.)

E então eu precisava morrer, ou pelo menos ser reinventada, surgir numa nova versão.

Eu. Eu me *possuía* — eu sabia disso. Eu tinha acabado de me tornar alguém novamente. Cambridge — Richard Sassoon (meu namorado anêmico e certinho que eu amava), meus amigos. Eu me *possuía*. E então me entreguei. Deixei-me cair nas mãos daquele cavalheiro desconhecido.

Como hesitei naquela primavera de 1956, e agora, olhando para trás, quando os passeios solitários com Frieda eram tudo que eu tinha; eu até poderia imaginar que aquele cara que morava no quarto em frente ao de Ted, aquele gordo e obeso Boddy, que me viu e que eu temia, fosse espalhar boatos sobre mim (e foi o que fez): ELE. Claro que ele fora jogado lá para me impedir, eu deveria ter deixado que me impedisse!

Por que não deixei? Por que me entreguei? Foi porque precisava de um pai? Porque precisava de uma mãe? Porque precisava de um pai, um amante e um filho, tudo ao mesmo tempo? Porque precisava ser posta em uma vida com talheres e peônias, ovos fritos e pão recém-saído do forno, nem que fosse para me livrar da sensação de morrer em algum momento claustrofóbico todo santo dia? Porque precisava de um amante para medir a distância do meu horrível aqui e agora, para encapsulá-lo num futuro possível? Minha marcha pesada no mundo, como um Führer; eu certamente precisava ser *impedida*, não?

Eu precisava de um peito sobre o qual respirar e de um coração batendo debaixo dele (não o meu próprio). Precisava de outro. Precisava de mais do que apenas eu. Achei que nunca poderia me perder se finalmente me soltasse e o deixasse entrar. Assim como a vida londrina em 1960 e 1961; achei que nunca poderia perdê-la, ao nos mudarmos para cá, para Court Green. Pensei que nunca poderia me perder em Ted.

E como me perdi...

Frieda estava chorando por causa das mãos geladas; ela levantou os punhos vermelhos e duros para que eu soprasse bafo quente sobre eles. Como eu me atrevia a ser mãe se nem conseguia cuidar das suas luvas?

Eu deveria fazer o seguinte, em vez de dar um passeio solitário e horrível com Frieda e sentir na minha cabeça latejante que havia alguma coisa ali dentro que não estava totalmente certa — havia algum erro químico nas minhas substâncias: eu deveria fazer novos amigos. Eu escreveria uma carta...

Tão logo esse passeio terminasse e tivéssemos o leite e a manteiga para um bolo, para levar até a cozinha em casa, eu me sentaria para: 1. pintar as unhas de vermelho (eu necessitava de um lembrete de vida, de que eu estava viva; meu Deus, se ninguém me via na vida real, eu precisava fingir que tinha uma plateia, e um esmalte vermelho inegavelmente me aproximava da sensação de um tapete vermelho, além disso, o cheiro era tão bom); e 2. limpar a mesa da cozinha para poder escrever uma carta à minha velha amiga Marty nos Estados Unidos. Quem sabe ela não poderia nos fazer uma visita, depois de a minha mãe ter vindo no verão? Seria tão revigorante. Surgiu na minha mente a imagem de uma taça alta de soda borbulhante, servida com um canudo sobre uma mesa redonda numa praia perto de Winthrop num dia quente de verão; estávamos de biquíni.

* * *

A mulher da loja era muito nova, isso pude ver pelo vidro da janela à medida que nos aproximávamos. Algumas centenas de metros antes de chegarmos ao nosso destino, começou — minhas bochechas cederam, a parte macia do rosto recuperou sua plasticidade, e minha boca foi capaz de sorrir outra vez; os cantos da boca subiram.

Isso. Eu ia sorrir para ela na loja e mergulhar na sua imagem de mim: mulher em estágio avançado de gravidez, cansada e pesada, mas feliz, segurando a mão de sua filha mais velha. Não seria possível suspeitar de malevolência, de presunção americana tacanha ou, Deus me livre, de que eu tivesse intenções assassinas.

"Bom dia, senhora. O que vai querer?"

"Vamos comprar pão, manteiga e ovos para um bolo, e algumas balas, é claro", me ocorreu na hora que vi os grandes e altos vidros cheios de balas coloridas, a única coisa aqui em Devon que cintilava e brilhava; vidros atrás dos quais aparecia a atendente. "Estou no nono mês", expliquei. Apontei para a barriga, como se ela pudesse me salvar.

Ela me olhou com um olhar vazio. Loira jovem e estúpida. Eu sabia que deveria simpatizar com ela, tão jovem e tão sedenta, intocada — mas *porra*. Quem era ela para me observar?

Depois de escrever por dez minutos, a sensação que havia começado como uma escalada, um salto além de uma vastidão azul, um trampolim sobre o mar resplandecente, já estava zerada de novo, e eu não tinha mais nada na cabeça para escrever, estava tudo preto. Quem eu era mesmo? Que horas eram? Que dia era? Onde estava Ted?

Frieda estava em pé e tinha começado a tirar pedaços do papel de parede. Uma raiva forte me invadiu.

"Pare!", gritei, levantando do sofá, e Frieda ficou com medo, teve um sobressalto. Mesmo assim continuou a puxar.

"Não faça mais isso!"

Frieda desatou a chorar, e eu a segurei no colo, embora tivesse vontade de chutá-la. No meio de nós duas, havia também um feixe de pedaços de papel de parede, brancos com listras vermelhas.

"Sua malandrinha!", eu disse, fazendo-lhe cócegas, pois o que mais eu podia fazer, se precisava superar minha própria raiva e recuperar o bom humor dela?

O que era um pouco de papel de parede?

O que era um romance comparado a uma pequena criança?

Beijei seu cabelo sujo, que eu sabia que estava precisando ser lavado hoje à noite na bacia, a fim de deixá-la bonita para Ted. Beijar e lavar. Cuidar e alimentar. E agora a menina tinha que comer, claro que era disso que se tratava. Com muito esforço, segui no chão com uma barriga montanhosa sob uma fofinha sapeca de um ano e meio, enquanto as palavras se desfaziam na folha que estava na máquina de escrever. Ou melhor, firmaram-se ainda mais ali, e sua futilidade gritava para mim.

No entanto, fiquei feliz como uma gatinha quando Ted chegou em casa. Essa era a volta ao lar; eu não era Penélope, mas essa era a volta ao lar, em grande estilo. Eu era uma mulher orgulhosa, sua mulher (não "esposa"!) de avental. Havia um bolo inglês dourado na cozinha. A casa toda cheirava a Lar. Ele jogou a mala no hall de entrada e encheu Frieda de abraços. No meu íntimo, eu estava radiante; havia pequenos choques por todo lado. Estava aguardando a minha vez.

Ele foi até mim e me beijou — não do jeito que eu havia imaginado, mas foi bom. Ele cheirava a cidade, a fumo, a desconhecido. Londres, nossa Londres, eu havia enviado um representante para lá, um espião, alguém que mantinha relações com o resto do mundo.

"Foi bem?", perguntei. Uma pergunta boba; ele mal tirou os olhos da filha.

Engoli saliva fria.

Desejei que ele tivesse olhos para minha barriga também — que passasse a mão sobre ela, talvez a beijasse, perguntasse como estávamos. Eu e o bebê. Que nós também fôssemos elementos vivos em sua vida, assim como ele era altamente vivo e luminoso para mim.

Escutei a resposta que era tão entediante quanto minha pergunta.

"A viagem de trem correu bem."

Então eu estava ali de novo, controlando e dirigindo, porque de repente fui tomada por uma enorme vontade de contar, contar tudo, mesmo que ele não tivesse me pedido, mas para que a alegria jorrando dentro de mim tivesse vazão em algum lugar, e o vazio revelado por sua resposta lacônica não se arraigasse na sala:

"Fizemos um passeio, cuidamos da casa e escrevemos cartas, e eu acabei de começar a escrever um novo, longo poema que quero enviar à BBC para uma gravação no rádio, inspirado em Bergman", eu disse rápido demais, mas justamente nesse ponto o interesse de Ted morreu, e o que eu havia dito foi desvalorizado, ficando sem qualquer valor assim que eu pronunciara as palavras.

Ele não estava interessado? Não era incrível que eu também pudesse fazer algo para o rádio?

Ted acompanhou os movimentos de Frieda com os olhos, lançou-se outra vez sobre ela com abraços e pescou da mala livros com figuras que trouxera para ela, além de um grande cavalo de plástico, diante do qual Frieda emitiu pequenos sons de miado. Eu ainda pairava feito uma ave sobre a presa, mas havia ficado insegura, não sabia mais quando atacar.

"Bem, que tal comer um pouco de bolo?"

À noite eu quis transar com Ted, afundar meu nariz no seu cabelo macio absolutamente perfeito e cheiroso, que fora cortado na semana anterior e agora estava tão charmoso. Mas ele se afastou ainda mais na cama.

"Você não quer?", perguntei, magoada e orgulhosa, sentindo-me molhada e quente na minha camisola branca que ganhara de presente de Natal da minha mãe.

"Não sei", respondeu ele de forma sombria. "Você está tão pesada."

"Vamos lá", falei.

Ted estava com o tronco nu, sem camisa, e eu estava pingando de luxúria e desejo por seu tórax forte e peludo. Aqueles braços que conseguiam carregar tudo.

"Me pegue por trás então, se estou tão pesada."

Ele me observou pelo canto do olho, e era como se seu olhar pudesse penetrar tudo; ele estava prestes a me desmascarar. Ele desmascarou minha felicidade, meu alívio com sua volta à casa, desmascarou minha gravidez, nosso reino temporário, o ar sobre o qual tudo fora construído. Por um instante, enquanto deixamos nossos olhos de tons diferentes de castanho pousarem uns nos outros, ele viu que tudo era frágil. Sua frieza e meu fogo ardente, como conciliaríamos aquilo?

No dia dezessete de janeiro à noite, eu tive as primeiras contrações, e Ted estava deitado na cama acariciando minha grande barriga, equilibrando uma xícara quente de chá na outra mão. Ele estava exultante, eu estava concentrada. Frieda estava dormindo no seu quarto. Ele sussurrou coisas como: "Sylvia, sabe por que podemos acreditar que o espaço sideral tem um começo e um fim?". "Não", gemi, eu havia mergulhado fundo na dor. Sua voz era capaz de encher uma igreja. Ele disse: "Podemos acreditar pelo fato de que o céu fica escuro à noite".

Ele pegou a palma suada da minha mão e a massageou, enquanto eu afundava, me afastando do meu corpo e do tempo e apenas tentando estar no centro do universo. Eu odiava aquilo, odiava a dor, mas ainda assim amava o que viria naquela noite, os planetas girando em torno de mim. As cortinas brancas e rosa bloqueavam a noite escura, e nossa lâmpada vermelha de aquecimento estava acesa, zumbindo no canto, fazendo meus braços assumirem o mesmo tom vermelho do sangue sob a pele.

"Acho que é hora de chamar a parteira", arquejei.

Ted saiu de debaixo da colcha, onde eu estava de quatro e com os olhos fechados, e desapareceu escada abaixo. De repente ele parecia um menino que liga para a avó perguntando se pode brincar na casa dela no próximo fim de semana, e uma irritação surgiu dentro de mim: *Se ao menos ele não fosse tão forte e tão fraco ao mesmo tempo, se ao menos não fosse tão desajeitado e ao mesmo tempo certinho, meu poeta inglês, se não fosse tão plebeu e ainda assim tão frio e poderoso como um executivo de terno no centro de Londres; se fosse possível enquadrá-lo de alguma forma, o maldito Ted, mas não dá, parir seus filhos é minha única maneira de cercá-lo, de domá-lo como ele tem me domado.*

Ao chegar em seu carro azul, a parteira Winifred Davies foi só elogios, e eu estava orgulhosa, pois o aquecedor elétrico estivera ligado o dia inteiro conforme suas instruções, e Ted trouxe toda a sua pesada parafernália de parteira para dentro de casa.

Ela permaneceu algum tempo na cozinha, pedindo que Ted removesse o grande volume de sementes que ele havia comprado em Londres, aquelas que costumava separar ruidosamente, cada qual no seu compartimento da caixa de sementes que ele mesmo havia feito com madeira. Ouvi enquanto ela pousava a maleta de parteira com determinação no lugar das sementes, pegando um funil, um tubo de oxigênio, luvas de borracha, toalhas, vaselina e depois a garrafa de água quente.

Diverti-me escutando suas atividades na cozinha: ela mandava em Ted, ordenando que fervesse água para as toalhas quentes, ela tinha passos de mãe firmes e gentis, e era disso que precisávamos, uma pessoa que dominasse Ted, vencesse Ted, pensei.

Ted obedeceu às suas ordens, ele subiu para me ver.

Winifred Davies seguiu logo atrás na escada, minha nobre parteira de moral forte, usando um avental azul por cima de seu rígido uniforme hospitalar branco. Ela amarrou o lenço na cabeça, pôs a mão na minha testa e sorriu para mim como se eu fosse sua própria filha.

"E como está nossa querida Sylvia?", perguntou a parteira da maneira certa, é assim que se trata a realeza, observe e aprenda, Ted, pensei.

"Estou com contrações desde hoje à tarde e gostaria de começar a usar o gás hilariante."

"Aqui está."

Aspirei gás e comecei a rir, me sentindo maravilhosamente livre por dentro.

Um brinde à minha honra — finalmente, enquanto o sangue corria por minhas veias como um riacho primaveril, límpido e vigoroso.

Ah, como era bom dar à luz! Enfim ser o centro absoluto de tudo! Eu havia notado que o parto, para mim, se tornara uma modalidade maravilhosa, desde a chegada de Frieda em Londres, quando Ted ficara maravilhado comigo por eu ser uma guerreira tão boa, feita para dar à luz seus filhos, não à maneira modernista britânica de ficar semiparalisada numa cama hospitalar entupida de medicamentos. Não, eu estava viva! Viva como a sensação euro-americana oxigenada que eu era.

De repente, eu simplesmente soube que era um menino, alguma coisa dentro de mim me comunicou. Soltei um gemido nos braços de Ted, ele era forte, tinha que aguentar.

Não estava claro para mim se a parteira estava feliz, preocupada ou estressada naquele momento — e ainda assim eu sabia.

Fechei os olhos e senti cada movimento dela, onde estava, o que pensava, o que fazia naquele momento. Ela segurou o copo de suco na mão e deixou o canudo tocar meus lábios. Aí a contração chegou, veio com tudo e jogou contra mim, atirando uma bola bem na minha boca, me fazendo soltar gritos abafados que vinham lá das entranhas.

Cambaleei com a luta, arquejando vencida nos braços de Ted, beijando a lona. Eu era um pedaço de carne derrotado que ele segurava. Com o rosto tão quente e molhado, pensei em tudo que havia acontecido conosco, todas as recordações que passavam voando. Eu estava marcada no coração de Ted em todas as situações possíveis. Ele tinha nosso primeiro beijo, a mordida em sua bochecha, tinha todas as minhas batalhas, minhas lutas desde criança, uma rosa-mosqueta jamais beijada oriunda do mar perto de Boston, antes de a morte me contaminar com a doença e a despedida de meu pai. Tinha toda a felicidade por termos nos tornado um casal, toda a luta em Cambridge, toda a minha guerra interna para ser uma pessoa ao lado de sua pessoa. Por isso era tão bom ser completamente nocauteada por essa luta na lama com outro — ai! — a contração veio de novo, agora estava se intensificando! — com outro ser humano que ia passar por mim e sair. Ele era grudento como bala de caramelo lá dentro, ele era uma bola ardente que sairia de mim depressa e para já! Por favor!

"O que está acontecendo com a máscara de gás hilariante?", arfei. "Por que diabos não está funcionando?" Lancei um olhar para o rosto meio assustado, meio confiante de Ted, e seus olhos estavam negros. O que meus olhos lhe diziam, eu não sabia, só sabia como era olhar para dentro dele naquele momento, como se os nossos universos se encontrassem, dois sistemas solares diferentes.

Meu Deus, estava cheirando a pântano e sangue já, e ali estava a parteira com uma expressão para lá de sombria e tensa. Ela estava mexendo com o quê? O tubo de oxigênio.

"Está vazio", disse ela, virando-se.

"O quê?" esbaforiu-se Ted, e fiquei feliz por ele reagir.

"Vazio", respondeu ela no mesmo tom neutro.

"Mas meu Deus, o que está dizendo, criatura?", desembestei. O que até pouco antes havia sido uma dança com Deus agora se tornava uma dança com o diabo, porque aí vinha a contração de novo, agora veio, agora me inundou feito um lamento de morte, e meu Deeeeeus como doía meu ventre que não era mais um ventre que não era mais meu corpo mas uma grande casa em chamas na qual eu era obrigada a permanecer e a travar uma dança com o diabo. "É grande demais!", gritei. "É grande demais!"

E então o último empurrão, os últimos gritos trêmulos da minha boca e a última ajuda estremecida das mãos de Ted dando apoio por trás — senti que ele estava com medo agora, medo e êxtase em partes iguais. E a parteira, sim, a parteira estava ali na torcida.

E logo o som úmido e escorregadio na hora que ele saiu deslizando e transformou a cama numa praia. Quando ele me livrou da dor. E o vi deitado ali, azul e ensaiando um esperneio. O cordão umbilical branco enrolava-se gordo e pegajoso em torno da barriga e do pescoço.

Em meus braços ele estava deitado, um pequeno lutador com a testa espremida.

"Te dei um filho!", ri, olhando para Ted. "É uma cópia perfeita de você! Um Hughes!"

E Ted estava com lágrimas nos olhos.

"Vou deixar vocês a sós um pouco", sussurrou a parteira e saiu do quarto lodoso, escuro, que cheirava a feno recém-cortado.

Aliás, cheirava a mar aqui dentro. Mar e algas, e meu filho estava pegajoso como se tivesse sido tirado do mar. Olhei nos seus olhos. Negros e com um olhar de ferro. Quem era ele? De onde vinha? Por que cheirava também a pão recém-saído do forno?

Tantas perguntas e nenhuma resposta. Agora ele estava aqui, e por mais cinco minutos ainda era dezessete de janeiro. Eu queria reter o momento por mais tempo.

O bebê estava capotado feito uma rosa jogada no meu colo — sadio e liso como o orvalho. Só eu que era uma foca com sangue entre as coxas. E agora estava com trinta e nove graus e meio de febre.

Ted esvaziou o penico Ted veio com o termômetro Ted esqueceu que eu queria um beijo na bochecha também.

A parteira cancelou a visita de retorno, seu pai tinha ficado doente do pulmão, e eu não tinha energia para ensaiar uma performance para outra pessoa. Não, preferi ficar sozinha com meu marido, embora tudo que era saudável em nossas vidas — o cheiro de morango silvestre de Frieda! O cabelinho aveludado do bebê! O jeito da parteira de salvar o mundo, com toda a sua sabedoria feminina! O queixo de Ted que se suavizava enquanto ela estava aqui! — parecesse parar de existir tão logo estávamos sozinhos.

Me sentei na cama, encostada à cabeceira. Minha cabeça latejava de dor. Deitei o bebê para dormir de bruços no pé da cama, de roupa branca.

Mastite.
O erro todo fora o seguinte:
Sucumbi ao húbris.
Fui acometida por aquele tipo bem comum de arrogância de recém-parida com o freezer cheio de pães de ló e uma vida dos sonhos. Esse tipo de êxtase. Absolutamente maravilhoso uma vez que você toma gosto por ele. Por isso, meu casaco parecia ser feito de bolo de casamento americano, e as bochechas do meu filho, um par de cerejas curtidas no rum. Eu andava por aí como uma mulher-maravilha de branco com meu novo bebê-maravilha (meu segundo). Se minha própria mãe e minha avó não podiam vê-lo, toda a vizinhança da Court Green teria o prazer! Então saí exibindo-o e oferecendo meu sorriso ofegante que, eu sabia, sempre ficava sem gás depois de poucos minutos. Andei por aí como uma prima-dona de carrinho na mão. E esqueci de pensar no fato de que eu não era feita de açúcar e tampouco embrulhada em papel-celofane — eu era animal, eu era vaca, eu sabia mugir, eu era mulher. Eu tinha sangue escorrendo entre as pernas (algo que se chamava de lóquios). Eu era um poço de hormônios e tinha leite nos peitos. E exatamente no momento em que estava fazendo um relatório para uma mulher de casaco muito cinza e estola de raposa no pescoço, que se animou e quis beliscar as bochechas de cereja de Nicholas — exatamente naquele momento. Suei um lago inteiro *ao mesmo tempo* em que o leite desceu (deve ter sido na hora que ela lhe beliscou tanto as bochechas. O impulso do meu corpo talvez tenha surgido por instinto protetor quando ela fez isso). E era como se o leite se engessasse nos seios.

Vaidade estúpida! Eu, que era animal agora, pensando que podia vestir um velho minicasaco que tinha usado quando era jovem e bonita em Londres. Eis no que deu: FEBRE. MASTITE.

* * *

"Repolho", disse a parteira quando liguei esbaforida e ofegante para ela. "Repolho, você tem um repolho em casa?"
"Não sei, posso pedir a Ted que dê uma olhada na geladeira, vamos ver, é bem possível."
Cobri o fone para que ela não me ouvisse gritar roucamente para Ted, que estava mexendo com suas sementes na cozinha: "TEMOS REPOLHO?".
"O quê?", berrou ele.
"TEMOS REPOLHO?"
"MOLHO?"
"Que raio, temos repolho, caramba? Repolho verde, temos repolho na geladeira?"
Um momento de pausa.
"Temos."
"Temos, sim", respondi à parteira. "Temos repolho em casa, por quê?"
"Então você pode pegar uma folha de repolho e colocá-la no seio. Isso mesmo, você vai vestir seu seio com repolho."
Tive vontade de rir.
"Com repolho…" Foi a jovem Sylvia em mim, vaidosa, alegre, que quis rir. "Parece tão engraçado, mas vamos lá. Repolho. Vou fazer isso."
"Experimente e me ligue de volta daqui a algumas horas. Sinto muito por você, uma mastite não é nada agradável. Agora com esse tempo frio, pode ser especialmente complicado."
"Frieda nasceu em abril, e foi tão diferente, a primavera já estava bem adiantada naquele ano."
"O frio também faz bem."
"Achei que era para manter o seio aquecido?"
"Você pode tentar pôr uma toalha com alguns cubos de gelo."
"Muitíssimo obrigada por sua atenção."

"É meu trabalho."
"Você não tem preço, Winifred."
"Vou dar uma passada aí amanhã. E mais uma coisa!"
"Sim, o quê?"
Parte de mim queria que a conversa com ela nunca terminasse. Era um grande buraco em mim essa falta de conversas francas com uma amiga mais velha, era como os convencidos garotos americanos na faculdade: me fizeram acreditar que a vida de fato era algo completamente normal, nem rodízio de tortura nem um paraíso celestial.

"Você deve amamentar tanto quanto possível com o seio afetado. Amamentar, amamentar, amamentar. Deixe o pequeno príncipe Nicholas mamar sem parar e não passar fome nem por um segundo."

"Vou cuidar disso, o pequeno príncipe Nicholas vai mamar e não passar fome nem por um segundo!", repeti numa voz suave, uma voz que eu gostaria de ter ao falar com Ted ou ao me dirigir a mim mesma. Mas aí a voz era outra, geralmente dura, uma voz que me dava medo; nesta conversa telefônica, porém, com esta mulher, com outras pessoas com quem eu não tinha uma profunda relação: veludo.

Ted me deu o repolho, a essa altura a febre já tinha subido muito, e sua mão parecia muito firme e refrescante quando a pôs na minha testa.

"Pobre Sylvia", disse ele, porque sabia que eu me enternecia quando ele usava aquela palavra, "pobre".

"Pobre Sylvia."

Ele beijou minha testa, e eu passei a decorar meu seio branco duro enrubescido com grandes folhas de repolho.

Exalando um cheiro acre, as folhas de repolho estalaram, mas logo se tornaram moles e suadas com a minha febre, e adormeci coberta de repolho, eu era como uma flor, uma flor viva e quente ao sol, de quem meu bebê sugaria o néctar.

Ted apareceu na porta do meu quarto de febre, divagando sobre fazer a primeira pescaria do ano.

"Pescar! Estou com tanta vontade de ir pescar", foi a frase.

"Tudo bem se eu for com Andy para o rio Taw?"

Andy, o componente que me tornaria incapaz de dizer não.

Ensaiei um fraco sorriso febril: "Tudo bem, pode ir, meu querido", minha roupa grudava nos travesseiros que eu havia amontado, e lá se foi ele com sua vara de pescar.

Quando levantei, a viscosidade entre minhas pernas era palpável, arrastei-me até o banheiro e arranquei da calcinha o absorvente cor de tijolo com lóquios. Cheirava a mofo. Lá ia mais um — e Nick já tinha começado a chorar na cama. Alguém precisava cuidar de Frieda, eu não tinha forças para lidar com ela agora, mas não obstante: *pescar*.

Pescar, como se já fosse a estação certa.

Pescar, como se o rio realmente o aguardasse naquele momento.

Pescar, como se o que a família precisasse fosse peixe.

Eu já cheirava a peixe podre o bastante EU JÁ CHEIRAVA A PEIXE PODRE O BASTANTE cheguei a pensar antes de voltar para a cama (meu templo meu castelo minha montanha meu oceano meu viveiro de peixe prisão vida) e para Nick e Frieda, ambos aninhados como focas de diferentes tamanhos a meus pés.

No travesseiro: repolho velho. Duas rosetas pálidas de repolho que haviam murchado com o calor do meu corpo e jaziam feito pedaços de um cadáver a meu lado. Frieda, que na verdade era um cordeirinho, havia endurecido, e agora dava um soco de punho cerrado no meu recém-nascido, bem na barriga. Uma raiva tão inesperada me dominou; será que sequer era permitido ficar furiosa assim com uma criança? Lancei minha mão em torno da mão dela para impedir que repetisse a agressão, porque era o que ela parecia disposta a fazer. Sua boca numa careta manhosa.

"Pare, Frieda! Não quero que você bata nele assim!"

E o tempo todo a voz de Ted soava no fundo da minha cabeça: pescar. Tudo bem se eu der uma saidinha? Quero pescar!

Minha febre subiu, o que raios eu podia fazer quando subia? Só restava me entregar ao pânico.

"Frieda", eu disse numa voz de firmeza imaginária que rachou com tanta facilidade quanto uma tigela de vidro caindo no chão. Eu queria soar como alguém com autoridade.

"É o seguinte: o papai saiu e eu estou com febre." Como se uma criança de nem dois anos de idade entendesse. Como se tivesse ideia do que era febre. Ela se agitou feito um brinquedo robótico na cama, era como se um pino nas suas costas houvesse lhe dado corda tão logo Ted decidira sair. "Então você tem que ficar quieta, entendeu? Quieta."

Quando Ted chegou em casa, eu estava apática e imóvel sobre o travesseiro. As horas haviam flutuado para dentro de mim como muco viscoso, eu já não era responsável nem pelas crianças nem pela casa nem por nada. Nick dormia como um enjeitado que havia adormecido por falta de opção. Frieda cochilava em algum lugar, a casa estava em silêncio.

Vi sua sombra se mexer no quarto, mas não quis fixar meu olhar, pois devia estar tão vazio e desamparado que ele, com sua inteligência, força e virilidade, seria obrigado a entender o quão perto do desastre ficamos depois de ele me deixar febril pouco depois de ter parido.

Ele não poderia ir pescar outra hora? Meu Deus! O que poderia ser mais importante do que a saúde de sua esposa e de seus filhos neste momento? Se eu estivesse em melhores condições, escreveria tudo num pedaço de papel, ponto por ponto, para que ele entendesse. Eu tinha lido num livro budista, *amar é compreender, e ser amado é ser compreendido*. Então, será que ele não me mostrava, vezes sem fim, que de fato não me amava mais? Pois ele não me compreendia.

"Ted", murmurei.

Era a enésima na série de crises assinadas por mim. Ele atribuiria importância justamente a esta? Ele me culparia por ter um chilique, por não ser capaz de estar sozinha com nossos pequenos? Ou capitularia diante da minha tristeza, cedendo e beijando meus pés num arremedo de amor até a saliva secar?

"Sylvia", Ted disse com voz de veludo. "Como está, meu amor? Minha gatinha."

"Pare, não me chame assim."

"É o mês de fevereiro trazendo a discórdia para você."

"Não começa."

"Você sempre fica doente em fevereiro."

Ele se achegou a mim na cama, parecia viçoso, maduro e cheio de ideias, a pescaria brilhava em seus olhos como se os tivesse esvaziado de lágrimas.

"Fratura da perna em fevereiro, sinusite, internação no hospital psiquiátrico até fevereiro, um aborto espontâneo e uma apendicite ao mesmo tempo, em fevereiro..."

"Pare!"

"Fevereiro é seu mês, minha querida", insistiu Ted, beijando meu ombro onde a camisola havia descido. Ele estava realizado com sua pescaria, sua liberdade, disso não havia dúvida.

"Calma, calma, vamos sobreviver ao mês de fevereiro", disse ele, e de repente tive a ideia de me enternecer e lhe dar razão, aceitando de fato seu consolo.

No meu silêncio, sua voz ficou mais forte.

"E posso continuar pelo tempo que for. Mastite em fevereiro...", disse ele.

Estava com minha cabeça nos seus braços.

"Conhecer Ted Hughes em fevereiro..."

Bufei expelindo um fio de ranho que caiu no seu colo. Eu estava meiga agora, meiga. Ri da sua vaidade, do seu egocentrismo, com o qual todos nós convivíamos como se fosse um invisível terceiro filho.

"Pois é, talvez não tenha sido a melhor ideia?"

Nossos olhos se encontraram de verdade, Ted me fez cafuné, depois pegou nosso filho adormecido, transferiu-o para o berço e ajeitou o cabelo em frente ao espelho. Ficou ali, com as mãos nos bolsos, olhando para mim.

"Não pegamos nenhum peixe."

"Que pena."

"Um dia quero levar você para o mar outra vez. Vamos para Woolacombe."

"Você não entende que estou doente?"

"Quero te levar para Woolacombe. E quero ir com você para a Austrália."

Ted estava com sonhos nos olhos, era como se uma loucura tivesse se instalado em seu olhar. Austrália? Agora? Quem seria capaz de sequer pensar na Austrália naquele momento?

"Estou com uma dor de cabeça de lascar, faça o favor de buscar a aspirina."

Ted ergueu os olhos do chão, era como se tivesse falado com uma pessoa imaginária, não comigo.

Mas sua referência ao mês de fevereiro me fez passar a noite pensando. Fiquei deitada sob o brilho das luzes que não aguentei apagar enquanto amamentava. Suei até me livrar da febre, e o ar fresco entrou no corpo, me dando esperança.

Havia algo com o mês de fevereiro. Havia algo com o silêncio congelado. Havia algo com o renascer que precisava acontecer em fevereiro, assim como a limpeza do ano que passara. Havia algo com o fato de que eu certamente FUI CONCEBIDA em fevereiro, eu que nasci no final de outubro. Fevereiro era meu destino. Eu já ficara internada em fevereiro. Lembrei de outro mês de fevereiro, aos dezenove anos, minha perna numa tala, enfaixada em ligaduras brancas. Fevereiro — eu. Eu — fevereiro. Aquela vez eu estava tão desenfreadamente apavorada porque tinha machucado minha perna, da mesma forma que meu pai machucara a sua quando eu tinha sete anos, o dedo ficou azul e ele teve que amputar. Então vi a perna do meu pai na minha. Durante as noites no quarto branco de hospital, eu fantasiava sobre como a perna ali sob o gesso se tingiria de azul enquanto eu estava dormindo. E na hora da remoção do gesso — como eu tive medo da minha própria perna, que havia assumido a forma de um defunto. Olhei fixamente para o horror. A perna do meu pai na minha perna. A pele estava pálida e esponjosa como a de um cadáver, os pelos afiados e grossos, e a carne havia encolhido sob a pele morta, como se a perna não pretendesse mais viver. Tão atrofiada e repugnante, e tudo isso também me pertencia.

Eu, a brilhante jovem sedenta de vida amorosa risonha linda bela atraente loira. Eu, que nunca pensei que pudesse morrer, morrer de verdade, nem que um pedacinho de mim pudesse morrer. Tive que engolir minha própria pílula daquela vez. Tive que rir na cara da minha invencibilidade.

A essa altura, o bebê despertou com seu doce chorinho e o puxei para meu seio dolorido, e era tão inebriante e maravilhoso senti-lo pegar o seio e mamar em mim. Seu peso de ouro, todo pesado e docemente perfumado.

É uma grande sorte ter vocês, sussurrei, beijando sua testa recém-nascida e aveludada.

É claro que tenho o coitado do meu Ted, mas é sorte ter o amor de vocês, sussurrei um pouco mais alto, Ted estava dormindo, de qualquer forma.

E continuei a pensar em fevereiro enquanto amamentava o bebê.

Foi em fevereiro passado, quando me senti tão intensamente purificada.

Tive um aborto e uma apendicite, ao mesmo tempo.

Mais uma vez fui obrigada a ficar num quarto de hospital, quieta, sem me envolver nos assuntos de família.

Toda mulher merecia isso. Ficar assim, quieta e resguardada e sem exigências. Eu não precisava me mostrar a ninguém.

Eu fiquei deitada ali, podia ser concebida — de novo. Nascer — de novo. Ser criada — de novo. Ted vinha andando pelos corredores alongados intermináveis vazios tal qual o homem que era quando me conheceu. Alto (1,86), com olhos de lince abaixo da franja e cheio de admiração por mim e por meu intelecto.

Ter-me a certa distância, era assim que ele melhor podia conviver comigo. Talvez realmente fosse assim. Para viver comigo da maneira como nós dois gostaríamos, ele precisava ficar à distância de um grande porta-aviões. Precisava haver um longo corredor pelo qual ele pudesse ir ao meu encontro. Essa constatação me deixou triste, mas talvez fosse assim para mim também, eu precisava da página em branco, do lugar, do escopo e do meu próprio espaço, longe dele, para viver.

Fiz uma concha com a mão em torno do topo da cabeça de Nicholas, tão macio e intocado, não havia maldade nele, nenhum ludíbrio, nenhuma traição. Suas pálpebras, duas pétalas fininhas de lilás ao vento. Que ele continue exatamente assim.

Voltei à ideia de Ted e eu no hospital, em fevereiro de 1961. Ele caminhou até lá segurando a mão de Frieda, a pequenina de quem conseguiu cuidar surpreendentemente bem sozinho. Incrível. Eu havia pensado que era indispensável, mas tudo ia às mil maravilhas. A menininha adorou ficar com o pai. No hospital, eu não tive que lidar com todo o apego — a pequena que se agarrava a meu corpo como um chimpanzé bebê e toda a logística que cabia a mim —, fiquei livre de tudo. E foi uma bênção para mim, pois minhas forças haviam se esgotado, eu tinha gastado tudo mesmo, não sobrara mais nada de mim depois de um ano de amamentar, nutrir, carregar — meus braços, minhas forças haviam se reduzido a pó.

E o Cosmo cuidou disso me dando um aborto e uma apendicite.

O sêmen de Ted em mim, um erro, a persistência da natureza, a ser eliminado de mim, sangrado até a última gota.

As enfermeiras andavam num vaivém entre os quartos em seus trajes anônimos, e é claro que eu estava feliz por não ter que ser uma delas.

Eu era quem seria atendida.

Eu era quem ficaria num quarto próprio. Eu era quem tinha um marido escritor de quem receber visitas. Eu era quem escreveria os livros. Eu era quem seria o alvo das atenções. Eu era quem receberia os cuidados e o carinho. Esse era o contrato. Isso era o quanto eu valia. O dinheiro do Sistema Nacional de Saúde e meu corpo. Isso era tudo. Isso era tudo de que eu precisava para ser lançada dentro da minha voz outra vez e recomeçar a escrever. Era o tiro de arranque. Fevereiro, as doenças, o sangue, minha convalescença e as tulipas vermelhas na mesa. Aqui estava a história, as páginas pareciam me dizer. Aqui estava a voz. *Um livro não é nenhum livro, mas dois são uma tradição*, como Luke, o amigo de Ted, havia me dito com certa acidez quando a espera pelo segundo livro depois da estreia havia se estendido um pouco demais. (Meu Deus, qual era a pressa dessa gente?) Eu lhe mostraria. Eu lhe mostraria de novo.

Pois então — então! Comecei a escrever. Cheguei em casa transbordando de oxigênio novo, novas páginas em branco nas quais registraria as experiências da minha memória. Eu tinha força, tinha vontade, tinha fogo nas entranhas e tivera um respiro. Então comecei a escrever *A redoma de vidro*. O que ia acontecer agora? O que aconteceria a seguir? Qual era o texto que este mês de fevereiro com sua vagarosa mastite e convalescença no quarto da Court Green pretendia me proporcionar?

Que novidade me aguardava?

Fui dormir aquela noite completamente acabada de tanto pensar, ruminar as ideias que me chegaram límpidas e úmidas como gotas de orvalho. Nick tinha acabado de mamar e estava empapuçado como um Buda sobre o cobertor. Embrulhei-o, depois beijei a face áspera de Ted — ele estava dormindo tão profundamente que nem sequer acordou.

Eu tinha dormido em cima do cavalo de plástico de Frieda. Atirei-o no chão. Era sexta-feira, eu estava recuperada, o sol da primavera havia chegado, eu esperava visitas. Amanhã as crianças seriam batizadas.

Levei Nick ao ombro, com sua manta, e fiquei na soleira da porta da varanda apenas saboreando o jardim, olhando para nosso futuro, sentindo o ar fresco, e pensei: Agora já superei o puerpério, já parei de sangrar. Agora já sou uma mulher decente. Sim, estou no meio da minha vida dos sonhos. E fiquei com vontade de chamar um fotógrafo.

Então avistei Ted, que andava pelo jardim como um cavalo escuro, derramando a dose primaveril de veneno para lesmas sobre os caminhos. Ele inseria a mão num saco de esterco de galinha que espalhava sobre os canteiros em preparação para nosso cultivo de morangos. Ted havia dedicado a primavera toda a esses preparativos, plantando sementes em grandes sementeiras cheias de terra preta, sua cabeça havia se debruçado exclusivamente sobre livros dedicados à jardinagem. Eu não tinha conseguido acompanhá-lo, Ted estava muito à minha frente nesse aspecto. Eu mal tinha saído desse grande casarão branco, eu havia sido a própria casa.

Ele não nos viu. Eu desejava ter uma ferramenta que pudesse ser lançada ao jardim para fisgá-lo — uma espécie de forquilha —, imagine se existisse um apito que ele atendesse, que significasse "É sua querida Sylvia que está te chamando!", imagine se ele quisesse se virar com amor toda vez que ouvisse o apito.

Fiz uma tentativa com a minha voz.

"Ted?"

Ele não escutou, ou estava me ignorando. Eu não queria fazer alarde na frente dos vizinhos, não podia criar o hábito de chamar meu cônjuge como se ele fosse minha propriedade ou um dos meus filhos. Ted realmente tinha ido muito mais longe do que eu, estava obcecado com o jardim. Ele fazia questão de que nossa casa dos sonhos ficasse tão linda quanto havíamos imaginado — canteiros de alfazema enfileirados, clematites penduradas sobre a alvenaria e que se juntariam à hera desgastada, framboeseiras novinhas em folha para desbancar aquela moita horrorosa. Será que Sir e Lady Arundel não haviam feito coisa nenhuma com o degradado jardim enquanto moravam aqui?

Ted foi feito para a vida. Tão bom com a terra, os animais e tudo aquilo que nos prendia ao solo, ao que era constante, ele era tão habilidoso com ferramentas. Estava em seu poder nos aterrissar, nós, que havíamos voado sobre a vida agitada de Londres com nossa juventude, nossa beleza, nossos dons literários. Aqui, em North Tawton, a vaidade não significava nada!

Entrei pela porta da varanda e passei um batom — cor de damasco em homenagem à primavera.

Nick estava dormindo no carrinho de bebê, e eu o empurrei para a frente e para trás sobre o cascalho duro, desejando que Ted viesse e nos notasse, saboreasse a cena com seu filho e eu assim como eu saboreava sua figura, que pudesse haver uma espécie de equilíbrio, que nós dois tivéssemos o mesmo interesse um pelo outro.

Olhei para o pequeno embrulho no carrinho. Parecia que a existência me escapava das mãos, o tempo e a vida não valiam nada enquanto eu estava aqui sozinha, passando despercebida. Dois meses haviam se passado desde o parto, e eu estava pronta para ser vista agora, para me sentir mulher aos olhos do meu marido, para ser beijada nos lábios macios de batom.

Estava aqui empurrando o carrinho em vão.

Gostaria de encontrar uma maneira de contar a Ted que minha solidão doía. Que minha solidão, quando não me era permitido estar a sós com ele, me tornava um pedaço de ser humano desprezível — uma espécie de meio-ser, alguém que você poderia usar como personagem numa narrativa distópica sobre ogros. Desviva. Semimorta.

Eu precisava receber confirmação de que estava viva, de que estava no centro da história e valia um batom e uma saudação.

De repente, Ted veio em nossa direção, suas pesadas botas deixaram pegadas no barro. Ele arrancou as luvas e estendeu os braços para Nick.

"Estão acordados faz tempo?", perguntou. Arrependi-me do batom, arrependi-me da sensação de querer ser fotografada. Com inveja, vi Ted tomar conta do nosso boneco articulado de dois meses, beijar sua barriga e com cuidado levantá-lo para o céu. Reprimi o impulso de protestar: Não, pelo amor de Deus, o pescoço dele ainda não está firme.

"Por que não responde?", perguntou Ted.

"Só estava olhando vocês", eu disse, foi minha única fala esta manhã: *Só estava olhando vocês*. Depois conversamos sobre veneno para lesmas.

* * *

"Quer casar comigo?", perguntou Ted depois de termos ido para a cama tarde da noite. Ele esfregou o nariz no meu rosto, ainda cheirava a jardim, mar, carneiros. "Tenho alguma chance? Quer casar com um hippie, um poetazinho inglês sem sorte?" "Vamos lá, sem sorte você certamente não é." "Perto de você, sou sim. Totalmente sem sorte. Você é minha rainha escritora genial."
Sua declaração cresceu como um pequeno broto de feijão a caminho da luz, e dentro de mim subiu esse desejo de escrever. Na manhã seguinte, saí do café da manhã com passos firmes, entreguei-lhe o filho, dizendo com obstinação no rosto que eu precisava escrever agora, mesmo que hoje fosse o dia do batizado das crianças. Na verdade, não era nada demais, era? De qualquer forma, Ted não se importava com cerimônias.

Então, embora eu no fundo tivesse grandes expectativas em relação a esse dia do batismo, uma luz dentro de mim que se lançava sobre o Atlântico e iluminava minha mãe lá do outro lado e lhe dizia que *Sim, hoje seus dois netos estão sendo batizados, hoje se tornará realidade aquela coisa de moralidade e retidão*; apesar dessa intenção, eu havia acatado a ideia de Ted sobre tudo — uma cerimônia SIMPLES, assim como quando nos casamos, um evento íntimo na igreja junto com outras crianças da região que também seriam batizadas — sim, nossos filhos seriam batizados hoje, quase de passagem.

À maneira de Ted.

Então não era nada estranho que Mãe Sylvia dispensasse o café da manhã, quase virando fumaça e pó diante da família ao anunciar:

"Agora vou escrever. Você vai ter que organizar as coisas — os trajes do batismo estão ao lado da cama, lembre-se de escovar o cabelo de Frieda."

Minhas palavras deixaram um silêncio profundo na cozinha. Ted mastigou seu café da manhã como se fosse ração animal, e eu sabia que já havia perdido as horas mais importantes da manhã, as que sempre eram disputadas — ele pescar ou eu escrever — mas agora não podia mais me responsabilizar pelos sentimentos de Ted. Agora eu simplesmente tinha que ir.

Ir, com a estranha sensação de ter roubado a paz e a normalidade da minha família com esse meu ímpeto: de virar fumaça, me tornar ar, levantar do chão e me tornar espírito e texto e não mais Mãe.

Respirar fundo na cadeira do escritório, baixar os ombros, convencer-me de que não estava cometendo nenhum crime.

Organizei meus papéis, que estavam empoeirados, essas páginas, essas folhas de papel que consistiam em mim, minha carne convulsa, minhas ideias horrendas.

Eles me fizeram me sentir tão bem!

Estavam ali, materializados por minha mão à medida que ela passava pelas folhas, folheava os papéis enegrecidos e finos como seda. Assim. Primeiro dar-lhes uma passada de olhos, em seguida ver mais uma vez que não eram de mentira; os capítulos estavam ali, os títulos certos, o enredo da primeira derrota, do primeiro colapso da minha vida.

Havia levado dois meses brutos para escrever, era como abrir uma porta selada cujo conteúdo havia se preparado e amadurecido até a pura perfeição por conta própria, só tivera que levar o material para fora, e ele tomou forma. Agora eu dedicara os seis meses restantes peneirando, revisando, alterando folhas de papel que, para mim, haviam se perdido e simplesmente eram *demais*. Eu tinha dirigido o texto, mudado os nomes e temido os olhos da minha mãe sobre ele, havia cogitado queimar tudo, mas aí o texto tinha batido em mim como um coração a noite toda. E quem vai arrancar um coração e atirá-lo ao fogo?

Era esse texto que nos sustentava, era esse texto que de fato dava à minha família, Ted, Nick e Frieda, mais vida, ele passara a ser também sobre nós. Porque ainda nos restava uma porção do dinheiro da bolsa que A redoma de vidro nos proporcionara. A fundação das bolsas pretendia premiar uma obra que seria escrita *durante o período do pagamento dos fundos*, um ano ao todo, e eu tinha vergonha da minha manobra esperta de enganá-los, por isso ninguém tinha permissão de falar nada. Toda vez que mandava um manuscrito do material já escrito para a fundação, eu me sentia como uma criminosa famosa tentando redimir seu crime enquanto comete outro.

Eu dava alguns retoques, era isso que eu estava fazendo naquela manhã. Precisava dar uma olhada, retocar e ver que bastava. Tinha que avivar algumas páginas dentro de mim para saber que esse texto respirava e vivia, Esther Greenwood estava viva, seu temperamento seu olhar no mundo suas ideias todo o seu profundo anseio. Ela não tinha se desfeito em pedaços só porque eu não a tocava havia alguns dias. Evidentemente, Esther era minha criação, e quanto ao meu sentimento de amor por ela — talvez eu na verdade nem a amasse, talvez eu guardasse dentro de mim uma pontada de tristeza pela forma que o texto sobre ela de fato tomara, pelo fato de que se tornara tão amador e divertido; mas ela tinha uma razão de ser, ela vivia, e assim um pedaço de mim, uma parte de carne, ah, tão importante, tinha ganhado mais vida, vivendo nessas páginas completamente independente de mim, de tal forma que, se alguém pegasse uma folha e começasse a ler, alguma coisa aconteceria com a pessoa que lia: Esther — eu — mudaria algo no mundo para sempre. E isso causava o melhor arrepio.

Meus filhos seriam purificados diante de Deus. Eu só queria que acabasse logo. Na igreja, um jovem do vilarejo tocou a sonata para piano de Haydn como uma fuga fúnebre, e o pároco derramou água sobre a cabeça dos meus filhos sem emoção, como se fossem melões. Eu estava lá de chapéu chorando e pensando: o que fiz? Quem sou eu que aceito fazer isso com tamanha simplicidade? Naturalmente, eu havia imaginado um dia cintilante e ensolarado seguido de torta de merengue e convidados chegando com os presentes mais maravilhosos, e minha mãe que beijaria todos os convidados à maneira ligeiramente continental e assim *me* representaria, contando aos convidados quem eu era, mostrando-lhes de onde eu vinha.

Quem era eu que havia deixado tudo ser um meio-termo entre a frieza glacial celta de Ted e minha grandiosa energia americana? Olhei para cima, para a cúpula cinza que era o teto da igreja. Eu queria tentar unir nossos mundos, mas no fim era sempre Ted quem ganhava, pois era aqui que estávamos, esta era a monotonia cinzenta onde nos encontrávamos, não dava para ficar mais divertido, mais cintilante, mais divino do que isso. Eu queria ter tocado "Love Me Tender" com Elvis Presley do filme *Ama-me com ternura*, eu queria ter tido folia. Não havia nada do meu calor e da minha animação nessa cerimônia, nada da minha alegria. Por que nada podia ser alegre?

A essa altura, Nicholas já tinha sido batizado pela mão do pároco. Atendendo à sua voz monótona, a pequena Frieda correu até a pia batismal, esticando-se para respingar água na própria cabeça. Aí virou comédia; até Ted riu, então houve algo com que se divertir. Mas de resto foi um dia de decepção que passou num suspiro. Nenhum lobo dentro de mim, nenhum movimento, nenhuma esperança apesar de nossos filhos serem radiantes e angelicais e não chorarem nem um pouco — só as crianças da vizinhança choraram, as outras crianças que também foram batizadas hoje. Foi tudo sóbrio, e Ted não tinha se dado ao trabalho de passar a própria camisa.

"Escutamos *tudo* que acontece na Court Green", exclamou minha vizinha Rose ao sair da igreja, o cascalho estalando sob nossos sapatos. Frieda correu sobre os túmulos, fez zigue-zague entre as lápides inclinadas na grama, pensando que aquilo era seu jardim. "Conseguimos escutar tudo! E agora chegou a melhor época do ano."

Eu não sabia o que responder a essa estranha declaração da minha vizinha. Ela queria me dizer alguma coisa em especial? Aquilo me fez esquecer o batismo num instante.

"Não temos nada a esconder", chiei de volta, e então tomei Ted pelo braço, ordenando-lhe: "Corra atrás da Frieda, tenho tanto medo que derrube uma lápide em cima dela".

Num segundo, Ted já estava com Frieda. Ele parou perto de uma árvore alta e a levantou até o primeiro galho, onde correu um esquilo, para o qual apontou entusiasmado. Aquela coisa com os animais, pensei, o que há com esse fraco do meu marido por animais? Rose já havia desaparecido, a congregação toda se dispersou sem nenhuma despedida de verdade. Eu queria voltar para os meus textos em casa. Sobre o cemitério da igreja e nosso jardim, voavam os mesmos pássaros.

Abril estava aqui, e era a estação mais linda da Inglaterra, manifestada no nosso jardim, que um tapete de centenas de narcisos brancos e amarelos em flor transformou num verdadeiro sonho. O povo todo saiu de casa para ver nosso jardim, pelo visto era uma tradição em North Tawton, já que as casas e os terrenos dos outros habitantes eram tão insossos. E é óbvio, era disso que havíamos falado o inverno inteiro, exatamente disso, então agora seríamos obrigados a oferecer nossa fartura. *Cuidado com o que deseja*, minha mãe, preocupada, havia me dito numa voz contida lá em casa, e como eram palavras da minha mãe, não lhes prestei muita atenção.

Meu frango com gengibre em pó e mel estava no forno, e as batatas estavam numa tigela, descascadas e prontas. Levei café e dois pedaços de chocolate numa bandeja para meu marido. Ele ergueu os olhos de trás de sua pá, alisou o cabelo e disse em voz alta: "Ah, Sylvia, você é genial! Deveriam batizar uma tarde com seu nome".

Ele mal havia falado, fazendo-me sentir o conhecido calor

do crânio por dentro, quando alguém bateu à porta e ele desapareceu por muito tempo, até o café esfriar e eu entrar na casa para ver quem era.

A menina, a Lolita, como era o nome dela, Charlotte? Scarlett? Não consegui acertar seu nome. Ela se chamava Nicola, isso mesmo, a filha dos vizinhos. Ela.

Ela estava de férias da faculdade em Oxford, e resolveu aparecer aqui à nossa porta. Ted segurava um livro e um par de discos, dando a impressão de que ia emprestá-los. Assim que me aproximei por trás dela, ela recuou um passo e olhou indefesa nos meus olhos.

"Devo ir?", perguntou. "É um momento ruim?"

"Meu Deus", respondi. "Sou tão assustadora assim? Só queria saber se vocês querem um cafezinho. Acabei de fazer."

"Nicola quer ler meus livros", disse Ted discretamente, "e aí pensei que podia dá-los a ela." Ele procurou permissão em meus olhos, o que era um absurdo, pensei, por que me importaria com as pessoas a quem ele dava seus livros?

Passamos lentamente pela cozinha que cheirava a frango com gengibre, e onde Ted pegou uma caneta. Saímos ao sol, e eu servi café.

Ele assinou os livros para ela, cada um com uma dedicatória. Ela riu e pôs uma perna sobre a outra, de alguma forma apertando-as contra a virilha, pois pensou que eu não estava vendo nada. Lá estava eu, ouvindo a conversa dos dois, que curiosamente ia se tornando mais íntima à medida que ficávamos ali sentados, e de alguma forma se aprofundava, e eu sabia que Ted era mulherengo, afinal, eu sabia disso. Via que ele fazia alguma coisa com a franja e os olhos que o tornava irresistível. E além do mais era poeta. A cada dia que passava, ganhava mais fama aqui. Eu teria de me acostumar.

Ser a mulher de um poeta renomado era assim.

E alguns dias depois, a mesma cena se repetiu no nosso jardim com uma jornalista sueca que de repente entrou em contato, embora a visita dissesse respeito a mim. Ela veio para me entrevistar, tínhamos trocado cartas, ela havia me lido na antologia *New American Poets* e pretendia traduzir meus poemas para o sueco. E ainda assim, foi entre ela e Ted que alguma coisa ganhou impulso.

Ela balançava os cabelos, que eram curtos e loiros, mas ainda assim podiam ser balançados, assumindo um ar de curiosidade com seu nariz adunco. Concordava entusiasmada com a cabeça, fazia perguntas complementares, pedia educadamente a Ted que explicasse o que queria dizer com certas frases. E então nos perguntou: Como é para dois poetas viverem juntos?

Quanto mais ela ficava sentada lá no nosso jardim e eu era forçada a lhe mostrar meu peito (ela era sueca, não se importava), mais me dava conta de que eu de fato não podia, eu não podia viver como poeta, era uma quimera, pura ilusão. Um leve gosto de ferro na garganta, como se estivesse sangrando em algum lugar. Tomei a palavra e disse em voz alta que tudo corria muito bem, nós nos revezávamos para escrever, Ted primeiro e eu um pouco mais tarde na parte da manhã — Ted é muito madrugador! Passei a mão na bochecha dele, e ele virou a cara porque Siv Arb estava vendo, e isso ele não queria, pois na frente de Siv Arb e outras mulheres que chegavam à nossa casa ele gostava de se apresentar como a inocência em pessoa.

Na mesma hora descobri que estava com as mãos sujas, baba de bebê, leite materno. Eu era repulsiva.

"Para Ted, as coisas estão indo muito bem no momento. Está escrevendo peças e radioteatro para a BBC, e eu vou começar a escrever resenhas de literatura infantil para o *Observer*."

Siv Arb fez anotações em seu bloco, embora nada do que eu dissera tivesse algum valor, ela já sabia tudo.

Ao mesmo tempo, Nick estava escalando minha barriga. Vi em toda a figura de Ted sua vontade de se desprender de mim e de nossos filhos, ele se retorcia, com certeza era porque havia muito tempo que não fazíamos amor, era isso, né? E então Siv Arb fez um gesto indicando nosso jardim e soltou um comentário mordaz sobre como deveria ser uma tarefa absolutamente sobre-humana cuidar de um jardim tão grande sem ajuda. Vocês têm jardineiro? E então pensei: Tome cuidado, tome cuidado sua sabe-tudo escandinava que não faz ideia do que é viver no mundo real. Esta é a Inglaterra, nós somos Sylvia Plath e Ted Hughes, entendeu? E me ocorreu que eu tinha vontade de expulsá-la do nosso jardim com uma pá. E me ocorreu que eu queria estar a sós com Ted, se não agora, quando? Se não agora, agora que tínhamos um pequeno recém-nascido para cuidar, agora que nosso amor deveria estar em plena flor... Se não agora, então quando? Mas apenas engoli o sangue imaginário que não parava de correr pela minha garganta. Mostrei-lhe a diferença entre flores de cerejeira e de nectarina enquanto Ted recolhia a louça e depois peguei sua mão dura e nodosa na minha e disse adeus.

E como se não bastasse ter mulheres se intrometendo no nosso jardim, os vizinhos também faziam visitas, e cabia a mim lhes fazer sala. Vizinhos! Para quem vive como ser humano nesse mundo, ter vizinhos faz parte! E ter um corpo, e uma conta bancária, e um carro — sim, havia certos detalhes práticos dos quais você simplesmente não podia escapar como ser humano no mundo. Nem se fosse poeta de ofício.
Havíamos vestido roupas brancas para sermos fotografados à luz da primavera, em meio a todos os narcisos amarelos e brancos. Para tirar um retrato de família e mandar para minha mãe, a tia Dotty e Edith e companhia em Yorkshire. Para Olwyn

também. Ted e eu sozinhos atrás da hera alta e das árvores que começavam a nos proteger da devassa alheia com suas folhas em botão. Pois era assim que eu queria que fôssemos: livres e ainda cercados. Eu queria ter meu amado só para mim, e era um momento tão solene esse, quando ele se posicionaria com a câmera e me olharia como se eu estivesse sob uma luz realçada, dirigindo seu olhar com força dupla para mim através da lente. Exposta. O olhar mais poderoso de North Tawton.

Bem na hora em que eu estava sentada ali em meio às flores da primavera, com Nick nos braços e Frieda ao lado, e ele nos fotografava, Rose apareceu piando sobre o muro como um pássaro, querendo nos contar que Percy estava à beira da morte, ele havia adoecido, tivera algum tipo de ataque cardíaco. É claro que fui obrigada a me levantar e convidá-la a entrar, chamá-la para entrar em casa e tomar um chá quente. E tudo no que consegui pensar enquanto escutava seu discurso foram as cenas deliciosas que acabavam de se passar em nosso mar de narcisos, brancos e amarelos; haviam sido capturadas pela fotografia agora, e eu me perguntava com que expressões eu fora retratada para a posteridade, como será que era meu sorriso?

Ser fotografada era quase uma coisa erótica, uma forte sensação de excitação surgiu em mim pela primeira vez depois de ter dado à luz Nick. E então o fluxo de informações de Rose terminou, e ela estava aguardando uma resposta minha.

"Mas é claro, vamos ajudar com o que precisarem", arrematei.

Saí outra vez para o jardim e vi Ted ajustar a maneira como Frieda estava sentada na grama. Ela segurava um narciso amarelo que havia colhido; ele bateu algumas fotos rápidas antes de ela se levantar e começar a correr de novo.

"Então, mande nossos cumprimentos a Percy, coitadinhos", eu disse, convidando Rose a sair. Aí minha disposição acabou, não aguentei ser gentil com todo mundo e depois com Ted também. Nick queria mamar outra vez, porque era o que ele queria o tempo todo. Essa era a única coisa: eu não AGUENTAVA. Falei isso para Ted mais tarde, enquanto estávamos comendo os restos do jantar de frango do dia anterior.

"Não aguento", eu disse. "Aguento por dez minutos, aí é como se..."

Não consegui comer, só chorar, e minha pele parecia sumida, havia apenas um caminho que dava diretamente no meu sangue.

Meu esqueleto era lenha queimada.

"Mas então deixe de aguentar", disse Ted. "Deixe de aguentar. Eu aguento."

"Mas preciso aguentar", protestei. "Preciso aguentar."

"Você pode aguentar o que der, não?"

Preparei-o para uma briga, levantando a questão de que existe uma equação que não fecha se ele vai para Londres toda hora e o que sobra para mim é entreter Frieda com histórias de como fazem as vaquinhas na fazenda e alimentar alimentar Nick da minha própria carne. Sou eu quem precisa de um frasco de solução fertilizante daquele tipo que você derrama sobre suas plantas, mas nunca ganho nada disso de ninguém! Entende?

Ted roeu seus bocados de frango e ficou calado; então me deixe pensar, era o que o corpo dele parecia indicar, agora estou pensando, então fique quieta, tá bom?

Meio hectare de terra a lavrar, um monte de reparos na casa e duas pessoinhas, meu Deus, Ted, eu estava prestes a dizer, vamos nos render diante de tudo isso antes que seja tarde demais!

Mas não consegui fazer a voz subir até a boca, era como se tudo lá embaixo fosse terra preta, terra preta e muda.

Mastigamos e engolimos, não aguentamos brigar.

* * *

"Cuidado com meus seios, por favor!"
Ted estava com a mão em torno do meu peito sob o luar. Eu não queria perdê-lo, mas ainda assim havia alguma coisa que eu precisava explicar a ele, que agora os seios eram de Nick, não eram uma zona erógena. Ele havia subido em mim bem na hora em que eu estava pegando no sono. Os beijos eram rápidos e intensos, e eu me esforcei para ficar louca por ele, tentando lembrar nossas interações de antes, quando fazíamos amor com frequência de todas as maneiras possíveis, em posições diversas. Mudei Nick de lugar. "É melhor você ficar aí no berço", sussurrei, passando a mão sobre a testa aveludada. Depois decidi me entregar, eu também precisava querer fazer amor.

Lá fora, a lua se enchera de luz, apontando seu holofote para dentro. Afinal de contas, será que éramos apenas animais, será que Ted estava certo ao equiparar o ser humano a um animal? Será que éramos simplesmente carne e fome?

Era a primeira vez desde que meu filho fizera sua viagem para a vida através do meu corpo, a primeira vez que abri minhas pernas para outra pessoa. Essa primeira vez parecia incrivelmente prazerosa para Ted, enquanto para mim era desgastante e titubeante. Minhas partes íntimas estavam esticadas, e fiz pressão com as pernas para forçar a área que o envolvia a se tornar um tecido apertado e gostoso. Mas tudo ainda estava largo demais, distendido e sensível, ele foi dominado por um desejo intenso que não era compatível com o meu, e então gozou, os espasmos em seus membros pesados no momento da liberação do prazer, e ele se entregou a um grito cru. Ele se esvaziou dentro de mim, gritando para o teto, e olhei para Nick, que estremeceu, mas não acordou. Ou seja, ele gozou dentro de mim, sem me esperar, sem meus sons, sem olhares.

Ele me beijou desesperado na boca.

"Como você é gostosa, Sylvia", disse ele. "Ah, eu estava precisando disso. Foi a melhor coisa que aconteceu há muito tempo. Uau, gatinha. Você está de volta."

Funguei, vestindo a camisola depressa. Eu ainda era bonita, só com a barriga um pouco frouxa, as partes íntimas um pouco frouxas, mas ficaria firme de novo, eu sabia disso, em pouco tempo eu estaria completamente restabelecida.

Nick acordou, eu o amamentei, e enquanto o leite descia e os roncos de Ted ressoavam pela casa, fiquei pensando que eu tinha sido Siv Arb, ou a garotinha Nicola dos vizinhos, tinha sido com elas que ele havia transado esta noite, elas é que haviam despertado o desejo do meu marido. Narizes tortos de jornalista da Suécia e meias-calças toscas de Lolita sob a saia curta. A percepção causou um desejo entre as minhas pernas, um desejo caracterizado por uma desordem de fortes sensações eróticas e pura repulsa.

Maio na Inglaterra era realmente tudo que haviam me dito: tão fervilhante, erótico e criativo! Ted estava cortando a grama, e Frieda ia atrás com seu cortador de plástico. O perfume inebriante de todas as florzinhas que rompiam suas cascas e desabrochavam em ritmo acelerado enchia nosso grande jardim. Fiquei um tempo na poltrona perto da janela e dei de mamar a Nicholas até ele se acalmar, vi Ted andar curvado sobre sua máquina profundamente absorto — como sempre — em pensamentos. Segui meu próprio pensamento até o fim: os homens e suas máquinas! Se ele soubesse como eu me cansava de ficar sentada aqui de *um* jeito amamentando, velando, acalentando e planejando almoços. Não seria bem mais fácil andar atrás de uma máquina? No entanto, quando eu fiz isso no outono do ano passado, alardeando de que modo trocaríamos as tarefas, vendo nisso uma chance minha de brilhar, de ser uma "mulher moderna", andar com o cortador de grama motorizado e abater a grama outonal sem mais nem menos, de repente tudo ficara muito pesado, pesado demais para os meus braços, meu corpo prenhe

— não aguentei. "Não aguento", tive que dizer a Ted, e ele deu um suspiro, resmungou "eu avisei" e saiu ao incipiente crepúsculo úmido para terminar o que eu havia largado. Ted detestava projetos inacabados, eles o assustavam. Projetos inacabados o faziam acreditar que ele sozinho era responsável por todos os buracos da existência que precisavam ser tapados.

Os homens e suas máquinas; e depois ficavam com fome, e Ted não era melhor que ninguém. Comecei a me irritar com sua barba por fazer. Assim como aparava o gramado deixando-o lisinho, ele deveria se esforçar para aparar a própria barba. Eu gostaria de pedir que fizesse a barba, mas se me atrevesse, é claro que seria o diabo, Ted detestava que eu me intrometesse nas suas peculiaridades. E então eu ficava com tanto medo de seu sentimento de ofensa, eu, que tinha pretendido banhar com amor suas face lisa e raspada... *De fato*, barba por fazer era desagradável, lembrava urtiga, erva daninha, e por sinal eu adorava que Ted fosse tão bom com o jardim! Não era maravilhoso ter um marido que se preocupava tanto com coisas delicadas como a vegetação, a natureza e os animais?

Nick regurgitou no meu ombro.

Ted entrou, com passos pesados sobre o piso de linóleo que finalmente conseguimos fazer os brutos pedreiros colarem em cima das tábuas de madeira apodrecidas no hall de entrada. Ele enxugou o suor da testa com um lenço.

"Quero escrever", bufou. "Estou ficando desidratado, não consigo respirar."

"Tome um copo de água."

"Preciso escrever."

Em três goladas rápidas, Ted bebeu o copo de água que lhe dei, batendo com ele no tampo da mesa. Algumas gotas escorreram de sua boca.

"Vou acabar de cortar a grama mais tarde."

Fui até a janela, Nick dormia no meu braço, estava ficando pesado, eu logo o deitaria.

"A grama não ficou pronta?"

Meu coração acelerou.

Ted fez que não com a cabeça.

"Vou escrever."

"Mas o gramado... Você não costuma largá-lo sem corte... Posso dar uma volta com Nick enquanto você acaba de cortar, ele acabou de dormir agora, podemos almoçar depois, não?"

Ted sacudiu a cabeça, ele parecia vazio, seu olhar, oco.

"Vou me lavar na pia, aí vou dar uma caminhada, depois vou ficar um tempo no escritório. Preciso... Sylvia. Não sei. Preciso de alguma coisa."

"Não está se sentindo bem?"

Frieda ainda estava sentada lá fora entre os arbustos de frutas silvestres, cavoucando a terra com uma colher.

"Sylvia, sou um homem de pensamentos. Agora preciso pensar, não é nada além disso. Sinto falta da solidão. É só isso."

Olhei para o jardim de novo, Frieda se virou, buscando o olhar de alguém. Ela estava com a boca preta, como se tivesse se empanturrado de terra.

"Ela está comendo terra!", gritei, correndo descalça para fora, dobrando a esquina e pegando-a pelo braço.

Depois de Ted voltar, telefonei para Winifred Davies, a parteira. Ela era a única solução a essa altura, a única pessoa que representava uma possibilidade e uma salvação. O telefone pendia reconfortante e pesado na minha mão. Ted estava lá em cima no sótão como uma sombra fugaz. Ele tinha posto as crianças para dormir, não era maravilhoso? Depois de dez toques, minha parteira atendeu com uma voz anuviada que se desanuviou tão logo ouviu que era eu.

"Sylvia... ah, Sylvia! Como estão indo aí? Como vai nosso pequeno Nick?"

"Nosso..."

O afeto com que ela falou me deixou arrasada — é *assim* que age uma pessoa bondosa, uma pessoa prática e sintonizada com a vida, SIM! *Nosso Nick*, e me lembrei da noite louca de janeiro em que ele nasceu e fiquei com raiva de Winifred Davies por ela ter esquecido que eu era uma pessoa que exigia MUITO gás hilariante. Mas eu a perdoara.

"Ele é maravilhoso, Winnie, absolutamente maravilhoso, longe de ser tão agitado quanto Frieda, para nosso deleite. É tranquilo e poético, parecido com o pai, continua colossal, ele me esvazia de todas as minhas reservas."

"Trate de comer bem, de fazer Ted cozinhar para você, de conseguir todas as vitaminas e minerais — vai precisar disso depois, quando começar a sangrar."

"Bem..."

"Já começou a sangrar?"

"Nada de menstruação ainda, graças a Deus."

"E as relações conjugais?"

Torci o fio do telefone, olhei para o alto da escada que levava ao escritório onde estava Ted.

"Ficaram para depois. Ted tem tanta coisa a fazer. Temos um jardim inteiro para fertilizar, do qual cuidar..." Dei risada, e quando ri, Frieda ouviu que alguma coisa estava acontecendo, havia alguma animação e alegria nessa casa; ela ouviu a mãe rir. E ela acordou e me chamou.

"Mamãe! Mamãe!..."

"Agora preciso pegar Frieda... Mas só uma coisa, quanto ao jardim", falei.

"Sim? O quê?"

"Temos uma ideia, gostaríamos muito de criar abelhas. Naturalmente, é um sonho impulsivo..."

"Que maravilha!", exclamou minha parteira, e, tão real como seus dedos que estiveram dentro de mim, uma sensação pesada e curiosa brotou no meu sexo, um calor, como que de irmandade. Será que ela poderia ser a irmã, a mãe calorosa que nunca tive?

Senti que eu sorria.

"Bem, então será assim... abelhas. Quero fazer alguma coisa especial por nós. Acho que é um tipo de responsabilidade também... Para com a natureza. Não sei. Ted vai ficar feliz, eu acho."

"Está no caminho certo. Não há nada mais emocionante do que criar abelhas. Vocês têm uma colmeia?"

"Ainda não chegamos lá."

Frieda já estava do meu lado me cutucando.

Será que ele poderia acabar de escrever logo? E em breve voltar à vida?

"Me encontre na reunião do clube local dos apicultores em junho. Falta menos tempo do que parece! Ah, e como está indo o jardim?"

"Vou ter que desligar agora... O dever me chama."

"Então nos vemos na reunião dos apicultores em junho. Aliás..."

Havia algo que Winifred Davies tinha vontade de me contar, ela não queria encerrar a conversa, pois não podia ver como Frieda estava me puxando. "Ai, preciso desligar agora", gritei, já que o fone não estava mais colado ao meu ouvido.

Lá fora o ar de primavera borbulhava de calor, e Frieda me mostrou como plantar ruibarbo: era só cavar o mais fundo possível com a colher de prata e depois deixar a planta ali, era assim que o papai tinha feito.

Tudo que eu conseguia ver eram as panelas gordurosas deixadas na mesa do jardim, Nick dormindo calmamente debaixo do laburno, mas ele logo acordaria, dentro de um minuto, e aí Ted deveria estar aqui — mas já que ele obviamente teria que acabar de cortar a grama, cuidar do neném sobraria para mim de qualquer forma. Podia sentir como o iminente choro de bebê tomava impulso em mim, quase como se nossos corpos fossem simbióticos; uma vez que o bebê sentia meu corpo pairar por perto, ele queria evaporar daquilo que o prendia agora — o sono, seu próprio sono — e se tornar eu, se tornar um penduricalho no meu peito — ele queria *se fundir*. Sussurrei para Frieda: "Que legal, minha florzinha, que legal".

Frieda tinha dois anos, ela não entendeu que era para sussurrar:

"VOCÊ faz agola, mamãe!"

Minha cabeça zunia com abelhas, com tarefas, com enxames de colmeias a serem instaladas para produzir o doce mel, com os livros de jardinagem que Ted havia lido em demasia e que eu um dia jogaria na sua cabeça. (VOLTE PARA A TERRA! NÃO FOI ESSA A RAZÃO POR QUE MUDAMOS PARA CÁ? POR QUE ESTÁ LENDO TANTO — FAÇA ALGUMA COISA! MINHA MÃE VAI CHEGAR LOGO! E ele diria: "A-ha, é *aí* que está. Você quer deixar tudo pronto para sua mãe. Na verdade, você nem quer que o gramado seja cortado, é porque sua mãe vai chegar em junho que é preciso arrumar e ajeitar tudo até a perfeição. Sabe de uma coisa, Sylvia? Vá se danar".)

Todas essas coisas e muito mais criaram raízes e cresceram em ritmo alucinado na minha cabeça enquanto Frieda gritava e espalhava sua terra preta no ruibarbo. Tirei duas lacraiazinhas sacudindo uma toalha de mesa que tinha sido levantada pelo vento, lacraiazinhas e mosquitos e panelas sujas de gordura eram tudo o que se ganhava. E bum, veio o choro do bebê, bum, minha

conversa com Winifred acabou, o desejoso plano de apicultura, minha intenção de talvez dar uma volta: tudo parecia ter sido levado pelo vento, Nick estava acordado e, como um retardatário na nossa vida, Ted apareceu na escada, esfregando os olhos como se acabasse de acordar de um sono profundo.
"Bem-vindo de volta à realidade", comentei com mordacidade. Agora pouco me importava se os vizinhos ouvissem.
Ted acionou o cortador de grama sem responder, começou a guiá-lo sobre a grama numa velocidade desesperadora e com movimentos contrariados. E ontem nós fizemos amor! Pah! *Mulher desgraçada, porra de esposa complicada!* — eu *sabia* que ele pensava isso, eu *sabia*.
"Vou lá em cima escrever!", gritei.

Eu estava sentada com o manuscrito, que se espalhava sobre a colcha e sobre meu corpo. Ted tinha razão: eu sentira a respiração da minha mãe em cada botão que desabrochou no nosso jardim nesse início de verão. Ela estivera presente em cada ramo de narcisos amarelo-vivos que eu havia cortado e aparado com a tesoura para deixar os caules bonitos; em cada buquê que amarrei e envolvi num véu branco de papel-manteiga; em cada esmerada dezena de flores guardada para venda na feira; em cada preparativo que a terra fazia para resplandecer ao sol. Aurelia.
Agora eu pensava nela a cada passo que dava.
Mas na verdade — por que eu me preocuparia? Já não havia nada que nos pudesse abalar. Tínhamos nossa vida dos sonhos, eu tinha toda uma família entre mim e minha mãe — uma família própria, carne da minha carne e da minha própria capacidade, força de pensamento e vontade. Tudo isso nos havia dado a felicidade, tudo, tudo que *eu* havia defendido e criado, não ela. Eu estava livre dela, eu não era a lacaia da minha mãe,

nem sua dor de cabeça, tampouco sua solução, ela não sabia nada de mim.

Agora eu tinha meu próprio jardim, tinha meu próprio marido, alto e libidinoso, que deitava feito uma tábua da mais nobre nogueira no meu leito conjugal à noite. Eu tinha um marido habilidoso, um marido musical, um marido viajado e interessado em cozinhar, um marido poeta, um marido bonitão, um marido que era o melhor pai do mundo, não importava o que Aurelia Plath houvesse pensado de Ted naquele mês de junho de 1956, quando nos casamos e ela infelizmente foi nossa única testemunha. Não importava o que ela havia pensado do seu novo genro, o primeiro genro que teve, quaisquer que fossem as censuras maldosas que pude ver lançadas por seus olhos então, quaisquer que fossem as mordacidades salgadas que pulsavam por trás de sua piedosa indiferença, quaisquer que fossem as coisas idiotas de mártir que detectei na sua cara quando partimos para nossa lua de mel — aquilo não me segurava mais, não tinha qualquer validade.

E se eu simplesmente respirasse fundo e mostrasse mesmo à minha mãe como era maravilhosa a vida em North Tawton, nunca chegaríamos perto de qualquer perigo. Ela ia ver que o sonho era verdadeiro, eu não tinha inventado tudo, não dessa vez, ele não estava dentro de uma carta feliz enviada pelo correio para os Estados Unidos.

Começou a clarear lá fora, uma luz amarela atlântica fluorescente. Eu me sentei encostada à beira da cama, e era como se estivesse iluminada por inteiro, a luz irradiava até meu coração. Nos meus braços, um iluminado pedaço de massa de pão em crescimento, bem quente. Tinha a ver com o sol de maio, Ted diria, mas eu sabia o que era o sol de maio e o que era a Diferença na minha vida. Pois, esta manhã, Ted havia ido até a caixa de correio e tirado o que faria a diferença na minha vida.

Eu precisava ficar sentada aqui e desacelerar, precisava ficar sentada aqui e não fazer grande caso, precisava ficar sentada aqui e umedecer os lábios e me neutralizar; além disso, eu precisava ficar aqui amamentando, mantendo a massa em crescimento.

ESTAVA ESCRITO QUE PUBLICARIAM EM JANEIRO, finalmente estava escrito que publicariam em janeiro, e eu tinha saído, me deparado com a pilha de correspondência de Ted, havia agarrado o envelope, lido o telegrama sentada na escada com o tronco apoiado nos joelhos, e depois as lágrimas rolaram assim como rolam as lágrimas de aceitação, as lágrimas de escritora, no momento em que todo o esforço em representar aquilo que se queria, aquilo com o qual queria fazer as pazes, ganha o mundo e diz: Vamos nos reconciliar, a guerra acabou. (Do livro de Ted sobre o budismo: *Sofre quem precisa ser ouvido.*) Agora estava claro: eu seria ouvida. Na Heinemann, eles tinham acabado de ler minha baboseira americana e finalmente a haviam aprovado. Esses esnobes ingleses nas editoras que tinham pilhas de manuscritos no colo e julgavam pobres anônimas como eu! Tinham capturado meu texto como uma água-viva inflada fora do mar, tirado os grãos de areia e dito: Aqui temos potencial! Aqui temos algo a vender! Finalmente — com os poemas nunca se sabia, mas a arte do romance, a prosa, o máximo do máximo, ali se podia contar com ação.

Por sinal, eu havia inserido uma boa porção de poesia lírica no meu livro.

Ah... Esther G... Eu a adorava... Eu a via na minha frente... Se ela apenas soubesse... Também adorava a mim mesma... Afinal, fui eu quem a criou...

Nick interrompeu meu pensamento com um arroto que soou como vômito, e esperei um oceano no meu ombro, mas não veio nada, foi só meu pavor de tudo que era branco e azedo, excrementos.

Ted havia me puxado da escada e me abraçado num abraço ossudo, querendo me arrastar para dar uns passos de dança ali mesmo. "Você é uma rainha, uma gênia!! Eu sabia!!" Fogo de leão nos olhos. (Eu não estava pronta para isso.) Agora eu estava sentada aqui na cama outra vez, suando e mordendo meus dedos magros, me perguntando como seria capaz de minimizar o dano, os efeitos danosos:

Como eu realmente seria capaz de publicar um romance como *A redoma de vidro*? Como eu poderia mascará-lo? Mandá-lo para o mundo sem ter de responder pelo conteúdo... Estava prestes a se tornar realidade, e eu que tinha ficado sentada em segurança atrás da minha máquina de escrever!

Olhei para Nicholas, deitado na palma das minhas mãos, sobre minhas coxas. Assim como um filho... publicar um livro era como dar à luz um filho, tomara que este filho não cause nenhum dano, que possa ganhar o mundo desimpedido de mim e de minhas falhas, eu que sou tão imperfeita e defeituosa, que Deus ajude meu filho a se virar sem mim! Que ninguém veja que ele leva minha escuridão, que leva minha alma!

Deixe-o ser puro...

A *redoma de vidro*...

Como Ted seria poupado de se exaltar com meu sucesso? Como Ted conseguiria isso? Deus nos livre e guarde... Um mosquito mergulhou na minha carne, eu não quis acordar Nick, então fiquei sentada observando como o pequeno corpo de mosquito se encheu de sangue, antes de assentar a palma da mão com destreza em cima do bicho e deixar o sangue se esparramar sobre minha coxa. Meu sangue, meu. É claro que Nick despertou com o movimento, e eu tive motivo para continuar sentada e acabar de ordenar meus pensamentos, já que ele precisava ser ninado de novo, amamentado, carregado...

O salmão cozido de Ted estava na travessa entre rabanetes e cebolinhas. Ele espetou o filé rosa com o garfo de servir, que afundou como que em lodo. Uma gororoba rosa cobriu o garfo. Estudei sua expressão de preocupação e vergonha.

"O que é isso?"

Como se o salmão não lhe tivesse feito jus.

Matei uma formiga que estava subindo na minha perna.

Desdobrei o guardanapo e o depositei sobre o colo. "Pronto. Com certeza está bom." Peguei o prato de Frieda. "Frieda? Quer que te sirva?"

"Que nojo!", gritou ela. "Eca!"

Atacamos o salmão em silêncio, Ted do lado dele e eu do meu. A expectativa estivera no ar; agora tudo estava estranhamente silencioso. Não tive coragem de dizer que o cheiro era ruim e azedo. A essa altura Ted estava perdendo de mim na competição, ele ocupava a posição inferior na nossa casa de escritores.

"Vamos celebrar a mamãe", ele havia dito.

E com ou sem salmão — o que havia dentro de mim que não se deixava celebrar? Que ora me vangloriava, ora me atormentava por eu me vangloriar e ansiava pelo dia de ontem, quando não tinha chegado nenhuma carta que me lançasse da existência de aspirante a rainha escritora, aspirante assídua, esforçada, rainha da luta — para o outro lado, entre os em breve estabelecidos.

Era onde eu estaria agora:

Estabelecida.

Sacudi os cabelos pensando que era bom e justo que o salmão cozido tivesse ficado do jeito que ficou, que Ted estivesse sentado ali, carrancudo e feio, na sua cadeira de pau na nossa imunda cozinha, nossa antiga cozinha de fazenda que estávamos transportando para o futuro, para a modernidade dos anos sessenta, e cutucasse seu pedaço de peixe nojento.

"Deveria ter ficado mais tempo no forno", reclamou. "Merda de receita. Porra de peixe nojento. Salmão norueguês!" Ele resmungou. "Não se pode confiar nos noruegueses. Eu mesmo deveria ter pescado o peixe. É a matéria-prima que está com problema, peixe escalfado não é para ficar assim. Irritante... para quem se esforçou tanto." Ted descreveu a salmoura na qual havia deixado o peixe por um bom tempo: sementes de endro, rodelas de cenoura, erva-doce, pimenta branca e endro.

Então, como poderia sair ruim assim?

Eu não tinha nem um pouco de fome, estava cheia de grandes nuvens brancas, tudo estava macio por dentro.

Frieda cutucou sua batata e pegou um pedacinho de manteiga com o dedo indicador, o qual lambeu.

"Vou escrever já para Al Alvarez e contar."

Limpei a boca com o guardanapo, bati-o no tampo da mesa e aí desapareci. Era demais, era algo grande demais para eu me deixar ser puxada para baixo por um pedaço nojento de salmão escalfado. Ele poderia ficar sentado ali, meu marido, com o paladar azedo mastigando cebolinha. Deixei a mesa de jantar, e quase parecia um triunfo fazê-lo e, igualmente, uma afronta à família.

"Vou convidá-lo para vir aqui!", gritei de onde estava, debruçada sobre minha carta repentina em cima da mesa de centro. "Vou convidar nosso querido crítico para cá em algum momento em junho, será divertido, Ted, será legal, não será?"

Não dormi nada durante aquela noite. Os pensamentos vagueavam na minha cabeça feito cascalho, para onde quer que eu fosse com o pensamento, havia estalos, e eu não tinha paz. Era como se alguém tivesse ligado uma das lâmpadas fluorescentes recém-compradas, que estavam lá embaixo na cozinha esperando para ser montadas sob a luminária da cozinha — pois alguém as havia inserido cirurgicamente no meu cérebro, e agora eu estava aqui, cefalópode, desencarnada, e era como se alguém tivesse me cortado em dois.

Eu, e meu corpo.

Será que não era eu mesma que me havia desprendido dele voluntariamente para enfim poder escapar, para que a única coisa que me prendesse à terra, ao tempo, ao presente e às horas fosse esse cérebro glorioso, essa luz maravilhosa que de agora em diante estava dentro da minha cabeça? Havia uma sinfonia na minha cabeça, todo o resto estava apagado. A *redoma de vidro*, e dentro de mim eu tinha as palavras da página de abertura, ora eu a editava na cabeça, ora eu mesma me deslumbrava com as palavras. Como. Eu. Era. Incrível! Eu havia escrito isso! Minha mãe não ia acreditar no que seus olhos veriam.

E no próximo pensamento cascalhado eu quis me encolher numa posição fetal, o que fiz; levantei os joelhos de onde estavam deitados, rentes ao lençol sobre a cama dura, puxei-os até a barriga, virei de lado e me abracei assim. (Nick quieto no berço como um porquinho.) Mamãe, me segure, vou publicar um livro, pensei. Mamãe, me dê à luz de novo, vou publicar um livro, pensei. Mamãe, me proteja, me proteja dessa coisa grande e complicada que é a vida e que eu nunca posso compreender, me ajude, me faça dormir, me acalente.

Em meio àquele pensamento caiu uma chuva que tamborilou nas nossas janelas, e eu, na minha montanha de pernas e membros, de carne e pele, fui a única que ouviu, que registrou e teve o pensamento, a palavra: *chuva*.

Como eu poderia ser tão genial que numa única frase — numa só — apenas uma, de um só fôlego, fosse capaz de constituir uma consciência, um lugar, uma época, uma estação, um eu, uma emoção e um dilema político? Além de um enredo?

Era simplesmente incrível.

Espantoso.

Fiquei espantada, e com esse pensamento me iluminei, os grãos de cascalho não estalavam mais, pensei ter ouvido a chuva, só essa chuva que batia no telhado de colmo e nas janelas da nossa casa, ouvido as asas dos pássaros sob as bordas do telhado, como se isolavam da chuva, assim como eu me isolava do tempo e do universo estando deitada aqui, liberada, sendo ninada por minhas próprias palavras, por minha própria perfeição, que eu por alguma misteriosa coincidência ou acaso criara, como uma rosa que desabrocha no verão; ela simplesmente aparece quando a temperatura certa é atingida, quando o solo recebe a chuva, quando o sol penetra tudo e as pessoas estão de férias e dispostas a enfiar seu nariz em rosas abertas e inalar seu perfume. Da mesma forma, minha genialidade surgiu. Eu tinha trabalhado duro para aperfeiçoar minhas qualidades, podando-as, cruzando-as, cultivando-as, regando-as, aparando-as e me digladiando com elas, e então, um dia, assim que o sol se ergueu sobre um verão interior, quente como aquele no qual o casal Rosenberg foi executado, tive a ideia de escrever a história toda e agora ela logo pertenceria ao mundo. Eu sabia disso — seria do mundo. O mundo seria tocado por ela. Adormeci, dormi...

Fizemos amor feito animais no cio sem nos olhar, em cima do cobertor no quarto de Frieda. Ted falou da importância de ter uma atitude de foda-se: Você precisa ligar o foda-se, Sylvia, vai precisar disso quando o livro sair; pois eu não conseguia parar de me lamentar que tudo no romance fosse uma experiência muito pessoal, como ficaria minha mãe? E Prouty? E Buddy Willard? E minha reputação?

Ted estava descansando sobre meu braço.

"A Heinemann está me deixando completamente maluca", reclamei, mas o que eu disse era verdade absoluta. "Um dia escrevem que está tudo certo, e no dia seguinte recebo um telefonema de um editor apreensivo dizendo mais uma vez que precisam 'verificar com um advogado' se sou eu quem constará como responsável pela íntegra do conteúdo, ou se a própria editora assumirá alguma responsabilidade."

"Mas use aquele pseudônimo então."

"Victoria Lucas?"

"O primeiro nome da sua personagem principal anterior."

"Claro, claro que posso fazer isso, mas é aquela sensação de querer continuar sendo Sylvia."

"Isso você vai ser de qualquer forma." Ele levantou devagar e me beijou na testa. "Você sempre será Sylvia Plath, o ofício literário leva muito tempo, nem sempre pode ser controlado."

Ele enfiou uma perna dentro da calça, depois a outra; o som na hora que fechou o cinto era familiar. Lentamente, me ergui e me sentei e fui me lavar na pia depois de suas proezas dentro de mim.

"Convidei Assia e David Wevill também", eu disse, e detive os passos. "O casal."

Eu estava segurando uma bandeja com louça suja. Ted estava deitado no sofá lendo um livro.

"Você disse que fez o quê?"

"Tomei a liberdade. Perguntei se queriam vir nos visitar."

Ted pousou o livro aberto sobre nossa mesa de centro, com cuidado, e se sentou com certa dificuldade.

Ele disse:

"Mas você não queria mais intrusos."

Olhou-me por um momento longo e solitário.

Senti uma coceira debaixo da roupa, eram as picadas de pernilongo, e eu estava com a bandeja nas mãos, não podia me coçar.

Encolhi os ombros.

"Já pensei nisso antes e agora fiz acontecer."

Ele tornou a se reclinar no sofá.

"Não te entendo", disse Ted. Ele levantou os dedos de uma mão para fazer as contas. "Temos Olwyn, Edith e companhia que vão vir em junho, meu Deus, temos sua mãe, sua MÃE, Sylvia, e temos Al Alvarez que você 'tomou a liberdade' de convidar tão de repente ontem."

Mudei o peso de pé, senti como me expandia por dentro.
"E agora teremos mais dois convidados."
Minha voz ganhara uma nova força, minha fala soava convincente.
Fui até a mesa de centro e pousei a bandeja, os copos estavam gordurosos e deslizavam um contra o outro.
"Assia e David são escritores", eu disse de braços cruzados. "Estão querendo vir aqui faz tempo. Já conversamos sobre lhes mostrar a casa. Então, qual é o problema?"
Ted soltou um suspiro.
"Não, não deve ter nenhum problema." Ele fez uma pausa, olhou para a parede, passou um dedo sobre o papel de parede. "Só não me peça misericórdia mais tarde. Não me venha de orelhas murchas depois de os convidados terem ido embora, não reclame, não se sobrecarregue com a comida, não exagere nos bolos e pelo amor de Deus, faça tudo do jeito mais simples. Está bem?"
Não era possível deter meus olhos, eu já estava hipnotizada, foi com o sentimento de querer trazer o mundo inteiro para cá que falei. Eu disse:
"Com certeza podem nos ajudar a capinar. O andaime que você quer montar, talvez David possa dar uma mão? Vamos conseguir ajuda deles. É assim que se faz na vida, você pede ajuda com as coisas que não consegue fazer sozinho."
Peguei a bandeja e saí.

Ele estava em Londres e eu podia encher o freezer. Ele não perceberia nada, que eu havia preparado tudo de antemão. Ele não teria um gancho em mim para poder rastrear minha ansiedade. Eu gostava tanto de cozinhar porque — e esse simples lema alguém deveria anotar num rótulo um dia, a fim de que eu pudesse guardá-lo para um futuro livro de receitas escrito por — *moi* —
"COMIDA: Porque os preparativos são poesia, a elaboração é meditação e o próprio ato de comer — sexo."
Minhas cutículas estavam vermelhas de cerejas.
Frieda já dormia a sono solto, e Nick estava comigo na cozinha, fofo e cheio no carrinho, então não era incrível eu conseguir tirar da cartola uma torta de queijo, preparar a massa de fermentação lenta para um pão branco de forma que eu deixaria na geladeira durante a noite e, como a cereja do bolo e em segredo profundo, em meu círculo mais íntimo de solidão, descaroçar um quilo de cerejas da feira de Crediton, que com um rufar deixei cair numa larga forma de torta?

Tudo enquanto Nick olhava para o teto.

Lambi a massa de torta do dedo, peguei o rolo e pus meu peso nos movimentos rítmicos para a frente sobre a massa, que se esticou em cima da bancada ficando redonda e maravilhosa, e então peguei a lupa de Ted, que estava no peitoril da janela, esta também redonda e maravilhosa só que em formato pequeno, e a posicionei sobre a massa para cortar pequenos círculos.

Eu teria tudo pronto no freezer, Assia e David não acreditariam no que veriam — flores de cerejeira em floração nas árvores e torta de cereja *já* — achariam que haviam chegado ao céu, e eu daria generosas risadas alegres e animadas.

Na minha cabeça, eu tinha tantas receitas para tudo.

Dessa forma, a vontade de improviso de Ted poderia ser contornada, seu hábito inveterado de fazer qualquer coisa com o que havia na geladeira.

Seria um fim de semana perfeito.

A lupa de Ted, que ele de vez em quando punha sobre uma borboleta empalhada ou sobre o pé de Frieda se precisasse tirar uma farpa, ficou pegajosa de massa, e havia algo de gostoso nisso. Com cuidado, sem estragar nada, alisei a tampa da torta sobre as cerejas. E enquanto a torta assava, cerejinhas doces em sua cor mais avermelhada borbulhavam dos círculos, e eu fiquei um tempo na frente do forno observando a torta tomar forma.

Ficar em casa sem ele era muito solitário, e não importava de que ângulo eu me olhasse no espelho, não conseguia encontrar nenhum que refletisse corretamente quem eu era. Eu me tornaria uma autora, logo seria com a romancista Sylvia Plath que as pessoas iam conversar, era possível se expandir, ampliar seu repertório, poeta e romancista — eu não precisava me restringir. Pus Nick no canguru e com Frieda no carrinho tomei o ônibus para Crediton, e lá, na pequena loja de moda feminina, encontrei um par de sandálias brancas com correntes douradas. Hesitei por alguns momentos e conferi o preço várias vezes, enquanto segurava os pulsos de Frieda com força para impedi-la de derrubar a loja inteira. Será que todas as outras criaturas humanas eram tão afetadas pela temperatura quanto eu? Do lado de fora, eu sentia frio, mas tão logo entrei na loja, o suor começou a pingar. Quarenta libras — eram sandálias caras — só que eu ia comprá-las para me celebrar: eu era uma autora com contrato, agora o livro sairia. E quem sabe eu estaria numa festa de lançamento na primavera, nas imediações da City de Londres, brindando com espumante e recebendo beijos na nuca. É claro que uma autora devia ter sandálias com correntes douradas.

Às vezes eu desejava que as atendentes de loja vissem que estavam diante de uma pessoa elevada, mas eu não podia explicar isso a elas enquanto estava pagando, que teria um romance publicado no próximo inverno.

Levei os sapatos na longa viagem de volta e não consegui olhar nos olhos de Frieda, embora ela fizesse de tudo para chamar minha atenção.

Chegando em casa, suada como um bicho, descarreguei a caixa de sapatos no chão do hall de entrada e recuperei o fôlego, carregar crianças em ônibus e levá-las a lojas de moda feminina realmente não era para mim! Então, por que fizera isso? Ora! Porque eu era autora, e uma autora precisa ter sandálias com correntes douradas. Frieda puxava minha mão, ela queria ervilhas verdes da geladeira, e agora, e agora?, perguntei ao reflexo no espelho, agora o espelho enfim poderia refletir meu verdadeiro eu, não?

Chutei os sapatos para dentro do guarda-roupa quando Ted voltou e respondi com sinceridade à sua pergunta: *O que fizeram enquanto o papai estava em Londres?*, mas omiti as sandálias, não queria falar delas, estavam no escuro do guarda-roupa aguardando o dia certo.

Já escrevi sobre ela, pensei.
   Tão logo ela estava na minha soleira, eu vi: mas era ela, do meu poema "Três mulheres", com ventre de mármore. Eu me esquecera de como ela era linda. Agora ela estava aqui. E eu é que a havia convidado.
   Atrás dela, o marido David, carrancudo e sem graça. Sua mão estava fria ao toque, assim como eu imaginara. Tínhamos nos encontrado antes, mas então nenhum sino soara anunciando nossa conexão. Foi em Londres que nos encontramos pela primeira vez, no meu amado apartamento, em Primrose Hill, ela e seu marido escritor iam alugar nosso apartamento, e havíamos conversado sobre coisas facilmente digeríveis, coisas que se apagam. Agora ela estava aqui outra vez, na nossa casa nova, nossa vida nova, nossa existência que fora reformulada desde a última vez que nos víramos. O laço havia se apertado, especialmente em torno de Ted, eu podia vê-lo em seu rosto quando ele olhou para ela, quando pegou seu xale. Era como se quisesse mergulhar o nariz na seda e inalar seu perfume. Mas eu olhei para ele, escaldando-o.

Vi como ela se desvencilhou, nas névoas veranis, de nossos olhares sobre ela. Entrou na nossa casa e assumiu o papel de protagonista, lançou-se sobre um livro que estava aberto em cima da mesa da sala de jantar, balançando o quadril. Atirou uma flecha de amor naquilo que era nosso e que até agora estivera tão fechado para o mundo exterior.

E então, num sopro de ar, vi também a mim mesma: eu achava que havia lutado contra o inverno e a maternidade e que detestava o consequente isolamento. Mas na verdade eu colaborava com ele, eu o procurava e adorava estar ali no frio, cheia de ressentimento e lágrimas, abandonada. Adorava pôr a culpa em tudo. Adorava a bruma, o turvamento de não poder enxergar claramente e de usar a escrita como única redenção.

Errado, eu tinha feito tudo tão absurdamente errado!

Agora era maio, o mês de início de verão pelo qual eu tanto ansiara. Por fora, tudo estava como deveria ser, estava como de costume. Mas agora ela tinha chegado, aquela dos cabelos negros, aquela sem filhos, aquela do ventre de sala de mármore. Aquela que não podia ter filhos. E ela era bela como uma francesa nojenta, como todas as mulheres de cabelos escuros do continente com quem eu nunca pude competir.

Assia Wevill.

Ai, como eu podia ter ignorado que ela era a bruxa! A fatal, aquela com a qual eu deveria tomar cuidado, para que não entrasse em nossa casa. Como eu podia ter ficado cega na primeira vez que a vi, no ano passado, quando íamos alugar o apartamento de Londres. Meu ciúme não conhecia limites agora que ela estava solta na nossa casa. Ela era livre, era a chama. Ted a seguiu, querendo lhe mostrar a casa.

Ela dava risada, sua voz era roufenha, sensual, aérea. Eu estava com as crianças no colo e nas pontas dos dedos. Fui atrás com um nó na garganta, que reprimi com todos os músculos que eu tinha.

Assia tinha a luz do verão nas pernas, nas veias, era levada por uma qualidade aérea.
Ela olhava para Ted, não para mim.
Era tóxico.
Ted mostrou meu escritório para Assia. Ela circulou à vontade e mexeu nas minhas coisas, lançando tentáculos longos e finos, e eu perdi a maneira como normalmente me manifestava. Suas unhas, pintadas em listras de tigresa, ela deitou as garras sobre meu caderno.
"É meu livro, sim", esganicei. "É meu novo manuscrito, sim."
"A r-e-d-o-m-a d-e v-i-d-r-o", ela pronunciou lentamente, erguendo os olhos para Ted.
"O que quer dizer?"
Então me desvencilhei do meu posto com Frieda, cheguei lá e fechei a pilha de papéis que ela estava prestes a folhear.
"Mas, sim!", rosnei. "Cuidado!"
Minha grosseria ressoou pela sala, revelando sua nitidez e seu mau odor. Desgraçada de mim, desgraçada criatura inferior a esses esquilos, esses pombinhos, cujas atividades visavam aproximá-los cada vez mais um do outro e me excluir.
"Bem, desculpe", retrucou Assia. "Desculpe, não vou xeretar os seus papéis."
"Perdão", eu disse, pois decifrei no olhar de Ted que eu deveria me explicar, para tornar meu comportamento descontrolado compreensível. "Perdão, acho que sou um pouco melindrosa quando se trata dos meus manuscritos."
Ted continuou, esgueirando-se para fora do quarto sob a porta baixa, ele tinha um buraco nas costas, um buraco negro alongado que sugou Assia, era como se ela coubesse ali no seu buraco, como se ele ficasse grávido dela. Um novo casal. Um novo amor sendo constituído.

Fiquei ali com minhas canetas, meus papéis e Nick nos braços, é claro, e pensei: Sylvia. Tentei me agarrar a meu nome, Sylvia, que significa espírito da floresta. Floresta, ar fresco, folhas molhadas e frágeis, e árvores, árvores, árvores. Era eu. Eu seria alguém em quem se aferrar. Eu seria a floresta de Ted, e ele seria todos os animais. Essa era nossa ligação. Minha vegetação, sua vida. Meu solo fértil, sua inconstância.

Meus pilares, suas vontades e caprichos.

Ted, que significava dádiva de Deus. Eu não acreditava em Deus, mas acreditava em Ted. Era isso.

Como sempre havia sido.

E agora ela andava ali, ela já o vigiava.

Ele já era dela.

Eu vi.

E eu havia escrito sobre ela.

Assia!

Essa volúvel sedutora que já o agarrava como uma chama, a chama que me faltava e o deixava inspirado, o deixava encontrar seus impulsos, sim, dizer sim, ter um orgasmo com algum movimento que ela fazia, ver como as noites eram iluminadas e cintilantes e nem um pouco escuras e silenciosas como na floresta. Assia, a mulher moderna! Londres e a vida que deixamos! Assia, os arranha-céus e a face branca de mármore! Assia, no olhar dele, ele já se entregara! Ele estava se entregando, agora eu via isso em Ted. Subiram ao escritório dele no sótão, seus braços se agitavam enquanto ele explicava. Fazia meses que não ouvia a voz de Ted falar tanto. Ele deu seu tempo a ela, sua voz e seu olhar, tudo que eu mesma havia desejado ter, mas de que fracassara tão fatalmente em me fazer merecedora.

Oh, loucura — fracasso! O fracasso era meu destino, era o que eu respirava. Agora o infortúnio havia chegado, o fracasso e o infortúnio! Agora estávamos aqui, e eu tinha os filhos dele.

No térreo da casa grande que era nosso paraíso, nossa Court Green, tentei me recompor, escolher o jogo de louça e preparar o café e o chá. Eu estava zonza, como se alguém tivesse me dado um sedativo sem que eu soubesse. David já havia lido metade da minha antologia *New American Poets*, tendo a gentileza de demonstrar interesse por ela.

Sylvia, pensei, lembre-se apenas de que sou Sylvia dei à luz seus filhos isso aqui é só uma visita normal.

Ted se empinou feito um animal para Assia, que desceu a escada a passinhos miúdos em seus saltos altos. Ele teve que pegar sua mão no último degrau, era vaidoso e passou a outra mão por seu cabelo ao mesmo tempo. Oh, me deixe tê-lo por mais uma vida, pensei, me deixe viver pelo menos mais uma das minhas sete vidas com ele.

Lua cheia no signo de escorpião. Meu signo. Mas a conversa era deles, só. Embora fôssemos quatro pessoas em torno da mesa, Ted apenas se dirigia a ela e disse, para a noite enluarada, enquanto ela deixava uma coluna de fumaça subir dos dedos:

"Se tem algo de que sinto falta são as pessoas em Londres, de simplesmente olhar para qualquer direção e me fascinar com alguma pessoa, lá não é preciso procurar por aquilo que se quer extrair das pessoas como aqui — elas aparecem por todo lado de qualquer forma e te surpreendem. Eu gostava de Londres, com seu ecletismo e imprevisibilidade, não sabia disso quando me mudei para cá. Pensei que eu fosse alguém diferente de quem agora descobri ser."

Ela riu.

"Então, o que acha realmente da vida aqui no campo?"

"*Mais ou menos*, para ser sincero. Verdade seja dita", ele olhou para mim com uma expressão curiosamente sombria, "estou bem entediado. Acho as pessoas daqui estranhas de uma forma chata, elas não me entretêm, e sinto que o vilarejo todo tem alguma coisa de desinteligente. Você acaba morrendo um pouco por dentro, não é desafiado."

Assia riu de novo.

"Vão ter que voltar para Londres e ser nossos vizinhos", disse ela em sua voz fina, quebradiça, rouca, feiticeira.

Juntei os pratos e entrei na cozinha. Era o mês de maio. Minha mãe chegaria dali a algumas semanas. Meu irmão ia se casar do outro lado do Atlântico, e na minha mente tudo estivera prontinho, nossos filhos teriam primos, e a vovó ia vir. E finalmente tudo seria como num cartão-postal, uma imagem fixa. E então tudo foi destruído — de golpe, rápido como uma chama. Eu tinha a saliva dela nas nossas colheres, nos nossos pratos. Tirei a meleca e enxaguei outra vez, passando água morna para deixar tudo limpo. Meleca de cereja, boca de cereja e lua eterna e conversa sobre guerra. Sobre o que ela escrevia — ela também era "poeta". Ah, Deus do céu, faça com que a noite torça o pé dela, mande-a embora da minha casa e deixe-a levar o jumento do David junto. Xô!

Sábado de manhã. Pela janela da cozinha, vi Ted e Assia conversando ao sol entre o laburno e o lilás. Pequenas xícaras de café das quais se esqueceram de beber, ele ergueu sua xícara com um trejeito da mão, deu risada, ela o fez rir. Dei-me conta de que fazia muito tempo que eu não via seus dentes. Eu havia me deliciado com sua feiura, perdendo todo o resto de que sua pessoa era capaz. Tinha ficado resfriada aqui no nosso reino reclamando. Agora que estávamos na linha de chegada e o verão era iminente, ele estava pronto para me trair! E é claro que as crianças se colavam em mim como ímãs. Eu as arrancaria, e aí eu atravessaria o jardim e as deixaria no seu colo. Assia podia pensar o que quisesse.

David — ele ainda não era capaz de compreender o drama que se passava, lia os dorsos dos livros de nossas estantes, elogiando o elegante papel de parede e a mesa de olmo que meu irmão e Ted haviam feito. "Ah, imagine", eu disse, "isso não é nada."

"Ted!"

Eu queria dar as crianças a ele, Frieda, gorduchinha e pesada, e Nick, o pardalzinho. Ele se desligou da conversa, olhando com preocupação na minha direção. Ocupado, ele estava ocupado. "O quê?", perguntou.

Pude ver como Assia se interessava por minha resposta, de uma maneira astuciosa. De uma maneira que me fez querer ser mandada embora dali. Eu não tinha a intenção de ficar na frente de Ted e da bela Assia me explicando. Como as crianças eram ímãs grudados em mim, os dois haviam se tornado ímãs um para o outro, nesta manhã amena de maio de início de verão, no nosso jardim. Era só juntar dois mais dois para perceber que uma atração se infiltraria entre eles, tinha menos a ver com ela do que com o amor inexistente de Ted por mim.

"Será que preciso mesmo explicar?", questionei. "É só que sempre que faço qualquer coisa, mesmo que seja pôr o bolo no forno, ela está em cima de mim." Cutuquei o sapatinho de Frieda com o pé. "E este daqui, este caranguejo, ele acorda no carrinho assim que penso que tenho um minuto livre. E será que você está lá para pegá-lo? Não."

Fui obrigada a me defender de qualquer forma.

Uh — suspirei.

Assia inclinou a cabeça para o lado.

"Como é ter duas crianças pequenas?", perguntou, apertando os lábios para umedecê-los.

"Achei que tinha acabado de te contar."

Ted me olhou incomodado.

"Meu Deus, Sylvia, vou pegá-la." Ted estendeu os braços para nossa filhinha. Era como se ela de repente carregasse o peso de ser uma peça num jogo. "Venha cá, Frieda." Ela afundou no colo do pai. Ted virou, retomando a conversa com Assia de onde havia parado.

Afastei-me deles a passos largos, senti nas pernas os caprichos do destino que me levaram pelo jardim, esse gramado que eu o amolara para acabar de cortar, essas rosas que me deram angústia quando vi os pulgões pretos e a quantidade de ervas daninhas que as haviam consumido. E aí Ted tinha se plantado na frente de suas rosas, preferindo inalar seu perfume, e dito: "Pare, Sylvia. São rosas, as rosas são resistentes por natureza. Sabe, as rosas já sobreviveram à guerra, as rosas crescem apesar da seca, do frio e da chuva. Podemos ver rosas no outono adiantado, minha querida. Não precisa se preocupar com as rosas, guarde sua preocupação para outra coisa, meu amor!".

Agora ele se virou, disparando sua voz através do laburno, que eu tinha atrás de mim.

"Sylvia, Sylvia!"

Eu estava em uma nuvem de branco, a casa branca, minha roupa branca, as flores brancas gélidas nas copas das macieiras.

Tudo tão malogrado, eu desejava que fosse minha mãe a nos visitar agora na floração das macieiras. Que ela pudesse ver como tudo estava lindo. Engoli o gosto de sangue na garganta.

"O quê?"

Ted veio a meu encontro com Frieda nos braços. Assia se levantou, caminhou atrás dele com passos vagarosos, entrou no nosso círculo.

Tão cansada de intrusos, tão cansada de visitas, será que o mundo inteiro tinha que vir nos visitar só porque o verão estava chegando e o sol desabrochava em luz? Precisavam vir aqui só porque tínhamos um novo filho? Não havia nada de que eu necessitasse mais do que paz e tranquilidade, e me perguntei se esses pensamentos se manifestavam no meu rosto.

Ted disparou:

"Estávamos pensando que eu e David poderíamos fazer um passeio na campina para variar, assim você e Assia terão a oportunidade de ficar um pouco sozinhas e se conhecer melhor."

Meus olhos nela, observando sua quase reverência atrás dele, e seu sorriso para mim.

"Vocês levam Nicholas então?"

Ted olhou em direção ao carrinho, dizendo: "Ele provavelmente vai dormir de qualquer maneira, é melhor que você fique com ele, assim Frieda pode sair e correr para gastar energia".

Olhei para Assia outra vez. Lábios cheios fazendo beicinho.

"Podemos arrancar ervas daninhas", eu disse com determinação.

"Boa ideia", concordou Ted.

"Estão brincando?", riu Assia.

Ela me seguiu até o depósito onde estavam as ferramentas. Ela era mais velha do que eu, mas mesmo assim muito bonita. Era bonita de uma maneira preocupante, já que eu costumava ser capaz de dispensar as pessoas dizendo que eram talentosas, sim, mas do ponto de vista *estético*, eram tão completamente desinteressantes, afinal, beleza e genialidade raras vezes andavam juntas. Mas o que era brutal no caso de Assia Wevill era ela ser inteligente e atraente ao mesmo tempo. E o pior era que sua beleza era diferente da minha. Além do mais, ela não era mãe, nunca dera à luz um filho, o que tornava os homens famintos por montá-la. Donzelas como ela não podiam andar infecundadas pela terra, alguém teria de derramar seu sêmen sobre elas e emprenhá-las. Tal era a configuração entre mulher e homem, não era nada que eu pudesse controlar.

Ela estava atrás de mim, com sua respiração de dondoca, vestiu as luvas, e eu pus uma pá e um ancinho na sua mão, tornando-a toda assimétrica com os objetos, incompatível. Dei risada.

"Não está acostumada a arrancar mato, né...?"

"Posso ser uma mulher da cidade, mas não tenho medo de arregaçar as mangas", respondeu ela.

Caminhei na frente, mostrando as fileiras onde havia talos e mais talos de cebola já caídos sobre a terra, debaixo deles brotava uma multidão de folhas de dente-de-leão, morugem e cardo.

"É para tirar tudo", ordenei. "Temos urtigas também, tome cuidado."

Assia apontou para sua roupa, para seus joelhos. "Vou me sujar", reclamou.

"Bem-vinda ao campo."

Assia encostou os joelhos nus no solo, e então entendi que não podia sujeitá-la a isso, alguma misericórdia deveria haver em mim. Então disse docemente: "Prefere pegar emprestado o macacão do Ted? Está pendurado num gancho no galpão. Pode simplesmente vesti-lo por cima da saia."

Ela foi, e aí aproveitei para observá-la, o jeito como balançava os quadris, criando uma ginga enquanto caminhava. Ela voltou com as enormes calças de Ted vestidas, agora seus membros e os de Ted estavam triunfantes, pensei. Agora, ela tinha a virilha imaginária dele sobre a sua.

Desgraçada.

Ficamos debruçadas nos canteiros, arrancando cardos e raízes de dente-de-leão. Assia era péssima em capinar, e eu me sentia ofendida e zangada com aquelas tristes fórmulas que ditavam que os homens iam para a campina empinar pipa com a criança mais velha, enquanto nós duas ficávamos aqui trocando figurinhas sobre coisas de mulher, já que não tínhamos nada em comum.

"Quem é David? Como você o conheceu?", perguntei.

"Ah, nós nos conhecemos num navio..." Assia fez uma pausa, olhando para o céu. "Provavelmente, não foi nem de longe tão romântico como foi para você e Ted."

"Um navio deve ser romântico."

"Não acho. Eu estava presa lá no transatlântico que me levaria para o Canadá, então acho que estava de certa forma entediada, e conheci esse maravilhoso homem europeu. Foi o que pensei na época."

"Não pensa mais assim?"

"David", disse Assia sorrindo, uma longa raiz branca saltou de dentro da terra, e ela simplesmente a atirou para o lado. "Coitado do David, seus melhores anos já passaram", declarou ela. "Os homens também têm uma data de validade, pode ter certeza." Fiquei calada por um momento. Havia terra no meu avental, eu o trocaria por um limpo antes do almoço, e havia um forte cheiro de cebola, já que estávamos no meio da horta de cebolas. Estávamos sentadas entre as pequenas cebolas que haviam caído das minhas mãos e das de Ted e Frieda no início da primavera, quando Nick estava com pouco mais de um mês, e que agora haviam se tornado grandes bolas brancas com talos verdes. Pequenas esferas brancas acastanhadas dentro da terra fria. Lembrei daquele instante — por um tempo na terra, algo podia existir — desde então a vegetação havia tomado conta, cardos e urtigas aos montes, e as cebolas tiveram de lutar muito para emergir do inferno dos espinhos. Por quanto tempo algo bonito podia existir? Por que havia ervas daninhas — por que a terra nunca podia estar pura?

"Como é possível ficar tão ofegante arrancando mato?", perguntei.

"Não estou nem um pouco ofegante", protestou Assia.

Isso era o que eu diria mais tarde a Ted: como era impossível ser amiga dela, eu apresentaria as palavras de uma forma tão direta e educada que ele não poderia deixar de me entender. Andaríamos em torno da cama do nosso quarto, vestiríamos o pijama e a camisola, e ele responderia: "Nossa, que mulher complicada", me dando corda para continuar, só continuar, não parar de falar sobre como aquela mulher era horrível, tão seca e enfadonha, sem um pingo de espirituosidade. E Ted me compreenderia, ele sempre me compreendia, era sua qualidade mais proeminente, sempre tão compreensivo, e como ele me escutava.

Por um instante, eu estava feliz outra vez.
Então, por obra do destino, Nicholas acordou, e enquanto corri para ele e tirei meu bebê do carrinho, Assia também soltou a pá e o ancinho no chão, deixando as luvas por cima. Ela se juntou a mim ao pé dos lilases e do laburno, era constrangedor que ela vislumbrasse o bico do seio de amamentar. No entanto, Nick chupava e fazia glu-glu, e a paz dentro de mim — a paz.
Tão imbatível!
Agora eu olhava para ela, vendo-a como que pela primeira vez, já que tudo adquiria um lustre próprio e novinho em folha quando eu dava de mamar, e tudo era perdoado e como se fosse a primeira vez.
"Sobre o que estávamos falando mesmo?", perguntei.
E então Assia aproveitou o ensejo para falar, pois viu que eu estava prestando atenção. Ela falou sobre a guerra que assolara a Europa e de que eu, monstrinho que era, não fizera parte, uma vez que estivera a salvo atrás de um oceano.
Nick fazia glu-glu e chupava, chupava e fazia glu-glu, e o seio se esvaziou, e quanto mais o seio se esvaziava, mais lúcido era meu despertar, e voltei a enxergar a vida sobriamente.
Uma ruga de preocupação apareceu na sua testa ao falar sobre como se sentira magoada na infância, como estava perdida. Judia... mas também não. Assia era um nome árabe, disse ela, será que eu sabia que significava "aquela que protege"?
"O que você protege?", perguntei.
"Protejo minha identidade, talvez", disse ela. "Não tenho nenhuma integridade... Por isso me protejo, construindo um muro para que ninguém possa me ferir e passar por minhas defesas..."
Bobagem, pensei. Ela está falando bobagem.
"Parece que foram necessários muitos homens para chegar a essa custosa compreensão", repliquei. "Afinal, que número é ele na sequência? O segundo? O quarto?"

"David é meu terceiro marido", disse Assia.
"Caramba", exclamei.
"Não é tão dramático como imagina, você deve pensar que sou uma devoradora de homens. Bem, queria fazer a coisa certa, por isso me casei."
Seu olhar me atravessou, alcançando o cemitério. Ela deu uma risadinha, como se estivesse pensando em alguma coisa, e pegou um cigarro de um estojo.
"Posso...?"
"Claro."
Assia fumou, e eu observei seus lábios cheios e rosados, que seguraram o elegante cigarro entre eles e deixaram a chama crepitar, e depois fiquei com a fumaça nos pulmões, e ao soprar a fumaça na minha direção, ela tinha um ar de recém-comida, recém-beijada.

Então os cavalheiros voltaram. Vieram caminhando sobre o gramado com suas faces vermelhas e tinham toda a felicidade despreocupada do mundo em seu semblante. Frieda corria no seu encalço para acompanhar o ritmo acelerado.
"Estão sentadas aí fumando?", perguntou Ted. "Vocês não iam arrancar mato?"
"Estamos falando sobre vocês", disse Assia, deixando as cinzas caírem na grama.
"Além do mais, eu estava prestes a contar para a Sylvia sobre aquela vez em que quase matei meu primeiro marido", prosseguiu ela, e eu fiquei pasma, afundando na minha solidão corpórea, porque Ted acabava de tirar Nick de mim.
Ted arregalou os olhos num sorriso para Assia, ela devia ser maravilhosa demais, havia algo de selvagem e misterioso nela, algo completamente diferente daquilo que eu tinha a oferecer a ele, percebi que ele pensava assim, pois conhecia meu Ted.

David deu uma risada seca.

"Ah, aquela história...", disse ele.

"Continue então", Ted instigou-a. "Conte."

"O que você faria, Sylvia, se suspeitasse que seu marido era infiel?"

Ted olhou para mim, nossos olhares as pontas de duas espadas que se encontraram num golpe.

"Certamente não tentaria matá-lo", respondi.

Ted voltou o olhar para Assia novamente.

"Afinal, você não queria matá-lo, queria?", ele perguntou.

"Queria ameaçá-lo", disse Assia. "Queria ser a parte *agente*. Queria mostrar quem tinha poder sobre a própria vida."

"Não acho um sinal de grande independência ameaçar a vida de alguém com uma faca, sou pacifista", afirmei.

"Claro, Sylvia, claro", disse Ted. "Só não sei..."

"Não sabe o quê?"

"Você não é exatamente um anjo", ele completou.

Assia deu risada, olhando para dentro de seu copo.

Como ele podia me trair assim?

Como a traição podia surgir diante de meus olhos, em pleno início de verão? Aqui tínhamos tudo. O paraíso estava diante de nós. E agora essa serpente! Eu sabia que não deveria ter aceitado vender nosso paraíso para os caprichos de outras almas. Por que diabos eu os havia convidado para vir aqui?

"Pelo menos não sou nenhuma assassina", respondi.

Ted fez bico com o lábio inferior, zombou de mim, insinuando que eu era uma mártir.

Então me retirei. Fui de mãos vazias sem filhos, a passos largos, até a cozinha para preparar o jantar.

Atordoada, tirei a torta da geladeira e arranquei o papel de alumínio, enfiando um termômetro de carne num grande assado frio que alguém deveria ter posto no forno havia horas. Tudo o que podia fazer agora era ficar na cozinha e ser consumida pelas partes de mim que estavam sem ar. Eu ficaria aqui na cozinha olhando para eles pela nossa janela, ficaria aqui digerindo a sensação de ser traída viva.

Não viam que eu também queria ser amada enquanto eles estavam ali começando a se amar?

Será que não existe o amor de verdade, será que só existe a ternura? O tempo que parou agora que meu filho, tão perfeito neste momento — um Buda sentado em sua poça de sol no chão —, e minha filha se olharam nos olhos, e ela dançou em torno dele, que estava sentado, e eu era a torcida, a única plateia que tinham.

O olhar de Ted era mosca-morta, eu era indispensável. Era como se meu âmago estivesse no centro do ambiente; se eu escapulisse deles, eles enlouqueceriam. Minha carne por sua carne, minha presença por sua sanidade. Assim traí minha própria carne dia após dia naquele início de verão, traí minha própria sanidade.

Os rabanetes recém-colhidos estavam sobre a mesa da cozinha e o ramalhete de espinafre murchava numa pilha ao lado. Ted estava lá em cima no quarto, e eu fiquei sentada no chão, como que parada no tempo. Minha roupa branca, meu cabelo sujo, a obra que eu lhe oferecia estando sentada aqui, eu era o motivo, o tema da sua escrita. Ted e o tempo parado, eu e nossos filhos.

Mas eu não tinha nenhuma simpatia pela eternidade. Eu queria me erguer, queria ficar em pé. Nessa estranha calma antes da tempestade, eu queria levantar e dobrar meus lençóis que haviam secado ao vento, me inscrever num curso de equitação, ligar para a parteira e me certificar de que ela me acompanharia no encontro dos apicultores.

Havia um caroço muito grande no meu rosto, eu carregava um pedaço de argila crua, alguém havia entrado no nosso quarto durante a noite e me remodelado.

Eu não gostava daquilo.

Eu não tinha nenhuma simpatia pela eternidade, eu não tinha nenhuma vontade de fazer parte do capítulo de Ted sobre mim, sua maneira de enquadrar o que eu era, de extrair a eternidade de mim. Eu só queria viver. Era isso: eu queria viver e viver com ele a vida que me fora dada. Eu havia lutado para viver, era isso. Será que ele não era capaz de ver essa luta, será que não podia me dar o crédito? Evitei subir para não o incomodar, não queria pedir que prestasse atenção em mim, ser inconveniente. Não queria tomar seu tempo e olhar para seu rosto morto, que estava morto para mim, morto para Ted-e-Sylvia, morto para nossa família.

Ted, meu marido, não podia ver também a felicidade no rosto do nosso filho? Como seus dentinhos estavam irrompendo na gengiva? Como sua irmã arrancou a roupa querendo dançar e pegar a mão do irmão, nua à luz do sol?

Eram meus filhos e seus. Eles eram a eternidade, eles sobreviveriam a todos nós. Eram nossa culpa, nossa responsabilidade. Então a encare, pensei.

Pensei: Ted, você fica falando que cada um tem que se tornar a pessoa que foi destinada a ser. Você sempre fala disso. Mas não enxerga: aqui está a concentração! Aqui está o foco! Aqui ocorre nosso cotidiano, aqui as árvores têm suas folhas brotando nos galhos. Não posso me dar o luxo de "me encontrar" e me tor-

nar "inteira" — devo ser deles. Preciso ser dos meus filhos, ser a parede verde de clorofila que os cerca, seu sol.
Ele podia ficar lá em cima na sombra e ser escritor em tempo integral e acima de tudo.
Eu teria de ser das crianças, não tinha opção.
Eu estava cansada. Deitei ao lado dele no chão, na réstia branca de sol, segurando o dedo indicador do meu Nick. Era junho, meu livro de estreia tinha saído nos Estados Unidos.
E em nenhum lugar eu conseguia encontrar a paz exceto no círculo do dedinho de Nick.
Ele era minha eternidade.
E eu devia amar Ted por isso.
Eu era obrigada, não tinha escolha.
Chorei uma lágrima quente e gélida ao pensar nisso. Frieda amontoou suas bonecas no chão, querendo fazê-las sentar no colo uma da outra. Bocejei, logo ia dormir... Somente o dedo dele no meu.

Havia uma luz junina tão suave sobre North Tawton, o ar úmido exalava um doce odor de flores. Ted estava à porta do carro esperando que eu logo conseguisse reunir toda a minha pessoa e nossos filhos e sair da casa. Meu marido. Meu vestido curto. Eu estava com as crianças nos dois braços, descarreguei Frieda no banco de trás e gostei de como Ted olhou para mim quando empinei a bunda.
Talvez ele pudesse ver, talvez não. Não cabia a mim decidir, mas já fazia alguns dias que eu vinha abandonando meu ânimo, minha tempestuosidade, tornando-me calma e acessível, ele devia ter percebido.
Parei de criar tempestades, a prioridade agora era a pontualidade e estar alerta e limpa. Despir tudo o que tinha de mais íntimo e me entregar ao que restasse.

Salve-se quem puder, agora era sério, não havia mais nada para furar, o ar fora esvaziado de tudo que estivera inflado, do nosso castelo de vento, o ar estava livre.

Meus ombros nus, sentei com o toquinho Nicholas nosso filho no banco da frente ao lado de Ted, e ele acenou com a cabeça, o nariz comprido do meu marido seu queixo firme e depois Ted engatou a marcha a ré, ajeitou seus braços sobre o volante e saiu pela rua dos fundos, saiu e partiu com nosso carro preto.

Eu estava calada e feliz. Tinha lembrado de lavar a boca das crianças e estava abraçada pela força do pequeno sobre mim, seu peso que afugentava minhas preocupações, ali no meu colo. Farejei seus cabelos, cheirava a leite e testa.

Ted não sabia mentir, neste verão ele havia agendado muitas viagens a Londres, mais do que de costume, e ele mentia muito mal, por isso vou ter que mentir por ele, pensei.

Ficar sentada aqui e me manter calma e forte.

Ted desacelerou e eu carreguei as crianças para o pequeno lote de Elizabeth Compton, onde sua casa térrea se estendia entre uma sebe de espinheiros em flor e outra de lilases brancos. O cheiro era simplesmente inebriante, e um pequeno laguinho se intumescia no meio de seu jardim.

"Mantenha Frieda longe disso, sem falar do pequeno", pedi a Elizabeth, e ela abriu os braços para mostrar como estava feliz em poder cuidar dos nossos filhos. "Mas é claro, Sylvia", disse ela com sua voz fina e adorável, "pode ficar tranquila, minha querida."

Sua brandura, sua amizade, eu gostava dela, logo ela. De repente, ela afagou minha face, depois de eu ter beijado Frieda e o pequeno para dar tchau.

"O quê?", perguntei.

"Está tudo bem?", perguntou ela de volta.

Dei um sorriso enferrujado.

"Claro. Quer dizer... Um pouco estressada porque minha mãe está vindo, mas de resto está tudo bem."

"Estão bem de saúde?"

"Bate na madeira, chega de infecções urinárias, e o mais importante é que o pequeno esteja saudável! Agora vou encontrar Winifred, a parteira!"

Ela sorriu. Nós sorrimos. Eu, com meu lindo vestido branco. Tão feliz por ter amigas aqui, tão feliz por ser uma mulher com amigas, amigas loiras e certinhas, um dia eu convidaria Elizabeth para ir em casa comer um bolo de cereja glaceado, mostraria mesmo para minha mãe quem eram minhas amigas. Atravessei o corredor da garagem a passos pequenos e abri a porta do carro. Ted estava lá dentro, eu sabia que ele havia me observado. Tentei ligar uma música, mas o rádio estava sem sinal.

Dirigimos em silêncio para o encontro dos apicultores. Não havia nada a dizer, apenas uma melodia a cantarolar, e eu cantarolei. Não dava para saber se Ted se incomodava comigo, ele só pigarreou e ficou calado. Eu queria saber o que Ted tinha que fazer em Londres, mas não perguntei, porque sabia qual seria a resposta: preciso sair, ele diria, preciso assistir a recitais literários, preciso de idas ao teatro na minha vida novamente, Sylvia, impressões, preciso socializar com as pessoas certas.

E aqui estava eu, a pessoa certa de verdade.

"Oh, estou com leite no vestido!"

Vi que o seio estava vazando, uma mancha redonda e grande que aumentava a olhos vistos. Ali estava o leite, o leite de Nicholas, ele queria se alimentar agora, ou teria sido uma sensação dentro de mim que fez o leite descer, uma sensação estranha de sentir medo na companhia de Ted, meu marido, que de repente estava tão calado?

Peguei um guardanapo e o pousei sobre o seio, apertando-o.

"Por que está tão calado?", perguntei. "Por que não diz nada?" "Estou dirigindo, querida", respondeu Ted. "Estou dirigindo e sinto que estou ficando resfriado."

A isso, não respondi nada além de um "Ai, coitado".

Depois saímos juntos, passamos pela colina até o círculo de apicultores que havia se reunido nesta noite de sete de junho, antes do Pentecostes.

Procurei pela parteira, ela não havia chegado ainda, minha fiel escudeira, aquela que me ajudara a dar à luz meu príncipe Nicholas como se fosse da realeza.

Um cheiro doce e pesado de alguma ervilha-de-cheiro em algum lugar, uma sebe de cicuta-dos-prados brancas e espinheiros em flor que exalava seu perfume insano. Um céu azul demais.

Subi a colina sozinha. Ted não quis tocar em mim. Esses eram os apicultores, então. Essa tinha sido minha invenção. O vento agarrou meus ombros e me fez descobrir o quanto minha pele estava à vista. Aqui na Inglaterra. Todos se viraram e olharam para mim em uníssono, todos os apicultores do vilarejo com seus trajes brancos. Ensimesmado e com as mãos nos bolsos, Ted estava a alguma distância de mim. Alguém se inclinou sobre a colmeia, e notei alguns bichos rodopiantes no ar capazes de me atacar.

O sol se escondeu atrás das nuvens — será que não esfriou muito de repente? Não era estranho que eu de repente me sentisse tão nua? Eu não sabia que os apicultores usavam tanto equipamento de proteção, ou será que eu, como sempre, havia sido ingênua e banal, romântica na minha visão daquilo, pensando que a apicultura seria como que um passatempo veranil, sei lá?

Oh, sair para o mundo sozinha, sem os filhos, havia um vazio que se espalhava como uma infecção no corpo — estar vazia! Sem conteúdo! Fazer eco nos ombros nus. A pele deles costumava cobrir meu corpo como uma espécie de vestimenta religiosa, e agora eu estava aqui de ombros desnudos ao vento, enquanto os outros estavam paramentados com roupas de proteção.

Roupas de proteção! Ensaiei uma risada para Ted, que estava ali, bonito e sensual como James Dean, mas também não funcionou, droga, pensei, deveríamos ter ido para o mar.

A apicultura era minha ideia, e eu havia forçado Ted, insistido com Ted, que se tornara um adolescente sonhador mais interessado em pensar em outras coisas. Mas por favor, vamos fazer isso, por mim. Eu queria que ele se entusiasmasse comigo e com minhas ideias da mesma forma que se entusiasmava com suas próprias ideias, os morangos e todos os animais, só que uma percepção fatal me inundou: quanto mais o imito, menos ele me ama.

Quanto mais eu tentava me interessar por animais e pela natureza, mais ele desviava o olhar!

Quanto mais eu me esforçava para escrever poesia sobre natureza e poemas repletos de animais como os seus, mais ele perdia o interesse! Por que ele não via o quanto eu estava tentando? Quem ele queria que eu me tornasse, afinal?

Agora eu queria ir para casa, neste instante, queria ir para casa e ouvir Beethoven e escrever poesia e amamentar Nicholas.

Mas veja só, agora eu estava aqui. Agora precisava aguentar.

Fui até Ted, queria pedir seu paletó emprestado.

"Pode me emprestar seu paletó?", perguntei. "Estou com frio."

Ele nunca estivera tão bonito. Encolheu os ombros, parecendo querer ouvir o orador.

"Vá lá pegar, então, está no banco de trás."

Ele me ofereceu a chave do carro, dizendo as palavras sem sequer olhar para mim. Então optei por não fazer nada.

* * *

Olhei com fascínio para a multidão de abelhas rastejantes. Devia haver uma rainha, uma única rainha a quem as centenas de operárias sacrificavam a vida, mas a rainha havia sumido esta noite, e todos os apicultores locais deram risada.

"Madame, você que está com pouca roupa, talvez seja melhor tomar um pouco de cuidado para não ser picada", disse um senhor aposentado de olhos azuis que atravessavam o capuz negro. Ele me olhou com preocupação sincera.

Ah, pai, pensei. De repente, o pensamento veio sobre mim feito fogo — pai, me ajude.

Pai, me ajude a aguentar esse mar de caretice, me ajude, alma do meu pai, a aguentar o mundo. Eu simplesmente estou aqui com meus ombros nus porque pensei que a apicultura seria um passatempo veranil, uma coisa divertida e agradável, e que ainda poderia levar a uma aproximação entre Ted e mim. E como sempre era entediante e sem sentido, não engenhoso como quando você se dedicava àquilo. Nada que arrebatasse o coração. Merda, alma do meu pai. Merda, pai. O vento que sopra aqui vem do mar. Merda, pai, me leve embora com esse vento. Me deixe alçar voo. Ainda sou fina demais para eles, não sou? E se estou explodindo com sua força, por que a vida nunca dá uma guinada para cima? Por que ainda estou acorrentada aqui? Destinada a morrer de tédio, bocejar e querer ir para casa?

Os únicos que me dão vida e alegria neste momento são Nick e Frieda. Eles fazem algo comigo, eles me *criam*. Também me tornam criadora. Não me amputam, como faz o restante dos meus mais próximos. Você nem imagina, pai. Você nem imagina quem é Ted. Sua sombra escura, o lixo podre de que é feito. Agora está vindo à tona. Agora preciso lidar com isso — agora. Agora está ficando evidente que tudo sobre o que construí nosso

amor era ar. Nunca foi uma coisa estável... Eu que pensava que o havia construído em cima de polpa de fruta e morangos doces, flores de cerejeira e passeios carnais sob um sol fortificante. Foi ar o tempo todo, pai, *ar*. E eu preciso aguentar e respirar esse ar gasto, o ar que vaza para mim quando nosso castelo de vento se desfaz. Estou sufocando.
Estou muito triste, pai. Me ajude!
Ao ver o pequeno carro azul que pertencia à nossa parteira subir a colina, relaxei os ombros e respirei aliviada. Assim eu queria ser: nem que fosse sustentada apenas por um sorriso, por uma alma bondosa que me havia sido íntima e sentido minhas entranhas com os dedos. Ela me vira lutar! Ela sabia que eu era uma guerreira.
"Olá, Sylvia", disse ela. "Agora vamos dar uma olhada nas abelhas."
Tão logo ela apareceu na colina com seu ar maternal, pude respirar livremente. Havia alguma coisa na rainha que me fascinava profundamente, o fato de que a abelha rainha estava desaparecida. A abelha mais importante da colônia. Ri para a parteira: "Ela deve ter se cansado de parir!".
Mas a parteira estava focada na colmeia.
"Vocês não têm experiência com esse tipo de coisa?", perguntei para o ar. "Achei que vocês apicultores soubessem do que estavam falando." Quis fazer alguém rir comigo, mas ninguém riu.
Um senhor de idade veio andando com um chapéu e tela de proteção para mim, afogando-me em tecido branco, e de repente eu estava velada, de repente um deles. Através da malha preta do equipamento de proteção, olhei para Ted, que obviamente nunca sonharia em se integrar a qualquer meio, ele continuou no fundo, a alguma distância.
"Venha cá", acenei. "Venha ver a rainha!"

E os únicos a levarem picadas naquela noite junina foram o padre e Ted, e eu ri disso, mas a rainha não apareceu em lugar nenhum, ela virou fumaça, que prima-dona, pensei, que prima--dona desgraçada.

Enquanto voltávamos para casa em silêncio e Ted coçava sua picada de abelha, eu queria dizer alguma coisa. Prometi-lhe que passaria uma pomada assim que chegássemos em casa. O perfil dele com a paisagem inglesa passando ao fundo, queria dizer que o amava. Tinha uma sensação de que ele não mais me via, de que não importava o que eu dissesse, as palavras passariam pelo vidro do carro, por ele, e para o nada. Na verdade, eu nem ligava para as abelhas. Eu me importava tão pouco com eventos adultos e planos grandiosos quanto ele. Eu também queria ficar transando numa cama de hotel em Londres ou o que quer que fossem suas fantasias quando idealizava o verão. Tampouco me importava com crianças e possíveis estufas, eu também queria chupar bastões luminosos e em primeiro lugar ser um espírito livre e sonhador, amada e desejada em seus braços, com marcas de beijo no pescoço.

"Pegou gosto pelas abelhas?", foi tudo que eu disse.

Ele tirou os olhos da estrada rapidamente e olhou para mim.

"Meio trabalhoso, não? Afinal, precisamos ter tempo para outras coisas também este verão."

Claro, era meu projeto, totalmente.

"Por que você não pode se interessar tanto por meus projetos quanto eu tenho me interessado pelos seus durante a primavera inteira?"

Ted pigarreou. "O que você disse?"

"Uh, não foi nada."

Ele pôs uma mão na minha coxa, deixando-a subir por baixo da saia, naqueles dias cada toque me fazia estremecer como se fosse a primeira vez que ele me tocava. Eu estava apaixonada. Tão desesperadamente, perdidamente apaixonada, embora já fosse tarde demais. Me perdoe pelas crianças, eu queria dizer, me perdoe por isso e aquilo e por quem sou. Ele interrompeu meus pensamentos, me acariciando até o meio das pernas, era quase como se estivesse passando do limite. "Minha pequena sonhadora", disse ele. "Filha do papai, Sylvia Plath. A apicultora!"

Entramos no pátio de Elizabeth Compton, onde ela já estava com as crianças.

"Estou orgulhoso de você", disse Ted, e eu saí do carro e me encarreguei delas.

Eu tinha um peso no coração. Ele era meu primeiro e último leitor, sempre, ele havia me dado tarefas de escrita, me incentivado, mas a partir de agora eu nunca mais lhe mostraria meus textos.

Ted sabia disso, ele me espiava de noite, quando eu desenhava corações em tudo, até nos papéis de rascunho deitados sobre a mesa de centro. Um feitiço.

Então, de repente, silêncio na casa, silêncio em preparação à tempestade que viria, que era minha mãe. Então, de repente, silêncio e rangidos, o vento atravessou a casa levando as cortinas, pois as duas portas estavam abertas — fora tudo de velho, fora primavera fria, fora sujeira, fora comigo dando à luz aqui.

Fora romance, fora romance desgraçado que tinha sido comprado pela editora inglesa à qual o enviei e que eu havia decidido — isso se tornou mais claro à medida que a data da chegada de minha mãe se aproximava — publicar sob um pseudônimo. De alguma forma, o conteúdo tinha de ser mascarado. Eu tinha ido longe demais nele, tinha sido muito ousada.

Fora romance, para os ares, adeus!
Que venha o novo, que venha o amor novamente.
No crepúsculo, Ted veio com um ramo de rosas que ele havia cortado com a faca, o perfume era de enlouquecer. Ele entrou e se sentou na colcha, dobrou um pedaço dela deixando parte da cama embaixo à vista.
"Aqui, deite-se aqui", convidou. Não nos tocávamos fazia algum tempo. Desabotoei um colar diante do espelho, fiquei parada, segurando a corrente antes de deixá-lo cair sobre a mesa de cabeceira com um tilintar.
"Venha cá, Sylvia", disse ele.
"Vi como você estava me espiando agora há pouco."
Ted, em seu sorriso. Seu sorriso de um milhão de dólares. Queria beijá-lo, mas só se ele tivesse boas intenções. Será que Ted tinha boas intenções? Eu tinha tanto medo daquilo com que preenchera nosso relacionamento até agora — angústia, cobranças e dúvidas, martírio. Durante dias, eu o havia acusado de ser um mulherengo sem moral. Na minha cabeça eu já reproduzira as cenas... Ele já havia dormido com aquela mulher na minha cabeça. Oh, que instigadora de enredos era eu?
"O que está remoendo, minha querida?", perguntou ele.
"Não estou remoendo... Estava pensando em Frieda."
"Pensando o que sobre Frieda?"
"Se vai se lembrar da minha mãe quando ela chegar. Se a avó será a avó para ela. Estou tentando imaginar como vai ser."
Ele me estendeu a mão.
"Pare de pensar tanto e venha cá."
Ele me indicou um lugar em seu colo.
O perfume das rosas absolutamente inebriante.
Eu o amava. Eu o amava. Ele era meu Ted. Te amo, pensei. Só quero te amar e quero saber que posso te amar.

Num momento de fraqueza, sentei no seu colo. Seu colo forte e sincero. E naquele momento era como se todos os animais lá fora parassem diante de nossa janela para ouvir uma história. Todos os esquilos, a raposa que rondava a área em busca de galinhas, todos os rouxinóis, melros e andorinhas que tínhamos em abundância, e os cervos, os veados. Os coelhos, naturalmente, os coelhos. Eles se apinharam ao longo da parede da nossa casa na hora que afundei no colo de Ted. Afundei e fui capturada por ele. Uma menininha, por um instante, no colo de seu pai. Inalei seu cheiro. Lã e o suor de seu rosto. Desejei ter uma segunda chance. Derramei algumas lágrimas no colo de Ted, então ele me abraçou com mais força.

"Não chore... Sylvia. Não pense que pode controlar tudo. Frieda e sua mãe vão se amar, isso é certo. Eu sei. Você não tem nada com que se preocupar... Nada mesmo."

Olhei para seu rosto, eu estava com a cara vermelha de choro, ele estava cansado. Eu queria descansar assim no seu colo para sempre. Quando ele também estava sensível e sonolento. Quando as rosas exalavam seu perfume.

Ted levantou-se, me carregou como um arco, como uma criança pesada, e me deitou na cama.

Fechou a janela e a cortina. Desabotoou a camisa. Então eu sabia o que me esperava. Ele sempre me amava tanto quando eu chorava.

Uma mulher assustada é uma mulher bonita, eu certa vez havia lido em alguma revista feminina. *Uma mulher assustada faz o homem desejá-la muito mais facilmente... A tristeza a torna atraente, diz a pesquisa. Uma mulher triste emite hormônios que a tornam mais linda. Por essa razão, o marido gosta de assustar sua esposa...*

Era junho, dia doze, a casa estava dormindo com a exceção de nós dois, a vizinhança estava dormindo, as vacas estavam dormindo, os mosquitos e os pássaros estavam acordados.

Eu estava com muito medo na hora em que ele me montou, quando subiu em cima de mim e tirou minhas roupas. Então agora lhe convém, pensei, agora lhe convém me beijar. Agora estou sedento por ela, pensei, estando dentro da cabeça de Ted de novo, agora a quero, agora estou disposto.

E no momento em que ele me penetrou e fechou os olhos, insinuando-se nas minhas profundezas e proferindo as seguintes palavras "Você é tão gostosa, Sylvia, gostosa pra cacete", fiquei em dúvida se realmente era eu que ele desejava, alguma coisa havia riscado seu olhar, e tudo era tão distante. Ele tinha invadido algo tão delicado quanto nosso ato físico de amor, começando a usá-lo em benefício próprio... Virei a cabeça quando chegou a hora de ele gozar.

"Vou gozar logo, amor, quero gozar com você", disse ele, e eu também tinha vontade de esquecer o mundo e exultar. Eu queria derrubar a outra mulher do seu trono. Mas havia uma coisa muito ridícula nos gestos de Ted, era tudo fachada, ele beijou meu pescoço e o chupou grudando os lábios. "Vai deixar marca", reclamei. "Seja bonzinho e pare com isso."

"Sou bonzinho mesmo", Ted disse de repente e se apertou contra mim, me penetrando aceleradamente, não era o que eu havia esperado dele, já que não fazíamos amor havia muito tempo, eu gostaria que fosse um pouco mais calmo, ainda por cima com Nicholas mudo no berço.

"Pare, Ted. Pare."

Ele fez uma pausa, retirou-se de dentro de mim, mas não estava escutando. Ele queria me virar de lado, me fazer ficar de quatro que nem uma cadela outra vez, assim como costumávamos fazer, outra vez.

Há muito tempo.

Seus dez dedos me dobraram.

Mas este era outro corpo, eu tinha este corpo agora, eu tinha este corpo grande e protetor de madona agora, eu tinha a vitória no meu corpo, eu tinha um filho de quem cuidar com meu corpo, eu era uma lady, não mais uma garota dócil.

Ele não sabia?

"Ted, por favor, Ted, me tome honestamente", sussurrei, com medo de que ele me interpretasse mal.

De qualquer forma, ele havia parado. Estava de costas eretas olhando fixamente para um quadro.

Suspirou.

"Que merda de comentário é esse?", disse ele contrariado. "Por que você nunca... nunca... nunca abre mão do controle?"

Ele me olhou com a expressão acusatória de sempre.

"Largue mão dessa porra de controle, por favor."

Eu queria mudar de ideia de novo, se pudesse mudaria sempre o que era eu, as minhas ações, os meus atos, como me apresentava ao mundo.

"Sinto muito."

No dia da chegada da minha mãe, o ar tinha um perfume frutado e todas as flores haviam desabrochado. Exeter estava envolvida em sol, e as ruas estavam quentes. Ela desceu do escaldante trem de Londres como uma bonequinha de papel; havia uma estranheza em nosso amor, e o nosso abraço parecia rígido, saindo brusco demais do meu lado. Medi-o de forma descuidada e me arrependi depois.

"Mãe", cantei, chorando lágrimas de crocodilo emocionadas na sua nuca. Ted dois metros atrás de nós. "Mãe."

Depois, quando foi a vez de Ted abraçar Aurelia, o ar de repente se tornou seco e difícil de respirar. Me fez lembrar aquele verão de 1956, nosso primeiro verão juntos, aquele que foi o primeiro verão meu e de Ted, e que passamos com Aurelia numa estúpida lua de mel na Espanha, um fracasso total. Me senti como uma assassina; era um luxo e tanto matar a mãe sem ter de assassiná-la de verdade — simplesmente rejeitei sua interferência no nosso casamento, desempenhei o papel da filha recém--comida que não ligava a mínima. Ted e Aurelia não se davam nada bem, e essa era a vingança: a vingança pelo que ela fez comigo, sua traição quando ficou viúva e foi enganada pela morte ao se sacrificar por um homem que simplesmente morreu, e como ela depois me usou para seus próprios desígnios, me transformando na *exceção*, na pessoa *excepcional*, que salvaria sua nulidade.

Aurelia entrou direto naquilo que eu havia descrito na carta datada de sete de junho: *Esta é a melhor vida que já vivi. As crianças são pequenos ímãs de amor...*

Ela se abaixou e pegou Frieda nos braços e juntas olharam para o pequeno Nick, que estava pendurado em seu canguru no meu peito. Um macaco humano, penetrado por seu olhar. Ela olhou com tanto cuidado, tão a tento, era como se pensasse que seu próprio ato de olhar o criasse.

Meu filho.

"Aqui está, meu pequeno Nick", eu disse apressada e emocionada ao passar meu filho para minha mãe pela primeira vez. Minha mãe fingiu que uma lágrima brotava no canto do olho, e o grupo todo sorriu. Ted havia levado sua mala até o carro e observava tudo à distância com a mão no bolso sujo da calça, James Dean. Será que ele realmente era tão bonito? Era de fato um espécime tão de primeira?

Fiquei desconfiada, pensei: meu pecado. Porque pequei. Aqui estava ele, o menino de ouro, que havia virado tudo de ponta-cabeça. Tão logo vi meu filho nos braços da minha mãe, percebi que era ele quem havia virado tudo de ponta-cabeça.

E olhei para Ted, que era lindo de morrer, mas não conseguia mais fazer meu coração tremer. Só estava parado ali, um poste de telefone. Nem mesmo o cheiro de verão e o néctar das flores do parque mexiam comigo.

Em Londres éramos um casal com uma filha, a alegre Frieda, loira e obstinada, mas que ainda me deixava preservar minha

autonomia. No momento em que minha mãe beijou meu filho na bochecha, percebi que eu é que tinha nascido, que, no dia dezessete de janeiro deste ano, nascera em um parto assistido por Winifred Davies na Court Green.
Nasci e tornei a ser vaca e perdi meu próprio rumo.
O precioso rumo.
A luminosa autonomia, duramente conquistada depois de anos de liberdade e formação.
Nasci no dia dezessete de janeiro e me tornei a nova Aurelia Plath.
Tomara que ela goste da casa, pensei na viagem de carro de volta. Que nosso amor conjugal seja claro e luminoso como o orvalho. Que ela ame o jardim. As crianças. A mim. Que eu consiga recebê-la. Tomara que meus antigos medos não invadam o presente. Que ela fique feliz por estar no nosso mundo por um tempo. Que seja de verdade. Que as palavras das minhas cartas sejam verdadeiras. *Esta é a melhor vida que já vivi. As crianças são pequenos ímãs de amor...* Tomara que ela queira se instalar a alguns quarteirões de nós. Que tudo corra bem e que ela goste da Inglaterra. Que eu seja nova — que eu seja luz.

Eu, Ted e o bebê ficamos calados enquanto minha mãe escutava a conversa fofa de Frieda no banco de trás. Saímos do carro na entrada da garagem, e era como se fosse uma casa completamente nova, nossa Court Green enorme e branca, à chegada da minha mãe. Vi-a através dos olhos dela.

Ela inspecionou o telhado de colmo, os paralelepípedos — e eu olhei para minha mãe: ela envelhecera. Eu sabia que ela usava bobes no cabelo à noite para deixá-lo lindamente encaracolado no dia seguinte. Eu sabia que perfume ela exalava, a posição exata do seu tubo de creme de mão sobre a mesa de cabeceira e como suas mãos se entrelaçavam quando ela o passava. Eu sabia de que forma ela escolhera ser mãe, mas não sabia nada sobre seus sentimentos mais íntimos e ainda menos sobre o que ela realmente pensava de mim. Havia passado a vida inteira adivinhando, querendo extrair uma reação dela, forçando-a a se chocar com minha irreverente conduta na vida, se não tivesse amor, eu pelo menos queria uma reação.

Minha mãe pousou suas malas no hall de entrada e endireitou um quadro na parede. Eu já estava na porta da varanda para deixar as cortinas esvoaçarem e o perfume das flores do jardim se infiltrar. Nada podia cheirar nem sequer um pouquinho a mofo. Eu queria que fosse estonteante.

"Aqui, mãe, aqui está seu quarto, preparamos tudo para você!", minha voz matraqueou. Frieda atrás de mim feito uma cola, era como se passássemos dançando sobre o piso. Enquanto a boca da minha mãe formava um "O". Enquanto ela mostrava admiração, enquanto ela era atenciosa em sua admiração, enquanto havia um momento teatral e nós estávamos no transe da chegada. O momento em que tudo estava diante de nós em branco como uma carta. Minha mãe era pura quando fazia seu "O". Ela estava admirada porque tudo era tão bonito! Ela me afagou as costas sobre o vestido azul-claro, na cintura. Minha boca era um coração vermelho. Eu era o tema, eu era a personagem, eu era a boa atriz. Eu era a filha, a mãe e a esposa. Eu era todos os papéis.

Eu sempre soube como os papéis eram interpretados.

Como, por exemplo, um sorriso consome as bochechas, fazendo desaparecer as tristezas e as lembranças difíceis num passe de mágica. Como brota feito duas flores de um caule. Aberto, desejoso, curvado. Aquele sorriso continha tudo o que eu possuía e mais um pouco. Sorriso largo. Sorriso genuíno. Sorriso maravilhoso.

Bati na pequena guirlanda que havíamos pendurado sobre a ombreira da porta do quarto de hóspedes para que tremulasse na hora em que minha mãe entrasse. *Bem-vinda à Court Green, mãe.* "Adorei", exclamou minha mãe. "Adorei!" Eu já podia ouvir como Ted escutava essas palavras exageradas, podia ouvir muito bem como soava americano. Afinal, eu havia adquirido os ouvidos dele, eu também tinha o olhar inglês. Para mim, era como se fosse Natal. Para Frieda também. Era um teatro. E o Papai Noel era minha mãe, sua avó, que sentou em cima da colcha, a branca, e passou uma mão sobre ela para alisar tudo. Disse:

"Vocês são boas crianças? Você e seu irmãozinho são bonzinhos com sua mãe?"

"Siiim, vovó!", gritou Frieda, levando minha mãe para o jardim, para o ruibarbo. Fui atrás, pois sabia que a grama ainda abrigava pilhas de urtigas em alguns lugares. Urtigas murchas exalam um cheiro pungente, feno e sapo, e eu não queria que minha mãe tivesse a oportunidade de fazer comentários a esse respeito.

A casa, quando a vi pelos olhos dela, o jardim, quando ela passou por ele — tudo estava desgastado e precisava de uma reforma urgente. A sensação incômoda na espinha e o gosto de sangue na boca me fizeram saber que minha mãe, de fato, era uma intrusa. Ted veio atrás, e havia claramente uma colisão no ar, a maneira como ela arrastava os olhos por tudo, era de enlouquecer! Ela tirou uma luva que estava jogada na grama e a enfiou no bolso, em seguida passou os dedos pelo laburno, descobrindo ramas de angélica menor debaixo dele, as quais arrancou sem perguntar.

Ali estava minha mãe com a angélica nas mãos, a erva daninha clorofilada que, assim como ela, estava invadindo meu jardim. Como eu poderia descrever aquilo? Palpitações, garganta seca, sangue rarefeito nos músculos congelados, eu precisava de uma garrafa de vinho para me endireitar, precisava da roupa de proteção que os apicultores malucos usavam.

"Você precisa ficar de olho nisso, Sylvia", disse Aurelia em seu tom brusco, aquele que se tornava brusco no trato comigo. Ela segurou a pequena planta. "É um tipo de erva daninha especial que se torna *permanente*. Você não consegue se livrar dela. Se não se esforçar."

Minha mãe — nunca negando seu caráter! Engasguei-me, era uma loucura, virei a cabeça para encontrar o olhar de Ted, o olhar de cumplicidade, mas ele apenas me lançou uma rápida olhadela, ELE SABIA QUE MINHA MÃE FICAVA ASSIM.

"É preciso se assegurar de eliminar cada brotinho, por menor que seja", disse Aurelia, ajoelhada ao pé do laburno.

E eu, o que eu disse?

"Tudo bem!"

Me abaixei na grama com a bunda para o ar e fiz exatamente o que ela mandou.

Olhei para todas as outras plantas que realmente cresciam bem. O ruibarbo, com um metro de altura, será que ela não conseguia ver? E as plantinhas de morango e morango silvestre com suas folhas brancas nas caixas... Eu havia me gabado muito das flores de macieira na minha última carta. Agora as pequenas pétalas rosadas estavam no chão. Mas os lilases! As dedaleiras que estavam prestes a florescer! Havia tanto erotismo aqui, tanta beleza em nosso jardim, mas tudo que minha mãe enxergava era a angélica!

Sufoquei minha tristeza, reanimando-me com a visão de Ted, que apareceu na soleira do nosso reino, ele, a flor mais alta e mais bela de todas, ainda de fato meu, ainda, ele era.

"Agora, agora teremos comes e bebes", eu disse à minha mãe, que ergueu os olhos.

Amamentei meu bebê enquanto nos acomodamos à mesa, e minha mãe continuou a falar sobre o controle de pragas — nos Estados Unidos, havia um químico particularmente eficaz — e Ted fazia hum-hum, lançando olhares ocasionais para mim.

Não posso confiar em ninguém, pensei, ao olhar para os rostos de Ted e Aurelia: estranhos, não passam de estranhos. *Ninguém pode me dar meu amor.*

Então passei o olhar para o bebê, meu terno bebê de pele macia e lábios cheios. Ele estava satisfeito e olhou para mim com seu sorriso inocente, aquele que fazia meu coração desacelerar ou perder a conta de suas batidas. Tão fofo, tão meigo ele era. E todas as outras pessoas estavam só enterradas em seus próprios interesses e motivações. Meu filho e eu éramos os únicos que estávamos em mãos firmes. Estávamos na euforia, nas mãos de Deus, na palma das largas mãos do universo.

"Só nós que sabemos, você e eu, Nicholas", sussurrei ternamente, beijando-o na bochecha aveludada. Mas então ele começou a chorar. Ele esperneou. Aurelia olhou para mim como se eu tivesse feito algo errado. Meu coração disparou. Ted não parava de falar de um corvo que havia apresentado a Frieda outro dia; era uma história que ele recriava para minha mãe naquele exato momento, e a impetuosidade de seus olhos combinava perfeitamente.

"O filhote de corvo sentou e começou a bicar os dedos de Frieda, ele praticamente a *mordeu*, pode imaginar?", disse Ted.

"Mas que corvo feio, fazer assim com Frieda não pode!", exclamou minha mãe, puxando a mão de Frieda até conseguir beijar as costas da mão da menina. Frieda choramingou e se soltou. Ted se levantou, e alguma coisa caiu da sua calça na grama; era um envelope que ele devia estar carregando no bolso de trás.

Gritei no meio do choro de Nick, enquanto o coração martelava no peito: "Você deixou cair uma coisa, Ted! Você deixou cair uma carta!".

Ele pegou, parando na grama para nos oferecer algum tipo de reação. Encolheu os ombros.

"Ah, foi só um envelope vazio", disse, e se retirou a passos arrastados ao longo da fileira de laburnos, eu tive que acalmar Nick sozinha.

Minha mãe me passou um guardanapo.

Quando minha mãe não podia ver, quando ela estava levando as crianças no carrinho para passear, então pude pegar Ted pelo braço e perguntar. Seu cotovelo resistiu. "Isso daqui não dá", desabafei. "Nossos corações batem na mesma casa, mas não nos vemos."
"Calma, Sylvia, não se exalte assim. Vamos ser razoáveis..."
Nossos dois corações na casa, o choro dos nossos filhos, nossas conversas literárias, nossas conversas sobre tudo, todo o resto no mundo também, e tilintares e risadas de refeições compartilhadas, e vizinhos batendo à porta e entrando sem pedir permissão — meus caprichos, as manias de Ted, as fugas de Beethoven e os concertos para piano na vitrola, e Ted acordado de noite à mesa da cozinha recitando obras de dramaturgia para a BBC, meus gritos cortando a casa quando eu gozava — e agora isso, depois da chegada de Aurelia: silêncio apavorado.
Ted nem queria mais pescar.
Ted nem queria fazer cócegas em Frieda até ela chorar de tanto rir.

Ted havia até abandonado seus livros de jardinagem, estavam abertos aqui e ali, mas assim que Aurelia se deparou com eles, logo os fechou e os espremeu nas nossas estantes (construídas por Ted).

Ted nem queria fazer amor comigo, a última vez que fizemos e eu joguei uma rosa nele — aquela foi a última vez.

Deus, quem era o verdadeiro responsável pelo erro cometido? Havia um buquê de papoulas na mesa da cozinha, as pétalas murchas caindo como labaredas, línguas vermelhas e vulgares, enquanto olhavam para nós.

"O que está acontecendo, Ted? Não te reconheço. Por que está tão calado? Por que tem se fechado numa concha?"

"Não estou nem um pouco interessado na sua mãe e nos jogos dela, no jeito que ela te trata."

"O jeito que ela me trata?"

"O que ela faz com você é intolerável, Sylvia. Você mesma sabe disso. Como ela me odeia, e como o enorme olho dela reina sobre tudo, e você não quer isso, Sylvia, você não quer."

"Não quero o quê?"

Ao fundo, o carteiro chegou; houve um estrondo na caixa de correio e eu tive um sobressalto com o som. O que ele estava querendo dizer, do que estava falando? A conversa não tomava o rumo que eu havia escolhido.

"Você não quer ser um fantoche para as fantasias dela! Escute só como renega seu próprio romance — seu próprio ofício de escritora —, você nem está sendo honesta em relação a isso, Sylvia!"

Seus olhos como duas cruzes duras e condenatórias.

Eu queimaria naquela cruz. E tudo que eu queria ter era a ternura dele, sua compreensão, sua barriga quente segura peluda sobre a qual deitar acalmada.

"Você não tem direito nenhum de ficar julgando minha mãe e a mim", retruquei. "Você se acha tão perfeito?"

"Perfeito, Sylvia, a perfeição nunca me atraiu", veio a resposta imediata. Ted serviu um copo de refresco de amora para si e tirou um pote de coalhada da geladeira para passar num bolinho seco.

Depois, ele se debruçou indiferente sobre o jornal da manhã em cima da mesa. Leu um pouco.

Foi com brilho nos olhos que me fitou novamente.

"A única coisa que desejo é evitar passar pelo mundo sendo falso", disse. "Você está sendo falsa quando reprime seu dom dessa forma. Falsa, Sylvia, falsa quando se envergonha e rebaixa sua escrita. Em vez disso, deveria pedir a ela que lesse *A redoma de vidro*. Caramba, aí eu ia te admirar!"

Não pude fazer nada além de engolir em seco e ficar quieta.

Quer dizer que ele escutara nossa conversa no sofá ontem? Depois de as crianças terem ido dormir, me abri com a minha mãe e me acomodei no sofá com minhas longas pernas bronzeadas de bermuda, pondo uma manta sobre os pés e mexendo no meu chá. Expliquei que havia escrito um romance que atrairia leitoras jovens e que abordava uma experiência de mademoiselle parecida com a minha. "Mas essa garota, Esther Greenwood, é muito mais afiada e perspicaz do que eu, por isso se mete em frias, além do mais, ela tem uma rica vida amorosa e uma autoconfiança que supera até a minha", ri.

"É autobiográfico de alguma forma?", perguntou minha mãe. É claro que desconfiou do nome: Greenwood, traduzido do nome austríaco da sua própria mãe, Grünwald.

"Nem um pouco", respondi.

"Meu Deus", dizia Ted agora. "Meu Deus, como você mentiu."

"Vá se foder, Ted", rosnei, mas Ted não demonstrou nenhum sinal de reconciliação ou compreensão ou ternura, chamando de autocomiseração o que eu estava fazendo. Eu estava presa numa armadilha — logo Aurelia e as crianças estariam de volta. E então eu teria de produzir meu sorriso outra vez.

"Aliás, quer saber?", Ted se empertigou. "Comecei a escrever de novo. A primavera inteira fiquei parado — como semimorto, havia tanta coisa com Nick e a casa — mas agora. Talvez você esteja olhando para um futuro vencedor do prêmio Nobel."

Ele ensaiou um sorriso.

"Entendi", eu disse. No mesmo instante a autocomiseração se foi, e o desespero não existia mais. Vi o homem pequeno que ele era.

"Que piada", falei. "A melhor que já ouvi este ano."

Em seguida a porta da frente bateu, Aurelia chamou: "Ô de casa! Chegamos!". Esfreguei os olhos e me alonguei, aqui eu tinha meu público, meus fãs, aqui eu tinha nosso amor mútuo, aquele do qual Ted acabara de sair.

E assim tudo era fato consumado quando o telefone tocou. Dia claro de julho, corrosivo como açúcar quente. Ted tinha feito um bolo. Ted tinha cortado lenha no toco de árvore. Ted tinha vestido seu macacão e arrancado urtigas de quatro. Tinha colhido abobrinhas, e todas as noites tínhamos comido espinafre salteado na manteiga, embora eu me arrepiasse com o sabor de feno. Ted tinha feito sala para minha mãe. Ted tinha enfiado seu pau duro dentro de mim, mas eu me desvencilhei dele pois senti o calibre de seus esforços: não era comigo que ele estava fazendo amor. Os olhos fechados eram um sinal evidente demais. Ted tinha tocado a Grande Fuga no funeral do nosso vizinho Percy. Ted tinha passado por todos os capítulos da apicultura com minha mãe...
    Ted havia se trancado no escritório e escrito cartas.
    Agora essas cartas viriam à luz, no momento em que peguei o fone frio do aparelho na minha mão quente. Nick, uma pequena marmota sobre meu ombro como de costume.

"Alô, aqui é Sylvia Plath, quem deseja?", perguntei à pessoa do outro lado da linha, eu estava no que ainda era meu reino e perguntei.

Nick no meu braço e minha mãe na cozinha e Ted, ele era um homem que desaparecia, eu nunca sabia onde estava. No jardim, caminhando pelas colinas de Devon, com Frieda junto à colmeia, na casa do falecido Percy.

No entanto, eu sabia que ele estava no escritório.

"Posso deixar um recado de quem?", perguntei. Já havia percebido pela voz que havia algo estranho.

Uma pessoa normal fazendo uma ligação não se comportava assim.

Era alguém que estava se contorcendo.

Era alguém que estava mentindo!

E o teto caiu na minha cabeça no mesmo instante. O destino. Era aquela mulher... Podia saber pela voz. Era aquela mulher que havia entrado em nossa vida logo antes da chegada de Aurelia. Ela entrara sob a luz da lua cheia e naquele momento parei de ser protegida. Outra pessoa se apoderou da história para escrevê-la.

Essa outra pessoa estava ligando agora.

Oh, fogo que consumia!

Ela disse sem rodeios e com sinceridade que era homem, era um tal de SR. POTTER que estava ligando e queria falar com Ted.

"Sr. Potter?", rosnei.

A mulher ao telefone não se saiu nada bem como homem. Era Assia Wevill. Ela estava mentindo. Ela estava atrás de Ted.

"TED!", gritei. "HÁ UMA PESSOA ESTRANHA NO TELEFONE QUE QUER FALAR COM VOCÊ!"

Eu a visualizei, olhar duro, língua dura, fogo duro que me queimaria.

Morta, invocando minha casa.
Morta, querendo saber do meu destino.
Morta, forçando sua entrada no meu corpo.
"Como é seu nome mesmo?", perguntei à voz no telefone.
"Pode dizer que é o sr. Potter."
Ted desceu do escritório, seu olhar passando rápido sobre mim. Ele se agachou e sentou na cadeira ao lado do telefone. Permaneci serena ali. Agora ele teria de se mostrar. Agora teria de mostrar o que queria com a mentira. Eles realmente achavam que poderiam me enganar?
Coitados!
Tive vontade de rir.
Ted falou baixo, respondendo a perguntas feitas, e marcou um encontro. "Sim, sr. Potter, também gostaria de vê-lo, podemos marcar uma data já, favor me telegrafar se houver algum impedimento." Tão formal, tão formal, mais formal que um oficial!, pensei animada comigo mesma, porque agora eu tinha na mão o poder sobre suas mentiras.
O grande silêncio no momento em que ele pôs o telefone no gancho. Nem mesmo a voz e os sons corporais de Nick podiam ser ouvidos. Silêncio de igreja. Ted com culpa nos olhos. E eu, irada como uma fúria, me ergui feito uma onda do mar contra ele e me estufei o quanto pude. "Seu mentiroso!", gritei. Foi um dos encontros mais decisivos da nossa vida. "Seu mentiroso, seu desprezível mentiroso, seu *homenzinho*", declamei, como se estivesse bem acima dele e ele fosse um ouvinte numa praça. As vozes não ecoavam, e minha mãe estava a salvo na cozinha com Frieda. Ted engoliu em seco.
"O que está acontecendo, Sylvia?", disse ele. "Do que você está falando? Não estou entendendo."
Agarrei seu pulso, embora soubesse que estava ultrapassando os limites.

"Me diga quem ligou e distorceu a voz!", exigi. "Me diga isso, a não ser que ache que sou idiota."

"Você está louca, Sylvia!", disse Ted. "Você enlouqueceu." Ele se desvencilhou de mim, pronto para sair à luz do jardim outra vez.

"Não ouse falar assim comigo! Não ouse me chamar de louca! Não ouse projetar suas mentiras em mim... Não ouse!"

E Ted olhou para mim, essa outra pessoa que havia surgido diante de mim. Ele tomara o lado da outra mulher e com ela nos olhos ele agora olhava para mim.

UMA ÚNICA COISA LATEJOU EM MIM QUANDO ARRANQUEI O FIO DO TELEFONE E DEIXEI UM BURACO NA PAREDE DA CASA DE COURT GREEN, UM BURACO NA PAREDE PARA TODA A ETERNIDADE, QUE ALGUÉM TERIA DE REMENDAR E FECHAR COM MASSA DEPOIS DE EU TER SAÍDO DA CASA; UMA ÚNICA COISA LATEJOU EM MIM, OU MELHOR, DUAS:

1. ODEIO-O COMO OUTRORA O AMAVA.
2. ESCREVEREI SOBRE ISSO.

Olhei fixamente para o buraco que atravessava a parede branca do hall de entrada. Estava ofegante. Para dentro das cavernas, para dentro das cavernas mais profundas e repulsivas de nossas vidas. Ted não deveria poder ser uma pessoa tão desprezível, pensei, não deveria poder se mostrar ser tão desprezível! Tudo que eu havia escondido e enfiado no fundo das minhas mais profundas cavernas da vida, ele agora arrancava, e o caminho estava livre para meus horrores meus segredos minhas doenças minha total exaustão despontarem.

Agora não!, pensei, olhando para o buraco. Ouvi a voz da minha mãe conversando com Ted na cozinha. "Não, Sylvia teve que descansar, deve estar descansando no quarto", disse ele, mas era mentira, eu estava aqui olhando para meu próprio buraco na parede. Só pensei uma coisa: agora não! Agora não, Ted! Agora não, estou sem resistência! Agora não, estou cansada até a medula, estou cansada demais!!!!!!

As noites.
Se os dias eram dele, as noites eram minhas.
Eu ficava acordada de noite, eu não dormia.
Sempre que Nick acordava, eu lhe dava o peito e tentava evocar aquela calma que seria suficiente para o impulso do cérebro fazer seu trabalho: naqueles momentos era importante que eu estivesse calma, permitindo que o leite descesse para ele. De mim, para ele, em toda a nossa solidão. Agora já viera à tona, eu nem podia sentir o calor do pé de Ted, havíamos nos tornado estranhos um ao outro, agora já tinha sido exposto.
Somente minha mãe e meus filhos que nada sabiam.
Eu os tratava como idiotas do vilarejo durante o dia — ficava calada, calada e dócil, enquanto sofria durante a noite.
Olhei para seu dorso. Eu o amava... Ele também tão só, tão desgraçadamente só, ele também preso a seu destino, o pequeno homem, embora de repente acreditasse ser muito livre... Preso a seu inevitável destino, cheio dos vermes que rastejariam sobre seu corpo quando morresse... e os pássaros que saltitariam ao re-

dor engolindo os vermes... Ted, você não vê que estamos intimamente ligados? Não vê que você só ficou louco? Não vê que, se me abandonar, também abandonará tudo aquilo a que aspirou na vida, a plena iluminação, uma verdade maior, a emancipação e a liberdade de pensamento da casta mais alta?

Sou forte demais para você?

Poeta ardente demais para você?

Minha felicidade é maravilhosa demais quando estou feliz?

Sou quente e intensa demais, *oblitero* demais a hesitante seriedade da sua própria vida, de modo que você não pode ficar em paz, não pode controlá-la à vontade? Minha força é perfeita demais quando fico deitada aqui com meus poemas à noite? Você não suporta que eu seja uma pessoa de sentimentos e amor? Não suporta que eu seja real?

Eu também amo, Ted... Também sou frágil e terna. Você sabe! Por que está fazendo isso... Não há volta, não há misericórdia na hora da verdade, quando pensa que está desenterrando a verdade das dores do seu coração? *Assia Wevill não é a verdade!*

Não caia nessa, Ted, você está tendo algum tipo de crise ou algo assim, mas isso aqui não é *verdade!*

Por que está caindo na armadilha...?

Durante a noite, eu podia respirar e me relacionar com o mundo sem interagir com ele, sem que as ameaças estivessem presentes. Eu podia respirar e ruminar. Nenhuma criança chamava por mamãe, nenhum vizinho me pedia um sorriso, nenhum marido mentia na minha cara. Ninguém pegava o que eu dizia e gritava: Cale a boca! A tristeza e a loucura eram só minhas e estavam iluminadas por uma escassa lua. Como a vida é crua e esquelética, pensei. Tão... encolhida. Já que ninguém escuta minha felicidade, ninguém escuta minhas intenções com a vida. Ninguém quer seguir meus planos...

Clamei na loucura, mas não havia ninguém lá para ouvir.
Pai, pensei.
Pai, por que me abandonou? Pela primeira vez na noite inteira, os olhos estavam transbordando de líquido salgado... Tremi de choro. Nick se mexeu no sono. Chorei tudo, até formar um lago no lençol, todo o luto por minha vida com Ted ali, tudo estava derramado à nossa frente. Se ele fosse um homem de verdade, forte, teria acordado e me abraçado, por mais apaixonado que estivesse por uma vadia qualquer. Mas ele *não* era um homem forte, ele não acordou. Eu não queria ficar deitada aqui neste quarto miserável e ser fogo e terra e lágrimas, todos os elementos ao mesmo tempo, não queria estar tão só em tudo. Mas eu estava. De agora em diante eu estava sozinha na vida toda, e nesta noite de final de julho me dei conta de que teria de lidar com a parentalidade os dias as noites as tristezas o amor perdido tudo sozinha.
Fui chamada.
Às cinco da manhã, Nick quis mamar de novo, mas dessa vez o leite não desceu.
Ele miou e chorou por um tempo rolando no molhado que minhas lágrimas haviam criado, mas aí Ted acordou, ele acordou e grunhiu, pondo a palma da mão sobre a barriga de Nick para o filho se acalmar.
"Por que não o amamenta?", perguntou.
Olhei bem nos olhos de Ted.
"Não tenho leite", disse. "Não sai nada."
Eu podia ter imaginado alguma simpatia em resposta, mas Ted estava bravo porque Nick berrava.
Chorei outra vez, lágrimas silenciosas, lentas.
"Pelo amor de Deus, Sylvia, dê-lhe de mamar", reclamou Ted, virando-se violentamente na cama.
"Mas o leite não desce! Você não entende... Não tem leite!"

Nick, seu corpinho contorcido, chorou como quando nasceu — uivando e com o rosto azul, nada contente. E ele não parou de amassar meu mamilo com sua boca dura, mas nada desceu — o impulso não surgiu — não fui capaz de mobilizar a calma necessária no corpo para o leite descer.

É SUA CULPA TED!, era tudo que eu pensava.

"Que merda você fez?", exclamou ele ao apalpar com a mão e descobrir que meu lado do lençol estava molhado. "Manicômio desgraçado."

Ted enfiou os dedos nos ouvidos e se virou.

Eu estremeci e tremi. Se ao menos não tivesse ficado acordada. Eu realmente precisava dormir durante a noite! Não dava! Mas era o único tempo que eu tinha! Era meu único tempo para ser uma pessoa e pensar! Ted desgraçado, chorei (calada e quieta, sem dizer nada).

Depois me virei para nosso filho.

"Pronto, filhinho."

Pensei que as palavras fariam o leite descer. Se eu de alguma forma aquietasse meu corpo. Eu sabia que essa era a tarefa de Ted, era ele quem deveria nos acalmar, mas ele estava virado para o outro lado com os dedos tampando os ouvidos.

Mal pude acreditar que era verdade, que eu estava passando por isso.

"Pronto, filhinho. Mame agora, tenha paciência, o leite da mamãe talvez desça..."

Mas não desceu.

Nicholas sugava bravamente.

Eu estava muito cansada e muito aflita.

Pensei na voz de Assia, como havia soado no telefone, visualizei-a fazendo de tudo para distorcer a voz: segurando o nariz com as duas mãos, projetando o queixo para fora e ficando feia como um monstro...

Ela havia arruinado nossa vida e minha maternidade. Ela, em conluio com Ted, ele que estava deitado aqui, ele cujo sangue bombeava nas veias do meu filho. Era tudo tão nojento, como se fosse feito de lama e nunca mais pudesse ficar limpo!

Quando acordei de manhã, Ted tinha saído, e lá embaixo, à mesa do café da manhã, toquei no ombro da minha mãe e disse:

"Mãe, estou cansada, não dormi nada a noite inteira, será que você pode levar as crianças para passear hoje?"

Minha mãe não protestou, ela pegou sua roupa recém-lavada, estendeu no varal que Ted havia esticado entre o olmo e o carvalho e voltou com um plano para o dia: sim, levaria as crianças até as cabras lá no alto da colina, e depois fariam uma visita a Winifred Davies, minha parteira, disse ela.

Bocejei e pedi que mandasse lembranças minhas.

Em seguida, ela tirou os bobes, deixando-os na cestinha da mesa do telefone, e então os olhos da minha mãe gravitaram para o buraco na parede, onde eu havia arrancado a tomada do telefone no dia anterior.

"Meu Deus, o que aconteceu aqui?", perguntou ela apontando.

Encolhi os ombros.

"Não foi nada, um acidente, Ted deve ter puxado o cabo com muita força ao receber uma ligação."

Eu tinha preparado a papinha e estava segurando a mamadeira, que Aurelia pegou devagar. Uma expressão carregada em seu rosto. Eu sabia de cor suas falas, ela disse:

"Vão ter que arrumar isso. Precisam consertar o buraco antes que uma criança enfie o dedo no equipamento elétrico e morra!"

Suspirei.

"Calma, mãe. Não seja tão dramática. Vamos chamar alguém para consertar isso aí."

Eu já vislumbrava o futuro no olhar da minha mãe, vislumbrava a morte e a decadência. Se ela ao menos não fosse tão austríaca, exuberante, perfeita e dura! Dura como aço era ela, Aurelia.

Tão logo a pequena tripulação saiu pela porta da frente eu os observei avançar vários metros sobre os paralelepípedos. Tão logo estavam fora de alcance eu estava lá dentro "descansando". Corri ruidosamente os dez metros escada acima até o escritório de Ted no sótão.

De uma forma ou de outra, eu nos purgaria da escrita, daquilo que nos impelia à morte.

Escancarei a porta e como uma assaltante — os movimentos me eram familiares — vasculhei seus papéis e cartas largados sobre a mesa, alguns voaram para o chão, alguns farfalharam e foram amarrotados por minha mão furiosa. Não toquei em seus poemas, mas suas cartas! Seus poemas eu havia tocado em outra ocasião, num surto de inveja e ciúmes, mas era um momento diferente, havia questões em jogo na época e aquele ataque tinha a ver com algo inventado na minha própria cabeça, mas isso aqui! Isso aqui surgiu de uma verdade real! Era culpa dele! A culpa era toda de Ted!

Corri para baixo com os braços cheios, meus passos eram infernais, eu estava tão podre de raiva, tanta podridão, eu mesma podia sentir, quanta lama subia dentro de mim, como se eu na realidade fosse feita inteiramente de lodo. Agora eu estava com sua quimera nos braços, agora eu estava prenhe de suas doces palavras de amor... Trocadas entre ele e aquela mulher, aquela outra bruxa que agora mesmo estava segurando sua mão em Londres. Joguei as cartas ao lado do toco de cortar lenha, nosso lugar de fazer fogo, entre a alface e o repolho roxo. Preparei um balde de água para ter à mão, caso outras coisas além das cartas pegassem fogo. Corri para dentro de casa (que cheirava a mofo, eca, que fedor que tinha aqui dentro, quem chegava de fora sentia, corri para todos os lados tapando o nariz) e busquei fósforos. Risquei o fósforo na lateral da caixa com força e fúria até uma chama incandescente e curta se levantar. Depois, as cartas sumiram num piscar de olhos. Eu não as havia lido, mas naquele exato momento vi a prova: o nome Assia se materializou numa tira de papel que era consumida pelo fogo. E a autora do crime dessa vez era eu.

Corri até a tabacaria e comprei um maço de cigarros, para a grande surpresa da mocinha atrás do balcão.

"Nunca se case", sibilei a ela e sorri.

Você podia fumar um cigarro.

Você podia rir na cara da sua mãe.

Você podia gritar com seu marido à noite.

Na noite passada ele estivera prestes a me bater.

O que havia dentro de mim que *apreciava* esse fragmento de crua realidade, como se os demônios internos de Ted finalmente borbulhassem e ganhassem o controle?

Eu amava Ted.

Assim como a boca podia amar um cigarro.

O fumo me envenenava e eu me sentia crua e gloriosa, e ao mesmo tempo tão traiçoeira; pois o que eu realmente fazia quando gritava alto de noite e queimava cartas que pertenciam ao meu marido... e fumava cigarros fortes e brancos?

Mas eu fazia amor com meu cigarro, com meus próprios pulmões, esta era a força cuja revelação final eu havia imaginado a vida inteira, sim, caramba, como queima, pensei. Sim, caramba, como queima bem.

Ted chutava as cinzas com sua bota, pequenos flocos rodopiavam no ar.
Eu estava sentada na espreguiçadeira ao lado das begônias, tragando e soprando, ainda não havia aprendido a fumar direito.
"Agora você se muda", eu disse em voz alta para que ele me escutasse lá no jardim.
"Você está louca, Sylvia", disse Ted e se aproximou de mim a passos largos. "Louca varrida. Você deveria ser internada em algum lugar, para não ser mais um perigo para mim e para as crianças."
Este jardim — que compramos no verão passado. Ha!
Agora eu bati as cinzas do cigarro sobre ele.
"Você realmente quer projetar sua loucura em mim? Você está doente!"
"Pare de falar que estou doente! Sempre termina com você dizendo que estou doente."
"Quieto, minha mãe está dentro da casa e pode nos escutar."
"Por que raio está fumando? Você não fuma!"
"Você não tem a menor ideia do que faço ou deixo de fazer. Faço aulas de equitação em Dartmoor, você sabia disso?"
O que dentro de mim se elevava, como se eu estivesse ganhando?
Que luz era essa que havia aberto sua porta dentro de mim?
Que sala branca de mármore... De onde vinha o desejo? Será que era a nicotina, aquele veneno que punham nos cigarros...
Fumar na frente de Ted, deixar o fogo me consumir enquanto ele assistia, cheirar a algo forte e inusitado, era glorioso demais.

"Detesto fumaça de cigarro, por favor", Ted se instalou na espreguiçadeira.
Funguei.
"Não quando Assia Wevill fuma."
Meu coração palpitava forte. Eu era como uma pequena lebre apavorada olhando para os faróis de um carro pela primeira vez na vida e pensando que devia correr em direção à luz.
Ted procurou minha mão, mas eu não tinha nenhuma a lhe dar. Ele suspirou diante do meu jeito de rejeitá-lo, tentando fazer o papel de quem estava são, já que era dia e minha mãe ainda estava na casa.
Durante a noite ele havia dito:
"Olhe para você, Sylvia. Tão pouco sensual, não sinto mais atração por você; para mim, você é como um trapo gasto, e vivo nesse ninho de escorpião há anos, pensando que você me daria segurança no casamento, percebo isso agora, por isso quis comprar uma casa tão boa com você, por isso me dignei a me casar com você."
Ele chorou quando falou isso, seu queixo ensaiou um movimento como que de suavidade, lastimável, e seu perfil estremeceu, mas vi como ele todo na verdade era uma lança.
"Passei minha vida inteira buscando segurança."
Naquele ponto, ele soluçou.
Com sua barriga nua e peluda, que não mais me pertencia. Na beira da cama, para a qual eu não mais tinha permissão de estender a mão.
Durante a noite ele havia dito:
"Sylvia, você tem razão, conheci outra pessoa, e me sinto vivo pela primeira vez em sete anos, acredite, estava adormecido o tempo todo que estive com você. Me perdoe! Você entende? *Me perdoe!* Me perdoe por ter estado dormindo, embora seja uma coisa completamente absurda pela qual pedir perdão. Talvez seja

compreensão que devo lhe pedir? Uma última gota de compreensão? Talvez você também tenha estado dormindo, talvez não tenhamos estado de modo algum à vontade?"

Lá vinha sua honestidade e eu me arrepiei com o quanto as palavras me atingiram bem lá no fundo, com o quanto tudo sobre o que eu havia mentido durante nossos anos juntos ganhou vida dentro de mim.

A perfeição meus laços de fita meu êxtase minha maneira especial de estar feliz cujo lado leve foi o único que Ted viu no início, quem aguenta ser tão deliciosamente feliz, quem aguenta só mostrar seu lado bom em todas as situações, quem não se prende nessa tarefa e logo fica esgotada de sua própria glória esplêndida, quem não acaba na miséria da alma, na prostração e depois na morte?

Não me resta nenhuma felicidade, pensei.

Ele sugou minha felicidade, bebeu meu sangue como um vampiro.

Eu havia me deitado na horizontal, como uma corça baleada e pendurada no teto de alguma garagem para drenar o sangue e amaciar a carne.

Durante a noite, Ted havia dito:

"É você que é a porra da fascista, Sylvia! Agora eu vejo... Em toda a minha vida com você, você tentou controlar tudo com sua mão de ferro! Com a desculpa de ser a vítima, pois foi assim que você fez parecer, você na verdade estava ali com sua presunção imperialista americana! E dividiu tudo em pequenos quadriculados, pequenos pedaços mensuráveis, você quis esquartejar a mim e minha esquisitice, Sylvia, porque não conseguiu lidar com ela! Seu ego presunçoso e inflado! Sabe que caí naquela história de vítima, pensei que fosse verdade. Senti pena de você com seu histórico de doença mental, mas sabe de uma coisa, Sylvia, você foi a agressora o tempo todo, é você que é a porra da fascista!"

E ele se levantou nu, andando com seu formoso traseiro pelo quarto, onde Nick dormia seu sono de beleza, nosso lindo menininho, nosso filho em comum.

E eu chorei quando ele andou assim, ele não se importava mais com minha mãe, que estava dormindo no quarto de hóspedes e poderia pular da cama a qualquer momento para perguntar se a casa estava pegando fogo.

Fiquei observando enquanto seu corpo, comprido e musculoso e não mais meu, desprendeu a roupa do gancho e abotoou a camisa e as calças, como tantas vezes antes.

Escancarou a porta do guarda-roupa e arrancou nossa barraca e sua vara de pesca e partiu de madrugada para pescar no rio Taw. Para acordar sob o céu e não a meu lado.

Continuei deitada, chorando e sendo liberada, e era como se meus membros estivessem submetidos a um tratamento de choque elétrico, como se alguém fizesse um exorcismo em mim e um demônio finalmente fosse libertado.

Ted já se foi, chorei calada para mim mesma, abraçando o cobertor e o lençol ensopados com meu pranto. *Ted já se foi*, e o que era essa glória, por que a tristeza ardia tão deliciosamente, por que a sensação de ser humilhada era tão maravilhosa? Por que eu chorava lágrimas tão felizes? Eu olhava para as costas de Nick que subiam e desciam à luz noturna, e era como se eu respirasse ao compasso dele. Por que era tão delicioso sentir aflição de verdade? Por que era tão maravilhoso ser humilhada?

Agora, no jardim, era Ted que tentava uma conciliação, que queria pegar minha mão, aquela que não fumava.

Não olhei para ele, fitei a peônia, como se meu olhar estivesse preso.

"Você não vai dizer nada, Sylvia? Não vamos conversar?"

Mexi meu braço outra vez, pus o cigarro na boca. Havia chegado até a bituca, estava queimando meu dedo.

"Apague esse cigarro agora", disse Ted. "Pare de ser ridícula."

"Cuidado, se não te queimo com ele", rosnei.

"Está me ameaçando? Devo ficar preocupado? Agora devo ter medo de você?"

"Diz o cara que quase me bateu ontem à noite."

"Eu jamais bateria em você!"

"Cale a boca, seu pedaço de merda violento. Espero que bata em Assia tanto quanto foi violento comigo."

"Lá vamos nós de novo! Será que é absolutamente impossível ter uma única conversa com minha esposa? Não podemos conversar como pessoas sóbrias e adultas?"

Risquei o fósforo e traguei outro cigarro com força.

"Então agora é conveniente", eu disse. "Agora sim. Você, adulto! Ha! Sorte sua que Percy está morto, você não precisou ser um fedelho imaturo diante dele. *Mamãe... Acho que estou apaixonado por outra menina... Miau!*"

Dei uma gargalhada crua e alta, que riso era esse em mim, que libertação era essa?

Ele deveria sempre me deixar, era como absinto, era como a emoção de ver seu ex-amante ficar sem oxigênio, perder todo o status e todo o respeito na sociedade.

"Sabe de uma coisa, Ted?" perguntei.

"Não, o quê, minha fumantezinha?"

"Não te admiro mais. Para mim, você é um homenzinho. Você não é ninguém... E percebo que te pus num pedestal um pouco alto demais. Claro. Criei uma história sobre você. Você era uma divindade para mim, um grande homem, fantástico, você era Tudo. Se soubesse como te chamei nos meus livros! Meus diários..."

Traguei e soprei no cigarro.

"Admito *um* erro em toda essa história. Fiz de você alguém que não era, mas você não tem direito de me trair por causa disso. Não tem direito de dizer que devo ser internada em algum lugar, como fez essa noite. Não tem direito de reescrever a realidade assim! Sempre foi uma de suas especialidades."

"Você acabou de dizer que era a *sua* especialidade, não?"

"VOCÊ emprega as palavras para maquiar sua própria realidade!", retruquei. "Você a reescreve até se encaixar. É de conhecimento geral. Meu Deus, eu deveria ter te escutado aquela vez quando você disse que OS POETAS SÃO LOUCOS. Nunca se case com eles."

Ted riu.

"Está falando de você mesma outra vez..."

"Estou falando com você, menino."

"Pare de me chamar de criança."

"Pare de ser criança", arrematei.

"Em *Viagem ao fim da noite*, Céline escreve: É talvez isso que a gente procura pela vida afora, só isso, a maior tristeza para nos tornarmos nós mesmos antes de morrer..."

"O que você quer dizer...?"

"Você sempre teve tanto medo de que isso acontecesse! É como se você..." Ted esfregou as mãos. Então avistou Frieda, que acabara de acordar e havia se postado no vão da porta da varanda, com seu vestido branco e suas meias brancas.

Nossa pureza ali. Nosso amor.

Ele levantou e foi andando na direção dela. "É como se você de alguma forma sempre tivesse desejado que isso acontecesse."

Apaguei o cigarro na espreguiçadeira me sentindo lamacenta por dentro, enjoada com a fumaça do cigarro.

"Como você pode dizer isso, caramba?"

"Por que outra razão você meio que conjurou isso?"

Minha face estava vermelha, senti o sangue subir para o rosto e o coração bater.

Levantei, pronta para outro ataque ou para fugir dali, fugir do nosso amor comum, Frieda, ali, no seu colo. Maldito colo.

"Então, agora você põe a culpa em MIM porque sente tesão por vadias e garotas adolescentes?"

Ted desviou os olhos para o muro, levou rapidamente um dedo indicador à boca e me mandou ficar calada, com dureza.

"Porra, Sylvia! Sua desgraçada!"

Minha mãe apareceu com seus dentes brancos e minha bermuda. Ela tinha um regador verde na mão e começou a regar todos os vasos de begônias.

"Está tudo bem?", perguntou.

"Sim, está tudo bem, fora o fato de que Ted está prestes a me abandonar", respondi jogando o maço de cigarro para longe.

Ted olhou para mim com seu olhar louco.

Eu adorava quando ele me olhava assim, quando eu estava em vantagem.

"O quê?", perguntei a ele, numa tentativa de uma espécie de cochicho. "Sutil não sou. E além do mais, seu canalha (minha mãe ainda estava se fingindo de surda e simplesmente continuava a regar nossas flores), é você que está cometendo essa agressão. Não sou eu! Não tente fazer parecer que sou eu. É você que abandona sua esposa no momento mais vulnerável, no momento em que mais precisa de você, com dois filhos pequenos."

Agora foi Ted quem acendeu um cigarro.

"O erro é de nós dois, Sylvia. Fomos nós que inconscientemente nos pusemos nessa situação. É por isso que dói tanto."

"Você tem que sair daqui!", gritei, apontando com a mão inteira na direção do cemitério da igreja, para a rua do lado de lá do muro que levava para fora daqui, para Crediton, para Okehampton, para longe. Agora ele sairia agora ele iria embora.

Ted deu alguns passos em direção à porta mais distante do muro. SÓ QUE TED NUNCA PODIA PERDER. Ted não podia perder. Eu conhecia seu caminho pela vida, eu sabia que seu ego sempre era maior. Em relação ao papel de mulher desempenhado por mim, meu ego era enorme, mas Ted sempre ganhava, seu ego era monstruoso por trás de toda aquela conversa virtuosa de autoconsciência e espiritualidade.

Em vez de sair pela porta mais distante do muro, ele veio direto até mim, agarrou meu braço desocupado. Reconheci tão bem seu cheiro seu hálito quente em meu ouvido quando sussurrou:

"Sylvia Plath, eu queria que você estivesse morta."

E então ele podia me deixar, deixar meu corpo que de repente estava vazio e mole, eu era uma espécie de tecido tremulando ao vento.

"Tchau, Aurelia, até logo, vou dar uma volta!", gritou Ted para minha mãe, que apareceu na escada.

Minha mãe e eu. Era a última vez que nos víamos. A última de todas. A última na vida. O salto dos sapatos da minha mãe sobre o asfalto. A cada passo, ela me pisoteava como uma barata. E Ted andava ao lado como um soldado. O asfalto era o palco dos dois, o trem logo se tornaria o de Aurelia, onde quer que fossem tinham um palco.

    Minha mãe já havia passado uma semana na casa de Winifred Davies, fingindo que o fazia por ser "mais prático assim". Minha mãe não gostava de louça suja e histórias mal escritas. Teria de haver finais felizes, amor verdadeiro, roupa de lã, seda pura e sabonete bom. Melhor sentir vergonha calada e aguentar firme do que amar no delírio e na loucura.

    Ela estava indo embora.

    Caminhei com passos cansados e vazios para alcançá-los no asfalto, quase parecia que minha mãe era casada com Ted. Esse foi o erro que cometi. E ela estava certa quanto a isso, quando pediu que eu pensasse melhor. Mas eu escolhi Ted, escolhi o cérebro imparável, escolhi o amor e a arte.

Minha mãe nunca teve coragem, ela escolheu alguém na área acadêmica. Um chato, mas uma aposta segura. Otto. Um homem severo com conhecimentos profundos, mas chato por dentro.

AAAaaaah! Eu queria viver! Eu queria fugir da sua vida conformista de subúrbio americano e andar por aí em saltos mais altos do que ela. Em Paris, Londres, na Espanha! Minha gazela linda maravilhosa em formato de batom com uma mente brilhante, tão prodigiosa quanto a de Ted!

E foi nisso que deu.

Neste outono eu completaria trinta anos, todo o verão que eu havia sonhado não dera em nada. Mas eu não estava amargurada, eu me sairia bem sem ele.

"Tchau, mãe", falei, embora ainda faltassem vários minutos para o trem partir.

Ela me olhou dura e como uma austríaca.

Com ela, sempre desejei que eu fosse outra.

Merda, Sylvia, pensei, não quero ser indigna! Nunca mais serei indigna!

Ted me olhou com pena, com aquele novo olhar que ele tinha fazia apenas algumas semanas, que dizia que eu era uma perdedora.

Desejava seu corpo nu, queria me deitar com ele à noite, ou melhor, não queria isso, eu o odiava, lamentava ter me dado a ele, dado e dado do meu corpo.

Estávamos na plataforma. Estendi os braços na esperança de poder abraçá-la.

Ela era quente e firme, ombros duros como um cabide, ela segurava sua filha agora, seu equívoco, e eu queria cair nos seus braços e explicar tudo, mas ao mesmo tempo sabia que não podia, pois minha mãe não sabia consolar, apenas se preocupar.

Pensei numa canção que ela cantou no Natal do ano retrasado, *Edelweiss, abençoe minha terra para sempre*, e houve um impulso bem no fundo de mim que quis me embrulhar dentro da sua mala e voltar com ela para casa, para os Estados Unidos. A luz, a dignidade. Mas eram minhas pedras no coração. Eu precisava resolver esse conflito sozinha.

Minha mãe se inclinou para nossos filhos, Nicholas o único a sorrir um pouco.

"Adeus, minha filha", disse Aurelia e me abraçou uma última vez. Olhei para ela, era quase como se chorasse. Minha mãe chorando? Isso nunca acontecera, mas havia algo molhado no canto de seus olhos. Ainda assim, não causou nenhuma emoção em mim. Eu estava petrificada. Ela afagou minha face gentilmente. "Se cuide agora, minha boa menina."

O soldado ficou observando e raspando o sapato no asfalto. Assistiu a algo que pensava ser desprezível. Nosso amor. Meu e da minha mãe. Então esse foi o modelo para o nosso casamento, eu sabia que ele pensava isso. Um amor imaturo, superficial, americano, desorientado.

E dentro de mim eu disse, com a língua bem apertada entre os dentes: Maldito Ted, não estrague mais este momento.

Depois, o momento passou e ela atacou os netos com um amor menos complicado.

Eu estava sozinha em casa, curvada sobre um assado frio na cozinha.
Minha mãe, Ted, as crianças, todos haviam ido embora.
Agora eu entendia por que havíamos comprado uma casa tão perto das lápides do outro lado do jardim.
Nossa casa também era uma lápide, embora uma versão muito mais majestosa.
Pensei em tudo que havia se arrastado por meu corpo desde então, desde nossa chegada aqui havia exatamente um ano.
Um furacão havia passado por nossas vidas e me deixado náufraga na praia.
Uma pequena lua havia pairado no céu em toda a sua inocência, sua pequenez, e brilhado sobre nós.
A lua ridícula que eu tinha usado nos meus poemas!
Meu romance desajeitado e risível no qual eu havia depositado minha confiança.
Tudo eram destroços!
Nada era verdade!

Meu corpo, rachado ao meio porque a lua achou por bem pôr um bebê ali dentro que depois precisou sair.
No dia dezessete de janeiro ele chegou.
E agora logo seria dezessete de agosto, o aniversário de Ted.
E sua esposa estava naufragada lutando para respirar.
Certa vez pedi ao pároco as chaves da igreja do outro lado do jardim, mas ele não quis me dar.
Eu pedi para poder ir lá de vez em quando para ter um pouco de luz, de alimento.
Tentar ver se eu afinal podia ser iluminada por uma fé.
Como Ted havia dito:
Você é como uma fundamentalista, mas sem a religião.
E em outro estado de espírito, ele traduzira aquelas palavras, substituindo-as por:
Sylvia, você é a porra de uma fascista!
Chorei, chorei, chorei, chorei.
Em pouco tempo, eu me resumi a faces rígidas, salgadas e duras.
Sempre fui atraída pela morte, era verdade o que Ted dissera, só que não da forma como ele apresentou a questão, não no sentido da podridão, do pé amputado do meu pai, dos cadáveres, da anatomia, do bisturi do médico, do sinal de igual entre a lua e a carne. O animal e o humano.
Tive a sensação de que Ted havia me deixado não só por motivos egoístas — parecia também uma espécie de educação — você deve crescer! Levante-se, Sylvia! Seja quem você sempre desejou ser! Não condiz com você se fazer menor do que é! Ele quis me despertar, e ao mesmo tempo foi ele quem me transformou em boneca...
Uma boneca, pois agora eu não tinha força nenhuma no corpo, será que estava ficando com febre de novo, onde estava o termômetro?

* * *

OOOOOOOOOOOOOH, levantei da cama solitária e rodopiei nas tábuas do chão vestida de camisola. Dei um tapa nas minhas próprias bochechas, meus cabelos giravam feito algas secas no ar, por favor, Sylvia, acabe com a imagem de Ted em você, atire nela como se com uma arma! (Disse eu para mim mesma.) Testei a voz no quarto, deixando-a subir, mais alto, mais alto. Agora eu estava falando sozinha em alto e bom som, no quarto com a janela aberta. SYLVIA!, eu disse. AGORA VOCÊ VAI PARAR DE DEIXAR TED DITAR SUA VIDA. É HORA DE VOCÊ SUGÁ-LO COM O ASPIRADOR DE PÓ! Ri da comparação. HAHA, ele era tão pequeno que cabia num saco de aspirador. AFINAL DE CONTAS, A ALEGRIA NUNCA COUBE NA VIDA QUE TIVE COM VOCÊ, TED. SÓ SENTI VERGONHA E DESESPERO O TEMPO TODO. AGORA TE SOLTO, ASSIM COMO QUANDO ALGUÉM SENTE OS DENTES CAÍREM NUM SONHO. MORTO, MORTO, FORA DA MINHA CASA! AGORA SOU A LIBERDADE EM PESSOA!

Eu ainda ficaria alguns meses sozinha na casa, sozinha na grande câmara mortuária com meus filhos, depois, tudo seria esvaziado, os inquilinos se instalariam e eu estaria longe daqui, na Irlanda, em Londres. Se ao menos eu pudesse descobrir o que fazer. O que eu deveria fazer?

Bem, eu poderia ligar para todos os números que tinha numa lista (o telefone estava funcionando agora, um técnico tinha vindo e instalado uma nova tomada). Elizabeth Compton poderia me ajudar — aquela alma gentil que agora mesmo estava cuidando dos meus filhos —, mas eu também precisava de alguém mais permanente. Uma babá. Enrolei o fio do telefone nos dedos, tentando me convencer a esquecer como eu havia segurado o fio do telefone naquele momento, naquela vez que aquela Assia sibilou com sua voz, que era como um vapor passando pelo telefone, um gás venenoso envolvendo Ted com sua bocarra.

Consegui uma indicação, talvez a filha adolescente da irmã de uma amiga pudesse me ajudar a cuidar das crianças algumas noites por semana. Perfeito! Então eu escreveria, então eu montaria a cavalo, então eu seria libertada, então eu estaria sozinha. Era hora de dar a volta por cima, hora de ser uma pessoa! Hora de sair desta velha casa empoeirada! Esta câmara mortuária onde ele me deixara.

Recordei-me de quando pedi as chaves da igreja ao padre, mas ele não quis confiá-las a mim... O que eu havia pensado? Será que pensei em me estirar lá dentro naquele frio glacial e morrer uma morte lenta, para ver se alguém viria me procurar? A rainha do drama. Era hora de me erguer das cinzas, hora de fazer a colheita no jardim.

Liguei para a mulher dos cavalos. Agora eu faria aulas de equitação, meu Deus como eu seria livre, eu precisava correr pelas planícies de alguma forma, deixar um animal maior do que eu mesma, um animal maior do que Ted, um animal maior do que EU, assumir o comando da realidade. Eu usaria Devon para isso, eu ia me levantar da câmara mortuária e montar a cavalo e ver todas essas planícies se elevarem diante de mim, aquelas que queriam me pregar uma peça e me enclausurar em seu labirinto. Eu veria as colinas de Devon do alto, de cima de um cavalo.

A garota que me recebeu no estábulo era jovem e indiferente. Isso mesmo, eu já havia anunciado minhas aulas de equitação a Ted, agora elas se tornariam realidade.

"Você pode ficar com este cavalo", disse a garota.

Eu tinha medo de cavalos.

Os cavalos me lembravam como era ser garota.

Eu tinha um coração que palpitava, eu estava cansada, eu era mãe de dois filhos, mas ainda assim, ainda assim: será que poderia me tornar garota? Eu também poderia?
O cavalo se virou, seus olhos castanhos, uma égua, um lombo para mim.
"Como ela se chama?", perguntei, olhando no olho castanho aveludado.
"Ariel", respondeu a garota dos cavalos.
Pus a palma da mão na sua barriga quente. O pelo era curto e rígido.
A garota me mostrou como amarrar a sela, como subir e sentar.
"Não tem medo de cavalos não, né?"
"Não tenho medo de nada."

Era para eu trotar, para dedicar essa primeira aula ao trote, e a garota dos cavalos me conduziria em cima de Ariel numa pista circular, dando voltas, enquanto nos segurava por uma corda.
"Posso galopar?", perguntei. "Sinto que Ariel não quer trotar."
A garota dos cavalos olhou para mim rígida, sem saber que olhar escolher ao me encarar.
Eu entendia. Eu entendia — meu Deus, eu não deveria ser a pessoa mais fácil para quem escolher um olhar — eu, com meus pensamentos divinos e minhas soluções hiperintelectuais para as difíceis questões da vida!
Me senti consumida por esse pensamento, extática.
Quer dizer que ela não tinha resposta.
Deslizei em direção ao pescoço de Ariel, agarrei o cabresto que a garota dos cavalos segurava com sua corda, e então puxei lentamente a corda toda para mim, até ela soltá-la.
Ninguém estava me segurando, éramos eu e Ariel.

Então toquei a égua, eu já tinha feito isso antes, em algum lugar no meu íntimo eu sabia como fazer, mais ou menos da mesma forma como quando se dá à luz um filho — o conhecimento estava lá no fundo! E as pessoas pensavam que eram só garotas especiais e chatas, as fanáticas por cavalos, que sabiam montar. Ha! Não era o meu caso.

Eu e Ariel cavalgamos pela paisagem ondulante de Devon, por campos em declive com animais de pastoreio a perder de vista, e, em algum lugar ao longe, o horizonte. O silêncio das colinas me sufocou como um cobertor grosso, nenhum lugar da Inglaterra ficava a mais de cento e dez quilômetros do mar, mas que mar? Não era meu mar. Deitei minha barriga sobre as costas de Ariel, sobre seu calor divino que alcançou meu corpo inteiro e fez os músculos relaxarem, o compasso dos cascos de Ariel enquanto percorria majestosamente a paisagem milenar comigo como um rei na garupa. Sem capacete, apenas uma auréola invisível. Se ela me jogasse, eu cairia, Frieda e Nicholas não mais teriam uma mãe, mas nesse caso seria a vontade do diabo e a ironia do destino, e eu não podia fazer nada.

Ri por dentro com o segredo simples que Ariel me revelou, explicando por que as garotas inglesas fanáticas por cavalos podiam continuar a ser chatas para sempre, elas não precisavam progredir na vida como eu: era agradável montar a cavalo, provocava aquela conhecida sensação de titilação entre as pernas que mais cedo ou mais tarde leva ao orgasmo. Tristes garotas fanáticas por cavalos poderiam ficar ali se esfregando no animal, para cima e para baixo, era o suficiente, elas cavalgavam, e para isso não precisavam de homem nenhum, pau nenhum. Então agora eu também sabia disso!

* * *

"Ariel, te amo", eu disse quando voltei várias horas depois. Os cascos raspavam o cascalho. O sol havia se posto sobre North Tawton, e eu estava com a boca seca pelo vento que soprara através de mim, e com sede. As crianças já deviam estar dormindo lá na casa de Elizabeth. Meu Deus, que mãe eu era!
O estábulo estava vazio, as luzes apagadas.
A garota dos cavalos estava encostada no curral. Achei que ela devia se levantar, não ficar sentada ali dormindo! Meu Deus, eu estava pagando pela experiência e não queria ficar trotando em círculos num padoque chato. Queria andar majestosa pela vida como a deusa que a vida me não me dava a chance de ser.
Remexi no bolso em busca de dinheiro para lhe dar.
"Aqui está o pagamento", eu disse para a cansada garota dos cavalos, jogando a nota em cima dela no escuro. Vi que estava com lágrimas no beiço inferior, que seu rosto a proibia de olhar para mim, havia alguma coisa que ela estava remoendo.
"Mas o que FOI?", perguntei a ela. "Eu não podia galopar? Afinal, estou pagando!"
A garota disse trêmula:
"Só fiquei preocupada pensando que alguma coisa tinha acontecido. Não foi combinado que você iria partir com o cavalo. Não dessa primeira vez."
"Nossa, me perdoe então", eu disse, inclinando-me para beijar o pescoço de Ariel. Afaguei-a, agradecendo a liberdade que me fizera sentir.
Sempre esses mercadores que ficavam lá no chão querendo me negar minha liberdade, diminuir a felicidade que eu sentia.
"Além do mais, queremos que use um capacete no futuro."
Ri alto para aquela mesquinha tratadora de cavalos que queria se sobrepor a mim, uma mãe de dois filhos com vinte e

nove anos, marido e profissão de escritora — meu poema "Três mulheres" seria transmitido no rádio em poucos dias. Virei a boca para cima como num relincho.

"Aliás, está cheirando mal aqui", eu disse, tampando o nariz até alcançar meu carro preto.

Fui acordada pelos sonhos, meu peito estava cheio de flocos de milho que farfalhavam quando eu tentava respirar. Sentei e tossi, encurvada como um cisne, e o corpo expeliu sua infecção para fora de mim. O pedaço de muco amarelo na minha mão, lambuzei o lençol, estava sem forças. Eram as visitas de verão, aquelas que eu sempre convidaria e tornaria a convidar, eu havia convidado intrusos de novo, eles haviam dormido na minha casa e agora.

Eu estava aqui gripada como se fosse 1918.

Pensei naquela vez que estávamos fazendo amor e sussurrei para Ted: "Por favor, diga 'Ai, Sylvia', como se tivesse pena de mim."

E Ted começou a dizer:

"Ai, Sylvia. Ai, coitadinha da Sylvia!" E fiquei excitada com aquilo.

Eu estava com o termômetro na axila da camisola suada, exalando um cheiro de lodo.

Pensei: Por que não escrever sobre isso? Vou escrever um

romance. Vou escrever, meu Deus, nem é difícil, já tenho tudo na cabeça, aqui está o mundo inteiro para eu evocar, vou descrever os caprichos de Ted, sua idiotice que me faz parecer uma pessoa inferior, alguém que nem é digna de seu marido.

Aqui estava eu: todo o progresso americano, eu era o tempo que não podia ser parado, as guerras tinham acabado, estávamos caminhando para o novo não articulado, e eu seria sua articuladora, eu seria a Nova Mulher para ele — mas agora a doença me proibia de ser. Se Ted viesse agora, e ele viria, pois precisava me ajudar com as crianças enquanto eu estivesse deitada aqui embebida em febre — ele veria apenas meus destroços.

Deitei de lado ofegando como quando estava grávida.

Eu estava deitada aqui, morta a tiros. Uma pata.

O casamento era isso: uma pergunta ao mundo. Essas duas pessoas jovens podem se amar, mesmo na hora da crise? Mesmo quando não forem mais jovens e lindas, quando o movimento de progresso rápido tiver parado em determinado momento, quando alguém for impedido de viver sua vida em liberdade; quando forem interrompidos os planos de viver na Europa e depois na América e depois na Austrália ou em algum outro continente interessante, porque o corpo um dia exige uma parada, ou porque alguém não conseguiu um emprego e não havia dinheiro suficiente — pois sempre havia algo que parava o movimento para a frente.

E Ted chegou, e Ted foi um pai pior do que eu havia imaginado, Ted não me levou a sério quando eu disse que era preciso amarrar Nick no carrinho de bebê, Nick caiu no chão de concreto do hall de entrada feito uma bola de boliche, foi um incidente que se repetiria na minha cabeça durante todo o período de setembro a outubro. Você quer deixar nosso filho imbecil, Ted? Você quer que ele morra?

Ted chegou, e eu expliquei na minha voz fina da cama que

estava com gripe, cheguei a dizer que eu provavelmente estava com a gripe do coelho, e então ele deu uma risada maldosa me achando ridícula, e depois, quando por acaso o ouvia falar com outras pessoas ao telefone ou na porta de casa, com os vizinhos, ele repetia exatamente aquela expressão e dava uma risadinha: "Ela acha que está com a *gripe do coelho*."
Ele chegou como um machão que acabou de transar e ficou no meio do vão da minha porta olhando para o que via...
Sim — eu — eu, nos meus lençóis suados, o fedor horrível de germes que exalava da minha boca.
"Precisa de alguma coisa?", perguntou.
E ele me trouxe água com um pó branco que tinha gosto de metal e uma bolsa de água quente, mas eu a afastei com um chute. "Seu tonto, já estou com calor suficiente para aquecer uma expedição inteira ao Polo Norte", chiei.
"Claro, desculpe."
"Estou com quase quarenta graus de febre."
"Tudo bem se eu levar as crianças para colher repolhos no jardim?"
Fiz que sim, solucei, queria ele sempre ali, exatamente ali, na minha armadilha, na minha armadilha feminina, nos meus braços, mas queria que estivesse contente, não que se sentisse preso.
Aliás, eu duvidava da minha capacidade de escrever qualquer coisa, já que não tinha sido capaz de decifrar essa pessoa, esse mistério humano — Ted.
Cansado do casamento cansado do cativeiro cansado do monstro que evidentemente era eu — eu havia me enganado com tudo, até comigo mesma.
"Pobrezinha da Sylvia", disse Ted.
Seu corpo desapareceu do vão da porta, ouvi os sons dos três em coro lá embaixo, o choro de Frieda, suas exclamações de alegria

segundos depois, os sapatos que ecoavam no piso do hall de entrada, a voz calmante de Ted em resposta aos choramingos de Nick, e uma porta que se escancarou causando correntes de ar.

No fim, dormi, dormi com meus pulmões de flocos de milho e sonhei que estava escrevendo um romance...

Estou muito bem e estável, escrevi numa carta à minha psiquiatra, sublinhando as palavras e chupando a ponta da caneta. Acabei de me recuperar da gripe do coelho, e Ted, que deveria me ajudar — fui obrigada a apelar para toda a sua sensibilidade, e ainda assim ele não me ajudou. Pare de me chantagear com sua saúde!, como disse ele.
Estou muito bem e estável, escrevi. E era verdade: era eu que ficava com as crianças, na doença e nos maus tempos. Era eu quem as cercava com um muro de calma e dignidade. Eu só precisava de uma ajudazinha, e agora eu ia consegui-la, da psiquiatra e da nova babá Susan, que passaria a vir regularmente na parte da manhã para eu poder escrever.
Era tão bom estar recuperada, recuperada e sozinha. E sensata pra caramba. Era eu quem dava conta da maternidade, dos cuidados com a casa e do serviço de jardinagem. As árvores estavam do lado de fora da fresta entre as cortinas e balançavam ao vento: setenta e duas delas, eram minhas. O outono chegaria, e eu tiraria o mel da colmeia. Era eu quem colheria a acelga e o

repolho roxo, eu cuidaria de nossas maçãs. Assim era minha vida: morrer e ressuscitar.
Enfiei a carta à dra. Beuscher num envelope e lambi para fechar. Depois, as pontas dos meus dedos ansiaram por escrever mais, e peguei outra folha de papel de carta e comecei a elaborar uma introdução para minha mãe.
Nada me deixava tão calma quanto escrever cartas para minha mãe.
Naquele momento, na carta, a vida era manejável e novamente possível de conduzir.
Ela não podia estar *aqui*; ela não podia ficar respirando atrás do meu ombro e ter olhos e opiniões, e seu próprio relacionamento com meus filhos.
Não dava.
Mas quando sua miragem se apresentava como uma possibilidade de amor, uma escolha que poderia ser feita, alguém para quem eu ainda poderia mostrar um lado falso, fazendo-a acreditar que era verdadeiro. Não havia nada mais valioso. Era tão gratificante.

E, para conquistar a sensação mais maravilhosa da face da terra, naquela noite enfiei a prova de A *redoma de vidro* numa pasta, subi correndo ao sótão e encontrei um dos grandes envelopes de Ted, lambi o papel para fechá-lo, sentindo o pungente sabor do futuro descer pela garganta. Eu daria aos editores americanos um desafio, eles precisavam disso; um novo cérebro do outro lado do mundo, alguém que se ocupava de coisas com as quais eles mesmos só poderiam sonhar. A porra de uma percepção autobiográfica, enquanto tudo que eles tinham a mostrar eram superfícies e reproduções. Uma verdade poética. Minha mãe iria ver.

O envelope ficou pesado e eu o enderecei à Knopf, Broadway, Manhattan; estava enviando meus sonhos sobre o mundo de volta ao ponto de partida, minha dor à sua origem, a rua escura em Nova York e o brilho de asfalto.

Agora a estratégia era a seguinte: Ted é que estava louco, que havia enlouquecido completamente. Era ele que vivia como se existissem apenas camas de hotel. Era ele que se tornara, soletrei a palavra para mim mesma, espaçando as letras na cabeça: M-A-N-Í-A-C-O.

"Meu amorzinho", eu disse para Nick, que estava encolhido no meu peito em cima da cama, "a dor para a qual acordamos não é nossa, Nicholas. Não somos nós que estamos loucos. E vamos dar conta do recado. Vamos nos virar, meu bom menino."

Seus lábios trabalhavam no meu seio, eu tinha recuperado o leite que secara em agosto, antes da gripe. Calma agora, calma. Eu ainda tinha potencial para me realizar e realizar minha vida. A vida começava aos trinta... Em menos de um mês, eu faria aniversário. Como comemoraria? O pensamento desapareceu num suspiro de amamentação. Meu filhinho querido... Ele que havia começado a engatinhar e que não tinha pai.

Logo, assim que ele tivesse adormecido, eu teria de me levantar, passar pelos cômodos e dar uma olhada em Frieda, que estava no quarto de brincar debruçada sobre um trem de brinquedo e os blocos que eu regularmente a ouvia derrubar e montar.

Eu precisava atacar a louça que havia se acumulado em pequenos montes sujos na cozinha, com restos ressecados de comida.

Eu precisava abrir as janelas e arejar a casa, juntar a roupa suja e deixá-la de molho nos baldes de lavar roupa. Depois, tudo começaria outra vez: Nick acordaria e teríamos de sair para dar uma volta...

Lavei a louça com água morna e detergente, esfregando e esfregando para tirar a sujeira dos pratos, e Frieda me seguiu com seus passinhos de criança e queria lavar louça ao lado da sua mãe.

Bem, um passatempo tão bom quanto qualquer outro, desde que ela não reclame, pensei.

Amarrei um avental nela.

A dor que sentimos não é nossa, pensei. Era Ted quem tinha arrancado sua dor pela raiz, aplicando-a em nós. Essa dor era dele, e era tão injusto que ele a espalhasse sobre nós, assim como um idiota espalha seu sêmen em vítimas adolescentes solteiras. Ele era n-o-j-e-n-t-o assim, pensei. Ele era d-e-s-t-r-u-t-i-v-o.

A água jorrou e encharcou Frieda, ela chorou porque precisava trocar de roupa. Estava em pé na cadeira com os braços estendidos para cima como que clamando a Deus, como se Deus fosse eu. Arranquei as roupas molhadas e quentes, e a sensação de umidade nas pontas dos dedos... Olhei para ela, bem nos seus olhos claros e azuis e então eu disse: "Vamos fazer uma viagem ao mar?".

Frieda fez que sim. Estava ali de barriga de fora e feliz, concordando e sorrindo.

Amada filhinha.

"Sim, vamos para o mar!", eu disse. "Vamos para a Irlanda!"

Eu resplandecia, uma espécie de luz verde e fosforescente brilhava por dentro. Sim. O mar. Irlanda. Não este mar inglês retardado e pateta que mais parecia um fiorde ou um rio ou um grande lago, para o qual Ted havia tentado me atrair enquanto eu estava emburrada no carro. Este nunca se tornaria o mar de verdade, revolto, aberto, como onde cresci. Este mar não servia para mim. Era isso que Ted detestava. Nada servia. Mas isso era PORQUE TUDO O QUE FAZÍAMOS ESTAVA IMPREGNADO DE SUA DOR! DE SUA MANEIRA DE ESCONDER E EMBALAR SUA DOR! Meus olhos ardiam com a súbita compreensão.

"Dane-se", me convenci, secando a louça com uma toalha limpa e empilhado os pratos limpos e brancos, um por um. "Vamos para a Irlanda."

Beijei Frieda em sua bochecha fofa.

Poderia ser bom para mim como escritora — poderia ser bom para a ilusão de que algo estava vivo dentro de mim, que havia um futuro que não girava em torno da sua dor! O mar na Irlanda era muito melhor do que todas as granulosas praias de focas da Inglaterra. Lá o vento se levantava, lá era verde e lindo e glorioso, lá estava Richard também, lá estava um homem decente para quem eu havia dado um prêmio, sua poesia era poesia premiada pela comissão da qual *eu* fizera parte; assim, eu estava *acima* dele, portanto, deveria lhe escrever já.

Escrevi para Richard Murphy e tracei os planos, quase forçando-os sobre ele.

Eu sabia que havia prometido a Frieda que ela poderia ir comigo, mas ela não entendia nada ainda, a pirralha, a menininha de ouro, tanto faz. Eu ia para a Irlanda — eu e Ted — uma última viagem, uma viagem na qual eu ditaria os planos e cuidaria deles — uma última viagem na qual eu realmente estaria no controle e ele veria o que havia deixado para trás. Sim!

Antes da viagem à Irlanda, eu compraria um novo vestido em Exeter, eu juntaria dinheiro e seria extravagante e nunca um capacho, mas, sim, completamente imune à vulnerabilidade; eu seria fresca e ousada como o mar.

Era tão simples quanto parecia.

Na mesma noite, eu já havia postado a carta lá no vilarejo.

E como que por milagre, consegui, com minha astúcia, fazer Ted ir comigo para a Irlanda! Eu estava louca de felicidade. Agora a vida começaria de novo.

Vestindo um conjunto azul-claro e sapatos de salto alto, eu esperava na cozinha sua chegada. A chave do carro, o passaporte, as passagens, as crianças entregues à nova babá em colaboração com minha velha parteira — uma linda constelação. Perfeito. Agora ia começar!

Claro que eu deveria ter cortado o cabelo.

Essa era a viagem na qual Ted conheceria a maturidade e a decência. Ele cairia em si e ENTENDERIA que sentimentos nostálgicos da juventude perdida combinados com a confusão que surge depois de nutrir dois filhos e desgastar-se com sua esposa durante alguns anos... naturalmente, isso podia levar qualquer um a disparates como botar na cabeça que amava outra pessoa!

Meu maço de Lucky Strike estava sobre a mesa da cozinha, com o isqueiro em cima.

Aquilo foi antes dos Beatles, antes de J.F. Kennedy, foi antes da fama de Simone de Beauvoir, e Bob Dylan ainda não havia cantado suas músicas, eu estava muito à frente do meu tempo, eu estava tão linda nos meus saltos altos e sentia um frio na barriga porque esperava (uma última vez) por Ted. Ainda não tinha acontecido de eu pegar minhas malas e fazê-las com raiva e esperança (ambas existiam ao mesmo tempo) para chegar um pouco mais perto da sensação dos Estados Unidos, longe da desajeitada terra sulina inglesa e de volta a Londres, onde Frieda nasceu.

Eu usava um terninho azul-claro como o mar. Eram meados de setembro, e havia algumas maçãs vermelhas e inchadas para meu marido numa cesta. Um presente de amor. Era um corte no tempo, uma última viagem, uma viagem de reconciliação, de esquecimento, de fogo. Uma viagem de verdade ao mar.

Eu estava à espera. Eu tinha dado meus últimos passos pela casa nos saltos altos, estalando para que a ausência de filhos e a expectativa ecoassem nela. O fato de que meu marido estava vindo seria audível. O fato de que eu estava só e possuía uma vida própria seria audível. Seria audível como o coração, que batia eternamente. Meu coração. Meu grande coração pintado ali nos meus lábios.

Então, a bolsa, as malas, as passagens, a chave do carro, os cadernos e o guarda-chuva — tudo havia adquirido uma vida própria. Era minha vida que ficava em segundo plano, para trás, que seria posta de lado pelas coisas que agora me dominavam, as quais eu agora levava para a Irlanda e com as quais eu negociaria.

Só que eu ainda não sabia.

Era o destino.

A ilha verde e nós dois.

Uma gralha estava sentada na árvore banqueteando-se com um passarinho, e eu perguntaria a Ted sobre isso quando ele chegasse, as gralhas não são vegetarianas?

Era o que eu achava!
Íamos rir, íamos conversar, tudo giraria em torno de coisas comuns.
Ele entrou como uma tesoura. Cortou algo no meu rosto, alguma pele, alguma barreira, parte do meu ânimo.
"Oh, olá, meu amor", eu disse, e seu olhar me atravessou, ele só queria pôr o pé na estrada.
"Temos uma longa viagem pela frente", disse estressado. "Atropelei uma lebre no caminho para cá. Vamos, Sylvia."
Ele já estava fora. Perguntou se eu estava com as coisas, fez um meneio com a cabeça de um jeito juvenil, era outro Ted, e agora me tornava a irmã caçula, a menina.

Eu e meus ridículos saltos altos nos quais eu tinha depositado tanta fé, eu os arranquei, ficando de meia de náilon no chão do hall de entrada. Saltos marrons, cor de carne. Aqui: já estivemos aqui tantas vezes.

Engoli em seco. Sentei no banco da frente do carro. Nosso carro que ele tinha deixado para mim. Eu era ninguém. Estava com a bolsa no colo feito uma tia qualquer. Aqui no sul da Inglaterra ainda era verão em setembro. Eu queria parecer sensual na frente dele. Então, o que estava faltando no seu olhar? Será que era o tempo, que ainda não estava pronto para o nosso amor? Será que a sorte estava contra nós — o ouro em algum lugar nos campos que nós dois nunca havíamos encontrado?

O mar, pensei, o mar!

Enquanto isso, Ted continuou a falar sobre questões práticas. Deu uma palestra enquanto nos transportava em meio à selvageria e à apatia — dirigindo aos trancos e barrancos, dirigindo devagar, dirigindo rápido sobre as colinas — uma palestra sobre a importância de escolher a própria vida, de seguir a bússola interior, que "a vida concebeu uma missão para cada pessoa, Sylvia, eu sei disso agora, pois explorei minha missão, e minha missão é a *liberdade*, Sylvia, qual é a sua?".

* * *

Na hora de embarcar, segurei-me com força a ele e à amurada, tropeçando nos saltos altos, o vento soprando nos meus cabelos. Adeus, crianças. Adeus, confinamento que eu pensava ser uma lei da natureza. Olá, aventura; olá, ventos desabridos e frescos direto do oceano. Olá, meu pai. Olá, Poseidon, o rei do oceano, meu pai, você.

Ted estava comprando uma cerveja.

Eu havia rejeitado sua oferta de uma bebida.

"Você não está grávida, né?", sorriu ele e se sentou ao meu lado, bem em cima da caixa de coletes salva-vidas. Soltei uma risada, dando um empurrãozinho na sua barriga sem querer. Era como havia sido antes, mas ao mesmo tempo tão tênue, tudo estendido num frágil varal, estava quebrado e jamais poderia ser consertado, mas encenamos. Encenamos essa viagem.

E o que nos fez atuar foi a cara de Ted, dura e reservada, ele me julga, pensei, com cada olhar ele me julga. Duramente e para sempre.

Se não fosse pela traição de Ted, eu agora estaria esparramada em seu colo, com a cabeça ali no seu calor, olhando para o céu, onde as gaivotas voavam gritando, ondulando sobre nós.

Ted bebericou da garrafa e começou a beber de goladas. Quanto mais olhava para ele, maior ficava minha vontade de tomar uma cerveja.

E o mar era o mar, e o mar me deixou com sono, era apenas sal, algas viscosas e ondas. Nada. Nada era como na minha cabeça, esse era o problema, na minha cabeça o mar era magia e paraíso, pois era uma imagem fixa, e eu adorava, eu, Sylvia, encenar a vida assim, era glorioso, era maravilhoso, porque na minha cabeça eu guardava toda a verdade.

E na realidade, as gaivotas cagavam, e o mar bramia até os ouvidos doerem, e garotas-tias como eu recusavam a cerveja e se arrependiam no próximo instante ao ver seu marido encostar os lábios no gargalo de uma garrafa. Coloquei os óculos de sol e deixei esse fato se espalhar em mim como um ressentimento, e depois toda a bendita energia da realidade foi desperdiçada. Era tão inútil! A energia da realidade era tão inútil!

Minha doença se manifestava quando eu não podia ordenar a realidade e moldá-la em palavras; e agora, ao mirar o mar sobre a amurada, eu de repente fiquei com saudades de casa, dos Estados Unidos, da Court Green, do nosso velho relacionamento rotineiro — oh, se fosse possível voltar no tempo! Eu queria voltar para casa e escrever.

E se Ted era o bebedor de cerveja a bordo de seu ímpeto próprio, e eu, a mulher rejeitada que esperava (embora não fosse nenhuma Penélope), agora, enquanto atravessávamos a soleira da casa de veraneio de Richard em Connemara, eu tinha que assumir o controle.

Abri os braços. Um chão fresco, um cheiro fresco, belas flores, sol. Agora era eu, agora era eu. Uma mulher casada que logo completaria trinta anos! Minha risada estava estampada no rosto inteiro e, como sempre, Ted murchou. Eu era a culpada pelo fato de que Richard estava sendo invadido por dois poetas neste momento, algo que eu teria de recompensar com todo o meu ser. NINGUÉM DE FORA JAMAIS PODERIA SUSPEITAR QUE HAVIA ALGUMA COISA DE ERRADO.

Ted havia desistido, ele não aguentava meu sorriso exagerado. Certa vez ele me dissera: Isso aí vai te dar pés de galinha, Sylvia. Isso daí vai enrijecer seu rosto. E agora que eu estava pendurada no braço de Richard recitando um discurso de fã, desfiando

palavras como: *Que sonho poder passar alguns dias na sua esmerada casa de veraneio em Connemara, que maravilha poder me dedicar ao turismo náutico e depois escrever!!!*
E Richard não sabia, ele ainda acreditava que éramos reais.

Então Ted me pegou pelo braço, porque ele estava quase vomitando, já estava a meio caminho de outro lugar, seus sonhos ondeavam sobre o rosto, seu jeito de cãozinho abandonado saltava à vista feito uma ereção. Agarrou-me e sussurrou, enquanto Richard teve a oportunidade de levar os vasos de flores para o pátio: "Pare com isso, Sylvia!".

O sol fluía. Desvencilhei meu braço. Ele não tinha permissão de me agarrar assim.

Tínhamos passado o dia inteiro viajando, eu e meus saltos, e agora eu andava como se não tivesse feito outra coisa pela casinha simples de Richard, que se via com nosso destino em suas mãos.

"AQUI VAMOS ESCREVER!", anunciei com tanto entusiasmo e convicção que até Richard deu uma risada um pouco forçada.

"Meu Deus, Sylvia", disse Ted à noite, enquanto fumávamos um cigarro no frescor noturno do pátio de Richard, com vista para as montanhas irlandesas.

"Você fala como se estivesse a bordo do Titanic e fechasse os olhos para seu próprio fim!"

Olhei nos seus olhos desesperados.

Desespero: agora eu via.

Ted havia — surpresa! — feito as camas, mais uma vez mostrando como era um marido bom pra caramba. E eu tive permissão de dormir no mesmo quarto que ele.

Estava escrito "casamento" em nossa porta.

Agora era como se o tempo cedesse ao nosso grande amor outra vez, o vínculo vitalício que uma vez juramos ter um com o outro para sempre. Talvez algo se desse nesse quarto assim como acontecera antes de o futuro ser destruído.

Peguei minha toalha e fui ao banheiro com passinhos ligeiros, estava sem os saltos, eram meus calcanhares descalços no chão. Lavei o rosto debaixo da torneira de Richard, enquanto os dois homens conversavam na cozinha. Ted havia feito um telefonema particular, e tudo bem! Ele era um homem livre! E eu também, embora mulher e mãe. Assim que voltasse, eu lhe diria o quanto o amava.

Porque eu o tinha dito muito pouco.

Lembrei-me de uma vez na primavera (ai, essa maldita primavera, na qual eu estava tão envolvida em lidar com Nicholas,

nosso amor que tomava forma), eu respirava ao lado do meu marido no escuro e fiquei calada um bom tempo, então disse: "Ted, você é meu coração."
E cada palavra foi dita com sinceridade. Como se o som brotasse da escuridão, criasse raízes e começasse a desabrochar.
A voz de Ted tremeu então.
Ele falou:
"Sylvia, isso me aquece. Suas palavras me aquecem dos pés à cabeça."
E eu estava contente.
Então pensei: Será que fiz isso muito pouco? Me mostrar, expor meu amor? Será que esse foi o erro que cometi? Será que cavei um fosso para nosso amor, uma trincheira para cada um? Será que foi Nick que a cavou com sua chegada?
Pois eu a sentira, a distância.
E foi exatamente como se alguém tivesse ligado uma maravilhosa canção parisiense no nosso quarto. Ted achegou-se a mim, e não me perdi nos questionamentos. Deixei tudo em branco, eu mesma uma página em branco.
Respirei com ele no escuro, segurando sua mão vazia e quente.
Como eu mostraria a Ted que o amava?, era a pergunta com a qual eu me armava agora. Puxei a toalha do gancho, esfregando o rosto. Olhei-me nos olhos. Olhos fundos e vazios desta vez também. E ainda assim tão cheios. Onde estava tudo, onde estava, aquilo que eu tinha dentro de mim e punha no papel às três e meia da madrugada?
Saí do banheiro de Richard limpa e lavada. O cheiro de sabão nas mãos. Ted não estava ali, tirei a colcha, deitei sobre o cobertor e verifiquei. Entre as camas, havia uma mesinha de cabeceira. É claro que daria para rearranjar a mobília. Eu estava

puxando a mesinha com o traseiro virado para a porta quando ele de repente apareceu, perguntando o que eu estava fazendo, o que você está fazendo, Sylvia, *não vamos dormir na mesma cama*. (Ele falou baixo quando o disse.)
"Não mesmo?"
Ted parecia surpreso.
"Você quer dizer que tem vontade?"
"Desculpe, foi estúpido."
Pus a mesinha de volta, me deitei na cama. Era preciso requinte, percebi isso agora, Ted parecia uma mulher nesse sentido, queria ser surpreendido, mimado com flores, eu tinha de chocá-lo com meu amor.
"Foi estúpido da minha parte."
Ele se sentou na cama e começou a tirar a roupa: a camisa, deixando a camiseta à vista, foi a última vez que o vi se despir diante de mim, adeus roupa de baixo, e ali estava sua barriga peluda. A pele que havia pertencido a mim, agora apenas uma lembrança lá no fundo.
"Mas como posso me reconciliar com você se não podemos ficar perto um do outro?"
Eu sabia o que eu havia escrito para a dra. Beuscher; eu não cairia em seus gestos amorosos e não voltaria a dormir com ele. Era isso que ela havia dito. Mas eu estava com tesão, tinha vinte e nove anos e teria por mais um mezinho, e estava com um tesão fogoso, como um animal que não ligava para mais nada. Não havia moral, apenas pessoas para quem fazer teatro. Richard havia me visto — Ted havia me visto — hoje eu fora vista, com minha boca vermelha de batom, e isso, em resumo, me deixara — com tesão. Tesão.
"Quero fazer amor com você uma última vez", consegui soltar.

Ted... Ted riu. Não de um jeito que me desprezasse. Ele riu porque eu era impossível. Essa rainha do drama, dona de casa, de repente transformada em mãe chique com dois filhos, passeando (como se negasse minha maternidade), de conjunto azul-claro e com fome. Saltos, chapéu. Uma Nova Moral.

Ted não recusava uma trepada, certo?

Dizendo sim a todas as outras, mas não a mim?

"Não gosta mais de mim?", perguntei, baixando a camisola nos ombros.

Ted pediu que eu parasse, que parasse de me humilhar, Sylvia, isso não vai te levar a lugar nenhum, afinal, você não vai querer se fazer de palhaça na frente do Richard e depois se humilhar assim...

Como o propósito era tão ambíguo, nosso relacionamento era tão ambíguo, em algum lugar dentro de mim eu torcia com todo o meu amaldiçoado coração para que ele voltasse.

Meu retornado, Ted, merda.

"Essa é sua maneira de mostrar vulnerabilidade, Sylvia", disse Ted e se levantou para acariciar meus braços finos como algodão, enquanto eu fiquei sentada ali na cama. Eles tremiam, eu tremia como uma menininha. Ele abriu a cortina dentro de mim que eu havia fechado tão bem. Ted era capaz disso. Ted o fez, como a única pessoa.

Ted, você era meu coração.

Eu queria lhe dizer novamente.

Eu queria sair para tomar cerveja e não me importar com nada, soltar a franja; afinal, estávamos na Irlanda, em terra livre. Nem meu país, nem seu. Era hora de aproveitar.

"Me abrace, me toque", chorei.

Ted estava em pé perto de mim, sua virilha e suas pernas encostavam na minha cabeça. Enterrei-me ali.

"Tudo bem, Sylvia", disse ele, seu braço sobre meu ombro forte, descendo pela minha espinha. "Tudo bem, Sylvia, chore", reforçou. "Pode chorar. Pode ser carente. Pode. Deixe tudo sair... vamos lá."
Ele se agachou na minha frente e me beijou. Foram minhas lágrimas salgadas que deram um sabor tão acre ao nosso beijo. Meus lábios inchados, humilhados, excitados. Ele os comeu uma última vez. Meu corpo estava solto. Ele desfez o abraço, me deitando sobre a cama. Acabou em cima de mim. Tanta coisa que existia em nossa conexão. Nunca a tínhamos apagado. Tínhamos um padrão. Agora seu pau me penetrava como havia penetrado outras mulheres. Voltou para casa. Ele estava em casa, movendo-se dentro de mim. Gentil e terno, muito mais próximo porque eu estava triste. Eu sentia mais, estava sem resistência. Ele gozou sinceramente, sobre a minha barriga, para que eu não engravidasse. Os gemidos profundos de Ted. Ele ficou pesado ao meu lado. Respirei como uma lebrezinha. Mancha molhada em cima. Eu estava acabada, quebrada, era uma sensação deliciosa. Eu havia ansiado que ele entrasse em mim. Agora estava feito. Era a última vez. Meu corpo estava vivo, quente. Beijei sua testa.
"Você é meu coração, Ted", falei, as palavras simplesmente saíram. Em meio a tudo que calava.

Acordei às quatro e meia da manhã. Me levantei, procurei pelo caderno na bolsa. Papel e caneta. Era uma manhã amena, e eu tinha transado na noite anterior. Tomei um banho de gato no banheiro sem acordar ninguém. Aí veio um poema. Na cabeça, enquanto a água escorria. Eram as energias da verdade e do amor, eram elas que faziam a alma se abrir e a poesia surgir. Uma sintaxe inteira que irrompeu. E eu estava dentro dela, bem dentro dela. O que foi que veio então? Eu precisava sair antes de acordar alguém, antes de a fome me arranhar demais o estômago, antes de as emoções me alcançarem, antes de as tarefas e as obrigações me chamarem, eu, a escolhida. O alvorecer azul era de fato muito benéfico. Nenhuma pessoa no mundo inteiro exigia qualquer coisa de mim. Senti-me como o primeiro ser humano, ou Deus. Minhas faces estavam rosadas. Havia uma semente de autoconfiança e esperança em mim. Talvez até fosse bom falhar. Ter coragem de ser ferida, ousar deixar o mundo se despedaçar e ficar feio. Eu, que sempre exigia o belo e a estabilidade, a dignidade em tudo. Eu, com os padrões doentiamente elevados. Agora estava tudo desmoronando, agora meu marido estava deitado no quarto contíguo, e tudo havia desmoronado. Talvez ele realmente se tornasse meu ex-marido. Talvez tudo caísse. E naquela escuridão eu surgi, numa nova realidade. Era uma chance. Era uma nova safra. Ted foi tão gentil comigo ontem à noite... Saí para a brisa fresca sobre os ladrilhos do pátio de Richard e corei ao apoiar a ponta da caneta no papel. Tracei os caracteres. Era sobre alguma coisa, nem pensei no quê. Apenas um tom dentro de mim. Eu não precisava controlar tanto as coisas, eu era apenas uma iniciadora de enredos. Confie na vida, Ted havia dito uma vez. Agora tentei: confiar na vida. Eu queria ser alguém que confiava na vida. E agora que eu estava na Irlanda, que eu era uma esposa que tinha acabado de transar, que eu havia reconquistado meus alvos e minhas ambições femininas. Que eu estava recém-acordada e sentada no pátio com o poema na mão, ele simplesmente existia. E Ted estava dormindo no quarto. Era quase como 1956, 1957, nossos anos de lua de mel, antes de a maternidade começar. O que ela fez comigo? O que realmente havia sido feito? Qual foi a tempestade em que estive? Olhe, minhas mãos. Sinta, minha boca. Devagar o corpo voltou a mim e então tive que fugir. Richard estava acordado com o café da manhã; o sol se levantara com ele.

"Nossa, Sylvia, você madrugou mesmo!", cantou ele alegre e despreocupado.

"Mais uma vez obrigada por nos deixar ficar aqui na sua casa", eu disse, trocamos beijinhos.

"Mas é claro, vocês são meus distintos convidados poetas", disse Richard. "Você quer café? Suco?"

"Os dois", respondi, entrando na ponta dos pés no meu quarto, onde Ted estava dormindo.

Mas Ted não estava lá. Sua cama estava vazia, abandonada. Fui até o banheiro e puxei a maçaneta. Também não havia ninguém.

"Ted já levantou?"

Minha voz falhou assim que a ergui na direção da cozinha para perguntar a Richard.

"Ainda não o vi!"

Um baque surdo por dentro, de alguma coisa caindo.

Agora eu apertava o passo, percorrendo todos os quartos. Claramente, Ted havia se livrado de mim. Senti profundos ciúmes disso. Não é apenas você que quer se livrar de mim, Ted! Eu também quero! A diferença entre nós é que você tem essa opção!

Corri pela casa feito um furão. Richard quis saber o que dera em mim.

"Por que está correndo assim, Sylvia?"

"Porque meu marido não está em lugar nenhum."

"Como assim?"

Agarrei seu braço e o virei na direção da cama de Ted: vazia como um túmulo, mas ele havia vivido nela. Os lençóis denunciavam sua presença, a pesada dormência no meu baixo-ventre, cheio dele, sua marca.

O único que eu não podia controlar — Ted!

Caí em prantos no ombro de Richard até ele me afastar com um olhar alarmado e de repente me dei conta da profunda impropriedade de ser uma mulher casada e desejar alguma coisa — abraços, afagos — de um marido que não fosse meu.
Aqui na Irlanda as coisas eram católicas.
E eu que pensava que a Irlanda significava liberdade! Aonde quer que eu fosse, havia uma nova moralidade a enfrentar, uma nova traição! Eu era perseguida por minha traição, por minhas emoções, minha dor, meu pai, Poseidon, meu velho que se recusou a me deixar em paz e livre de complexidades e antigas feridas. Credo!
Quer dizer que Richard tampouco poderia me salvar.
"Preciso ligar para minha mãe", falei.

Houve uma grande busca até todos entendermos que a fuga havia sido armada por Ted, planejada havia tempos. Um recibo de barco deixado para trás e uma confirmação da central telefônica de que o número que Ted discara na cozinha na noite anterior era de uma tal de Assia Devil (eu havia começado a chamá-la assim) — na Espanha.
Na mesma noite, Richard me pediu que considerasse fazer minhas malas e voltar para casa no dia seguinte.
Eu estava fora de mim com a dor, e ele me exigia isso?!
"Deixe-me digerir! Deixe-me tomar fôlego, tenho uma bomba-relógio no meu coração, Richard, você não entende?"
Mas ele não entendia nada da minha incompreensibilidade, Ted era o único que me entendia.
Justo Ted.
E agora: ninguém.
Este era o fim de mim como eu me conhecia até então. Agora era a hora de eu começar a queimar. Eu precisava renegociar todo o contrato comigo mesma, toda a constituição.

Então eu disse:

"Vou embora quando eu estiver a fim. Tal. Qual. Ted. Não pretendo ligar mais para o resto de vocês. Estou cagando para vocês. Vou dormir aqui até me dar vontade de voltar para casa. Não me convém murchar para me tornar um pequeno caroço de maçã e apodrecer, só porque você quer. Vai ter que me aturar, Richard, sinto muito."

As lágrimas estavam duras na garganta quando falei.

Mas, chorando, fiz minhas malas mesmo assim e me pus a caminho de volta para a Inglaterra no dia seguinte. Seria um atentado à minha dignidade permanecer na casa de um homem que desprezava minha companhia, abandonada por um marido que fugira de mim. Quem eram essas pessoas? Elas não se importavam nem um pouco com minha grandeza, aquela que eu sabia que tinha?

No barco noturno voltando da Irlanda, alguma coisa aconteceu comigo. Passei um longo tempo com um drinque, vendo uma senhorita ser seduzida por um homem na pista de dança. Estava tocando jazz. Chupei o mexedor do drinque, observando o cabelo curto dela, como se enrolava em pequenos cachos na nuca. Ela parecia finlandesa, quando abriu a boca saiu prontamente um som gorgolejante, uma longa cantilena. Não consegui tirar os olhos dela. Um dia, eu também seria vulgar e empoleirada assim — suave assim e ao mesmo tempo dura como a corda esticada de um violoncelo, do jeito que ela se lançava, todo o seu tronco, contra ele, o homem mais velho, alto e garboso — um casal descolado que se abraçava numa dança brega.

E eu era jovem.

Eu ainda era jovem, eu ainda era cativante, e se eu pulasse do barco no porto e mostrasse meus bilhetes de trem ao condutor e depois deixasse essa vida rotineira para trás, procurando refúgio em algum lugar e renunciando aos dois bumbuns de bebê melequentos que me aguardavam em casa...

Quando me deitei na minha cabine, o coração batia entusiasmado. Segurei o cabelo para cima e me olhei no espelho para ver se cabelos curtos combinariam comigo.

Sim, eu usaria o cabelo curto. Naquele outono eu me tornaria a mulher vulgar que nunca ousei ser enquanto jovem, já que minha mãe ficava em cima de mim o tempo todo. Eu estava livre dela fazia tempo. Nunca mais a veria. E agora também de Ted — meu marido vestido de preto com olhar ditatorial — ah, os anos difíceis, ah, os anos difíceis e amargos com meu poeta! Agora tinham ficado para trás; o balanço do mar me embalou na minha cabine. Dormi um sono oco sem sonhos, parecia que não havia barco nenhum, apenas eu e o mar, meu corpo estava deitado sobre as ondas.

Ao acordar e me levantar com o primeiro raio de sol passando pela janela da cabine, eu ainda tinha a canção de jazz na cabeça.

Roupa íntima, blusa, uma borrifada de perfume e a saia recatada — eu estava voltando para casa e o papel de mãe (porque nunca seria capaz de esquecer as crianças e dar o fora, NÃO. Não importava o comichão da mera possibilidade. NÃO).

Eu ia tomar café e depois me sentaria com o caderno — e enquanto eu estava sentada ali com uma caneca de café à mesa redonda perto do bar, de repente tive a sensação de que um vento atravessava meu coração.

Meus braços estavam finos como papel, eu mal havia me erguido de toda a histérica empreitada de dar à luz e amamentar filhos, sofrer colapsos mentais, ter gripe e mastite e brigar com um homem louco — perdera nove quilos apenas em agosto e setembro!! — e agora eu estava sentada aqui, vazia.

Se eu formasse um som na boca, o silêncio talvez fosse a única coisa a sair.

Não havia ninguém que parasse a meu lado para perguntar, não havia ninguém que me confirmasse que eu realmente estava aqui.
Só o caderno.
Quando desembarquei ao amanhecer, quando o barco atracou no velho país da Inglaterra e os ventos outonais enevoados se ergueram do furioso lado britânico do Atlântico, eu já tinha várias páginas cheias de palavras nele, sem ter percebido.

Na viagem de trem de volta para Exeter, pensei em animais de circo. E pensei no casal sobre o qual havia lido na *Ladies' Home Journal*, eles tinham um relacionamento abusivo, e a mulher se ergueu das dores e disse ao público: *Parecia que ele me despertava quando me batia. Parecia que eu precisava daquilo.* E o marido disse: *Se eu não a espancava, ela só ficava deitada ali como um embrulho qualquer, se sentindo como uma vítima. Assim que eu batia nela, ela se animava.*
Animais de circo acorrentados.
Também pensei em Anne Sexton. Sua última coleção de poemas era um baita de um modelo, quanto fogo tinha aquela mulher.
Concorrente ou não — agora era importante manter boas relações com todos os membros do mundo literário —, eu escreveria uma carta a ela assim que chegasse em casa.
Suspirei ao ver meu reflexo na janela, recém-chegada em casa. Sabia que a liberdade tinha um preço, mas agora não havia como impedi-la. Era só começar a dançar.

No telhado de colmo, um bando de gralhas gralhava; subiram ao céu tão logo destranquei a porta da Court Green. Eu estava sozinha agora. A casa estava escura. Meus mil esforços no último ano para transformar essa casa majestosa em respeitabilidade e sentimentos modernos haviam sido dispersados como a poeira num canto.

Soltei os cabelos, mas ainda assim a sensação de libertação não veio. Entreguei-me a um novo choro compulsivo, só porque me dei conta de que não podia mais chamá-lo.

Seu nome na minha boca, ele tinha sido uma benção tão grande. E agora a dor do que eu havia perdido me invadia com toda a força.

O que fiz?, chorei. O que fiz para merecer isso?

Ted, por que não me ama mais?

Peguei cartões-postais da caixa de correio, abri envelopes, nada tinha qualquer importância naquele momento. Papéis que caíam no chão sem minha permissão.

E sobre essa vida, pensei em escrever um romance. A vida em North Tawton, Devon.

Blá!

Tirei as meias e andei descalça no piso frio. Tanta coisa a trazer para casa; filhos com quem me reencontrar, um amor a tentar esquecer.

Tenho um eu para consertar, pensei.

Esse era um verso que eu precisava guardar para um poema. Ai, o desespero!

O desespero quando entrei na sala e abri a porta para o jardim onde a grama estava nas alturas, quase um metro, e era eu quem precisava andar com o cortador de grama para apará-la. Controlar o gramado.

Ted, limpe a pia; Ted, pegue as crianças; Ted, será que pode me servir um café; Ted, temos roupa para estender; Ted, não consigo abrir esse pote; Ted, temos que planejar a semana; Ted, que tal me deixar escrever agora; Ted, vamos aceitar o convite para aquele jantar no fim de semana; Ted, você tem alguma coisa programada para quinta-feira — por favor, diga que não tem compromissos, porque a parteira vai vir aqui! Ted, você viu aquela conta desgraçada que deixei sobre a mesa?

E Ted vinha, Ted vinha com seu rosto e encostava o focinho e me beijava de leve e de passagem nos lábios, depois desaparecia com a mesma rapidez.

Esse era Ted no vazio da minha memória.

O resto se fora; era como uma cripta mortuária, um barril no qual eu entrava, cheio de água, e meus cabelos assumiriam formas de serpente, essa casa no campo de Devon se transformaria num filme de terror, seria outubro aqui e puro terror.

Como eu me viraria?

Logo a babá chegaria com meus pequeninos.

Havia apenas uma resposta, havia apenas uma resposta para tudo, e eram palavras, palavras para escrever, palavras para tapar o silêncio, palavras para recortar do silêncio, palavras para queimar tudo em chamas de remorso. Eu podia, eu era capaz, eu tinha a possibilidade de ressuscitar a vida que uma vez se desdobrou aqui.

Foi com soluços e lágrimas enxugadas que abri os braços para as crianças quando a babá as deixou no meu hall de entrada. Elas estavam ali como dois elementos estranhos; onde estamos? Quem é você, mamãe? Frieda, uma fofura quente e maravilhosa por quem deixar meu ego ser esmagado e com quem eu podia transformar um sorriso forçado numa gargalhada gostosa! Filha saudosa!

E Nicholas, você não deveria ter tido a oportunidade de ficar tão grande e sensato enquanto a mamãe estava fora!

Beijei-o no nariz, na testa, nas bochechas; seu olhar, que sempre fora escuro e assombrado, olhou para mim de tal forma que me doeu no fundo da alma. Sua tristeza tão visível agora que o papai havia desaparecido. Um foco completo. Oito meses e tão acusatório. Por um momento éramos como estranhos um para o outro. A babá percebeu, ela foi até a cozinha, deixando-nos a sós para que pudéssemos nos conhecer novamente.

Eu o sacudi um pouco. Senti como eu estava magra — não uma mulher materna para ele.

Deixei Frieda brincar com a caixa de música que comprei no barco de volta da Irlanda, uma canção que a animou, assim ela não precisou perguntar pelo papai, papai.

À noite, não consegui dormir.

"Nicholas, meu amor", sussurrei tentando forçá-lo a pegar o seio, que ele, depois de alguma hesitação, aceitou, entregando-se a ele.

"Você vai descobrir uma ausência sorrateira, um desconforto. Você vai perceber, quando crescer, que seu pai de fato nos abandonou."
Na verdade, não havia leite no meu seio. Eu simplesmente precisava cair no sono e tomei um, dois, três comprimidos para dormir a fim de poder apagar ao lado dos meus filhinhos.

Há pouco eu estava à beira-mar, e agora? Agora, eu estava trancada dentro das mandíbulas desta casa outra vez. Num momento de guarda baixa total, podia acontecer *qualquer coisa* comigo. Eu estava mais do que ciente disso — meu histórico de paciente psiquiátrica, uma psique vulnerável, agora todos os demônios tinham carta branca para afundar seus dentes em mim, carta branca para todos os tipos de trovoadas e relâmpagos serem revelados na austera câmara escura dessa casa...
Imagine ficar deitada aqui no chão, caída, um ser perfeito sem força muscular. Uma imagem para a qual olhar. Uma imagem de mim...
Mas imagine nunca mais ter de pedir permissão para escrever. Era o que eu havia feito. Eu havia me comparado à grandeza dele, e se ele era o modelo, o grande, o ideal, quem eu poderia ser?
Quem?
Essa era uma pergunta para Deus.
E não havia Deus!

Isso também era um alívio para mim. Meu pulso estava acelerado. Logo as crianças estariam de volta da casa da babá... Logo, entrariam com estrondo e me deixariam exausta na segunda rodada, me fazendo sentir saudades do meu ex-marido outra vez. Meu ex-marido Ted Hughes seu pai Ted Hughes. Ted Hughes Ted Hughes Ted Hughes.
  Ah, esse belo nome primoroso, agora essa maldição. Pare de crescer na minha parede, no meu corpo, na minha mente, na minha pele fina como papel!
  Se era Ted quem podia me ajudar a navegar entre as alunissagens, os eclipses solares, a crueza e os arremessos celestiais...
  Agora, eu não tinha ninguém para isso.
  Nenhum filho, nenhuma babá, faxineira, nenhum jardineiro. Era eu.
  Havia apenas uma coisa a fazer, restava uma coisa a venerar agora que Ted não existia:
  A escrita.
  A escrita.
  O romance.
  EU.
  Com esse pensamento, me deitei ofegante.
  Meu pulso se acalmou, dormi.

  Um assado de domingo! A ideia me acordou, meu peito subiu de supetão da cama e agucei a respiração. Eu lhe faria um assado de domingo! Aquilo que titilava como gás carbônico nas pernas de repente tomou impulso, ganhando ar suficiente para se levantar. Eu faria um assado de domingo para a babá! Que inspiração perfeita, pois era domingo, e depois falaríamos sobre meus filhos maravilhosos, e depois lhe contaria sobre meus planos. Aleluia! (Se eu fosse crente; de qualquer forma, era uma palavra tão boa às vezes.) Me referia a Susan O'Neill, a mulher que se dava tão bem com meus filhos. Ah, inspiração perfeita. Ah, carne. Eu passaria no açougueiro e traria essa peça de carne de boas-vindas para mim, ela e nossas crianças. Eu aproveitaria o fato de que estava sozinha, livre do meu marido e em breve divorciada de verdade. Conversaria com ela sobre como eu me tornaria interessante agora, uma mulher divorciada, mãe de dois filhos — eu realmente lhe mostraria como compreendia sua posição, uma jovem de vinte e dois anos que cuidava dos filhos de outra pessoa. (Eu já tinha passado por isso.) Como eu então observava a mulher e o marido da casa, como ele se portava com ela diante de mim, como sua intimidade se apresentava ao ser contemplada por meu olhar. O contrato do casal, sim, pois é o tipo de coisa que se faz, pensava eu agora, no casamento — era simplesmente um contrato. De forma nenhuma um relacionamento. E agora Ele havia reduzido o contrato a cinzas.

Enquanto fazíamos barulho com os pedaços de cordeiro no final da tarde de domingo e Frieda pedia a Susan que cortasse sua carne — deveria ter confiado essa tarefa a mim, mas foi um sinal: há tempos você não está em casa, mamãe, agora é Susan que faz isso —, quando inundei o prato de molho, servindo as ervilhas e as cenouras e batatas pequenas, redondas e pálidas, mais sal porque era tão gostoso, então eu disse sem cerimônia que ela era uma babá boa pra caramba.

Susan me olhou com certa estranheza. Um segundo silencioso no qual cortou e compôs um bocado.

"Aleluia, eu digo!", exclamei. "Que sorte a minha ter você!"

E Susan respondeu passando um braço em torno da minha filha, que sorriu.

"Que sorte termos Susan", frisei num sinal para Frieda, já que realmente queria que ela se sentisse no centro do nosso círculo.

Agora que o círculo fora redesenhado.
Queria que ela soubesse que me era mais amada do que aquela serpente Ted Hughes.
Comemos, e as ervilhas rolavam na minha boca enquanto eu fazia declarações sobre minha nova vida para Susan: tenho um eu a consertar, tenho um eu a restaurar.
Susan não entendia nada desse tipo de poesia, mas ao menos assentia com a cabeça e comia minha comida.
Que sucesso eu era! Convidando-a para um assado de domingo!
Do jeito que se deveria fazer.
"Perdi tempo demais com Ted", eu disse. "Como um machado, ele rachou minha vida, e eu não percebi isso enquanto estava acontecendo, mas agora eu mesma preciso juntar os destroços, entendeu, Susan, você entendeu?"
Susan pôs um cacho atrás da orelha e disse que não estava entendendo, mas de alguma forma entendia mesmo assim, se é que você entende...
Demos risada.
"E às vezes gostaria mesmo de ser profundamente religiosa", prossegui com meu longo monólogo. "Ted de fato me disse isso. Ele disse que eu era como uma fundamentalista, mas sem a religião..."
O tom entre nós continuou a destoar; era como se Susan realmente tentasse me compreender e como se eu gostasse um pouco do fato de ela não conseguir.
"Claro que não é nada disso", continuei. "Foi só Ted tentando me dominar. Ele sempre vinha com discursos sobre como eu era, as análises choviam sobre mim."
Dei risada, meu cabelo quase encostou no prato, era tão comprido agora, eu realmente deveria cortá-lo.
Enrolei uma mecha entre os dedos e joguei a cabeleira atrás dos ombros. Comi.

"Aliás, pretendo cortar meu cabelo, me preparar para essa nova mulher que sou, o que você acha? Que mensagem você acha que passaria?"

Pedi a Frieda que descesse da cadeira e ficasse em pé atrás de mim, segurando meus cabelos para cima.

"Está vendo agora? Está vendo como seria se fosse curto?"

Susan estreitou os olhos para mim, olhando para o cabelo, fazendo pequenas tentativas educadas de parecer interessada.

O que ela tem?, pensei. Será que estou fazendo poucas perguntas a ela? Óbvio, eu também preciso me interessar por ela, percebi.

"Com certeza, vai ficar bom", disse Susan. "Claro que vai ficar linda de cabelo curto também."

Havia um clima tão desajeitado e triste na sala, mesmo que tudo devesse ser BOM.

Por isso lhe perguntei:

"Então, que planos você tem para o futuro, irmã Susan?"

Ela riu do apelido.

Olhou apreensiva nos olhos de Frieda. Depois pôs as mãos na cintura de Nicholas, pois ele tentava sair do cadeirão.

Ela o pôs no colo.

"É que, para falar a verdade, Sylvia", disse ela, "não posso mais ser sua babá."

Engoli o pedaço de comida na boca.

Frieda ouviu que alguma coisa estava mudando na sala, ela olhou para o meu lado. Com força e rapidez, estendi os braços para trazer Nicholas de volta a meu colo.

"O que você está dizendo?"

Beijei o topo da cabeça dele, macia e aveludada, e o cheiro, o toquinho de calor comigo, ele sempre estaria aqui, eles não podiam tirá-lo de mim. Ele era meu.

"Meu Deus, Susan, o que você está dizendo?"

Todos os que me abandonavam arruinavam minha vida, e eles nem piscavam.

Minha babá estava impiedosamente imóvel.

Como uma boneca de cera.

Susan se limpou com o guardanapo, afagando a bochecha de Frieda.

"Pode parar com isso!", berrei, de repente chocada com minha própria reação diante do ocorrido, mas ainda assim. Ainda assim precisava mostrar que estava com raiva.

Susan se levantou, puxou sua cadeira.

"Por favor, Sylvia", disse ela com a voz angelical. "Por favor, Sylvia, por favor, não fique brava. É só que tenho uma vida em Londres esperando por mim."

Pois é, quem não tivera?

Quem não tivera.

Minha testa caiu nas costas frágeis de Nicholas, todo o meu vigor, todo o meu espetáculo, o assado de domingo e a limpeza de metade da casa hoje cedo, o fato de confiar a alguém coisas importantes sobre minha vida, quanta energia custava.

Todo o esforço que eu fazia, eu fazia para que durasse! Para que a paz definitiva finalmente viesse, toda a tensão acabasse e eu simplesmente pudesse consertar meu eu. Aí todas as pessoas próximas vinham e sabotavam justamente isso.

Sempre acontecia quando eu estava mais vulnerável...

Menos preparada.

Quando eu havia me revelado.

Quando ela havia comido da minha comida. Minha carne. Cordeiro.

O cordeirinho com um osso para fora, eu desejava que fosse eu chamuscada ali no prato...

A única coisa que eu podia fazer era subir correndo até o quarto como uma menininha, e foi o que fiz, porque o coração saltitava no meu peito.

Susan bateu à porta, querendo tentar me consolar.

"Mas Sylvia", disse ela. "Talvez eu possa ficar mais algum tempo. Até o fim do mês. Tudo bem?"

Sonhei que estava cavalgando, galopando sobre o mar, montada num belo cavalo branco, digladiando com suas ondas oceânicas. Uma onda gigantesca no Oceano Atlântico. Abri a boca, eram lágrimas. Como um punho cerrado por dentro que subia girando no meu estômago querendo sair pela garganta. Assim ele tamborilava em mim.

As crianças que dormiam muito ruidosamente, sua respiração me deixava louca, pois as horas nas quais me davam folga e descanso logo teriam passado.

Merda, eu estava ofegante, eu estava molhada de suor, o lençol não bastava para mim, eu era um mar a enfrentar.

Era outubro, eu estava sozinha na casa. O verão havia se posto sobre mim feito um sol que fora extinto. Nunca mais voltaria a ver o verão. De certa forma, eu sabia disso. Outubro, com seus passarinhos gananciosos que puxavam as minhocas mais gordas da terra, o faisão que fazia ninho em outro lugar para o inverno,

os esquilos que acumulavam nozes. As andorinhas migravam. Logo haveria apenas eu, os ratos e as crianças aqui!
Com meus sonhos...
Fui ao banheiro e quase vomitei sobre o esmalte branco e frio, meu corpo se dobrou num arco e soluçou vazio, vazio.
Maldito, maldito pai.
Eu tinha sonhado...
Com ele.
Fora ele quem fizera isso comigo e Ted. Tudo é sua culpa, pai! Descansei o cotovelo no assento do vaso sanitário e chorei. Cheirava a mijo e lágrimas. Chorei... Dane-se, pai! Você pensou que eu fosse capaz de lutar a vida inteira... Agora que mais preciso da minha força, já não a tenho... Acabou!
Enxuguei o rosto com um pedaço de papel higiênico e o joguei na água do vaso sanitário. Levantei-me, abri a porta para outubro e saí, sozinha na madrugada escura. Demorava para clarear por aqui. Como eu podia ter sido induzida a trazer minha vida e minha história para cá, pensei, encostando a bunda na alvenaria gelada e molhada. Estou tão cansada... Devon sugou meu viço... Ele pode ficar com as crianças, pode vir buscá-las, não me importo mais com elas...
Cruzei os braços e afiei a mente. Se tinha alguém por quem eu ainda precisava lutar eram elas. Mas eu fora abandonada numa fase vulnerável. Eu tinha escrito isso para minha mãe, falando do meu anseio pela Irlanda: Acho que não quero passar mais um inverno na Inglaterra.
Pois eu já sabia, afinal, eu sabia. Eu sabia.
Eu também havia escrito:
Estou saudável pra caralho.
Porque se Ted transava com secretárias, fãs e garotas de úteros de mármore com vários abortos na ficha, eu estava aqui em meio à minha grama alta de outubro que ninguém nunca corta-

va, com safras a colher de noite antes de a geada assentar, e setenta e duas macieiras das quais fazer geleia e mosto. Eu e Frieda enchemos uma grande cesta, e ainda assim os bichos já começavam a consumi-las.

Agora era só uma questão de sobreviver tão pura e vulnerável nua sincera e exposta como eu era.

Ah, amazonas, qual era sua arma? A astúcia?

Entrei outra vez, desejando ser alguém que conseguisse cuidar de si, alguém que venerasse a si mesma e à vida, que fizesse chá para si mesma, calçasse pantufas de pele de carneiro e se enrolasse num roupão, que se acomodasse no cobertor do sofá e abrisse um jornal matutino antes do café da manhã...

Em vez disso, eu era uma poeta nojenta cuja cabeça martelava poesia; tenho de escrever sobre meu pai, se era para acontecer em algum momento, seria agora mesmo, à chama de uma vela maldita — era isso.

Puxei a cadeira da cozinha, eram quatro horas da madrugada, sentei-me nua, tremendo de frio, mas era assim, pensei, ser poeta era assim, você congelava sua bunda enquanto corpo e pessoa na vida real, só que os poemas não ligavam para isso, a eternidade e todos os futuros leitores não ligavam para isso! Para eles, era apenas um poema bem-sucedido num pedaço de papel!

Eu estava com o papel, a caneta, rabisquei as palavras.

PAI martelava como uma desgraça em mim, ou melhor, uma desgraça que se tornaria realidade se eu não escrevesse as palavras, obedecesse às batidas na minha cabeça.

Se eu não conseguisse realizar o ato de escrever agora, eu também perderia a chance de realmente dizer tudo como sentia dentro de mim, então eu estava condenada para sempre, então eu não merecia ser chamada de ser humano.

Então Ted provavelmente tinha razão.

Se eu não proclamasse isso, a desgraça do meu âmago meu coração e minha alma, toda a minha merda sem fim acumulada aqui, se eu não fosse capaz, mas deixasse tudo se transformar em metáforas banais e palavras e pensamentos amaldiçoados e feios que se interrompiam antes mesmo de terem sido concluídos — então. Então, caramba, eu não seria digna desse nome — Sylvia Plath.

Escrevi até minhas entranhas serem estripadas, até eu inteira sentir que o corpo era um arco recurvado que expelia a alma como se fossem vísceras postas para fora numa privada. Aqui estava a privada, aqui estava a salvação — aqui estava o papel. Eu estava radiante, eu estava curvada por causa da falta de ar. Não olhe para as palavras. Não olhe, até que estejam escritas por completo. Apenas fique na escrita. Não preste atenção aos sons. Um corvo gritou no jardim — não lhe dê ouvidos. Os corvos sempre queriam que eu interrompesse o evento que eu estava criando — um dos poemas mais belos da vida — e em vez disso pensasse em alguma coisa mais mundana. Eu me recusei! Segurei a caneta firmemente e ela descarregou as palavras como munição contra a realidade! Bangue! Bangue! Bangue! Bangue! Nem chupei a ponta da caneta porque não havia lacunas! Tudo o que existia era um só pensamento e agora ele estava nascendo! Agora eu estava dando à luz todas as palavras que mereciam estar juntas e criando alguma coisa maior e mais verdadeira do que a realidade jamais poderia evocar! Agora eu vencia a realidade! Aqui estava o que havia de mais elevado! Aquilo que dava guinadas, construía pontes, curava feridas internas e abria os aposentos mais fechados do coração! Eu entraria neles! Nos corações! Nas pessoas!

Escrevi até chorar.
Chorei, e recebi um sorriso.

* * *

"Daddy" seria o nome do poema.
Senti vontade de abrir a geladeira e sorver a tigela de creme de leite.
Subi a escada aos tropeços e me deitei ao lado de Frieda, que tinha passado para a cama grande, e aí abracei seu corpinho quente. Ela não acordou, apenas estremeceu ao meu toque. Acheguei-me mais a ela, a princesinha. A princesinha e eu! Eu, a vilã, envolvida em forças tão fortes e horríveis. Quem era eu? Quem era eu para lidar com essas forças?
Aquela encarregada de me consolar e aquecer não passava de uma criancinha.
Uma ideia me veio, me mantendo acordada a manhã toda: será que eu tinha assumido a culpa pela morte do meu pai?
Essa ideia nunca me ocorrera antes.
Eu tinha oito anos — será que achava que era minha culpa? Será que eu comecei a compensar o fato tentando ser boa e me excedendo em termos de beleza estética? Querendo ganhar todos os prêmios... querendo escrever a coisa mais bela do belo... querendo pintar, tocar piano (mas eu era péssima nisso e acabei desistindo).
Uma imagem da minha mãe me ocorreu. Será que todos tentamos encobri-lo de alguma forma, o fato de que o grande homem enfraqueceu e morreu, de que seu corpo até começou a apodrecer?
Será que todos me usamos de alguma forma — uma jovem e bela promessa, para encobrir a podridão, a morte?
Eu estancaria a morte, eu seria ainda mais vida, eu brilharia e resplandeceria, eu seria a garota americana, a promessa de um futuro melhor, tudo estava pendurado em mim.
Será que foi assim?

Fui enviada para afastar a morte?
Qualquer um percebe; é uma tarefa que ninguém pode ter.
Ninguém deveria ser encarregado dessa tarefa!

Outubro suave e amarelo, a época da minha entrada no mundo, e agora eu nasceria de novo! Essa era a sensação que eu tinha! Essa era a sensação com que eu escrevia! E eu tinha um plano firme na cabeça, ainda se chamava Irlanda, ainda se chamava Londres em dezembro, e eu visitaria a capital para descobrir como estava o destino, sim!
 Dei uma volta no jardim para recolher tudo que estava largado, antes que Ted chegasse de táxi. Esse filho negro, vestido de preto e com luto nos olhos, que viria esta tarde para colher as maçãs que levaria de volta a Londres.
 Para ver as crianças.
 Para perguntar como eu estava.
 Maldito fogo do inferno, maldita gangrena que abalava a alma!
 Sim, ele estava vindo para cá. Em poucas horas chegaria. E eu estava em meio a um parto, nascendo, e não o queria aqui. (Mas ao mesmo tempo, não podia impedi-lo.)
 E essa desgraçada transitoriedade que reinava na Court

Green. Se ao menos eu pudesse nascer em paz... Como quando podia escrever meus poemas às quatro da manhã. Se eu pudesse permanecer sem a perturbação do mundo e nascer e elaborar planos grandiosos à vontade... se Ele não existisse, se Ele não viesse me cutucar. Se Ele não fosse o pai delas. Se Ele não viesse e metesse um espelho na minha cara para que eu visse o quanto eu NA VERDADE estava doente e subnutrida. Ah, esse *na verdade*!
Eles se perdiam em seus *na verdade*! Não havia *na verdade*! Eu tinha minha própria verdade aqui, não me venha mexer com ela!
Eu estava com dor nas costas, arrastei as pernas sobre o chão para pegar uma folha de papel e uma caneta com os quais ia compor uma mensagem para Susan. Escrevi para a babá no pedaço de papel:

Cara Susan, eu e as crianças saímos para dar uma volta, Ted vai chegar aqui às quatro horas da tarde, por favor, faça chá e sala para ele e, pelo amor de Deus, jogue fora esse bilhete que ele nunca deve ver. Estarei de volta às seis, então ele poderá ver as crianças enquanto lhe entrego uma cesta de maçãs, depois já basta de visita. Sou eternamente grata a você por cuidar dele. Obrigada!!! Sylvia.

Empacotei meus filhos em agasalhos de outubro, já que o mês de outubro na Inglaterra podia ser especialmente desagradável, levei binóculos, um livro sobre cogumelos e um guarda-chuva, dizendo a eles que agora a mamãe ia levá-los num passeio, ia ser legal. Caminhamos para longe do vilarejo, subindo a colina de onde se podia ver Dartmoor, e onde eu havia montado Ariel sem sela. Frieda alimentou as cabras com capim morto, que elas rejeitaram, e Nick estava dormindo no carrinho. Garoava, mas eu estava segura, sob o céu cinzento, estava a salvo daquele que quis lucrar com meu nascimento, aquele que seria capaz de roubar toda a minha verdade de mim. Aquele que diria: nossa, como emagreceu, Sylvia, cuidado para não pegar uma cistite ou outra gripe, estou preocupado com você, você parece uma gralha, querida amada Sylvia, não escreva tanto, veja se descansa nas horas que a babá realmente estiver aqui — não se esgote com os textos, isso vai se ajeitar aos poucos, esse negócio de carreira... Confie na vida, Sylvia, confie na vida!

E lá no alto da colina encontramos um melro morto que jazia desamparado debaixo do carvalho com seu bico laranja. Frieda ficou horrorizada, ela se engasgou:

"Mamãe, pássaro morto, pássaro morto?", e se eu estivesse com disposição, eu o teria enterrado para ela, mas eu só me sentei sobre uma pedra.

Fiquei sentada no frio da pedra molhada até que Nick acordou e Frieda me puxou querendo me trazer de volta à realidade, ela era como todos os outros, eles ficavam me puxando e arrastando, querendo a todo custo me tirar da euforia, da bem-aventurança do meu próprio coração, não me era permitido ser feliz, não me era permitido acreditar na minha própria vida.

Cansada e indisposta, escancarei a porta de casa, e ali estava ele, entretido numa conversa com Susan. Por um instante, nossos olhos se encontraram e tudo foi quase como antes. Um tênue raio de luz passou rapidamente entre nós. E a mesma canseira agora como antes, nos meus músculos. "Onde vocês estavam?"

"Fomos colher cogumelos."

Ele me olhou com desconfiança, mas Frieda apresentou uma cesta com alguns cogumelos carcomidos.

"E isso foi tudo o que encontraram?"

Um silêncio carregado, que interrompi dizendo:

"E agora você vai dizer que tudo teria sido muito melhor se você tivesse ido junto, porque você é o grande conhecedor de cogumelos?"

Joguei a chave sobre a mesa.

"Vá em frente."

Frieda e seu pai eram íntimos um com o outro de sua maneira habitual, havia algo a um só tempo doce e triste em seus movimentos, os beijos que ele lhe dava revelavam que ali não eram estampados beijos paternos havia algum tempo.

Ela queria fazer cócegas nele, ele caiu no chão. Tinha um presente a lhe dar. Uma boneca.

Minhas lágrimas latejavam por trás das pálpebras, mas ninguém ouviu ou viu.

Uma *boneca*. Fiquei dilacerada ao pensar na cama de boneca que eu havia decorado com estrelas e corações no Natal do ano passado, quando Frieda tinha um ano. Meu marido, portanto, nos negaria o prazer de ter uma vida doméstica juntos na qual veríamos nossa filha crescer, ficar grande e começar a brincar com... *bonecas*.

Em outras palavras, meu marido não daria a nossos filhos o mesmo amor que eu recebi até os oito anos.

Mas Ted não pensava nisso, Ted só pensava no presente, neste segundo cintilante em que pôs uma boneca nas mãos de Frieda e estava curioso por saber o que aconteceria em seguida. Nesse sentido ele era despreocupado, não ruminava. Ele preferia deixar as outras pessoas cuidarem desse detalhe — a ruminação. Eu podia jurar que Assia Devil se encaixava na categoria de pessoas ruminadoras.

E depois fiquei com o coração um pouco mais despedaçado. Foi quando ele se lançou sobre Nicholas.

Nicholas choramingou, ele estava exatamente naquela idade do apego, estava seriamente apegado a Susan O'Neill e à sua mãe, e aí aquele pai que deixara o filho órfão de pai não podia chegar e exigir amor em horas marcadas.

Simplesmente não era possível.

Nicholas se contorceu na minha direção, estendendo os bracinhos gorduchos.

"Tudo bem, meu mocinho", eu disse enquanto Ted nos olhava tristonho, ele se encolhera, perdendo a postura, estava curvado ali do lado da cadeira.

Beijei Nicholas, ele ainda estava gelado por ter ficado tanto tempo deitado no carrinho, no frio.

Esquentei suas bochechas com beijos.

A dor que sinto não é minha, tentei pensar. A dor que ele tenta nos impor não é nossa. A merda era dele, tudo era merda dele (lancei um olhar e vi como Ted, com a mesma despreocupação de antes, tinha voltado sua atenção à babá, agora já havia esquecido a ferida que deixara em seu Nicholas), malvadeza dele, mas não nos afetava, porque tínhamos um ao outro, certo, Nicholas?

Meu filho de nove meses estava gordo, pesado e glorioso no meu colo. Um querubim.

Exibi-o para Ted; a essa altura ele estava sorrindo no meu quadril.

"Olhe!", disse eu. "Afinal de contas, parece que temos um gordinho na família. A mãe perdeu vários quilos, mas esse aqui ficou com eles!"

Ted já havia desviado o olhar, estava conferindo a correspondência em busca de cartas.

O vento vazio não parava de soprar através do meu coração. Era o vento de outubro. Nesse vento eu completaria trinta anos. Faltavam poucos dias. Na primavera, Assia Devil havia perguntado que tipo de festa eu faria. Agora eu sabia que estaria a sós no dia do meu trigésimo aniversário. A sós, eu e meus filhos e a casa com o jardim que dava para o cemitério da igreja. Talvez, na melhor das hipóteses, eu aguentasse fritar umas salsichas para eles.

"Já estamos com sono", anunciei, balançando Nicholas no quadril, embora sentisse um aperto no coração ao dizê-lo. "Agora está na hora de você ir embora."

"Aliás, feliz aniversário", emendou Ted com peso na consciência, me atirando um beijo do outro lado da sala.

Ele pegou suas maçãs e se foi.

Agora era tudo sobre Londres! A carreira de escritora. Minha própria vida, que eu fizera tanto esforço para abnegar! Eu estava com Susan na cozinha, ao lado das compras que logo seriam cortadas e se tornariam o Jantar Abençoado antes de eu viajar, e jurei a ela que eu não vivia havia muito tempo, mas agora, agora eu estava viva!
Susan com seus vinte e dois anos deu risada.
Loira e linda.
O sol de outubro se infiltrou pela janela e amei meu novo piso xadrez — agora queria pegar Susan e rodopiar com ela, dançando sobre os pisos!
Dançamos até Frieda rir tanto a ponto de ficar sem ar, com sua risada mais adorável de menininha de dois anos. Ela chupava um pedaço de cenoura, e agora eu era uma mãe que estava NA RISADA DA MINHA FILHA, e eu podia estar ali porque estava prestes a ir embora agora. Eu ia para Londres. Londres! Eu seria como Ted; eu me libertaria de Ted e assim SERIA COMO TED, ou simplesmente: eu tomaria as liberdades que Ted tomava todos os

dias simplesmente por acordar, simplesmente por ser homem e livre e não PAI em primeiro lugar.

"Tenho sido mãe até não poder mais", eu disse. "Tenho sido a mãe monstro, tenho sido a mãe onde Ted falhou em sua paternidade, carreguei as crianças dentro de mim, arrastando-as até meus braços rebentarem, sacrifiquei minha carreira de escritora, sim, tudo! Fiz tudo por elas!"

Paramos de dançar e peguei um talo de aipo, pondo-o na boca.

Com o dinheiro que ganhara da tia Dotty, eu tinha comprado roupas em Exeter e agora saí correndo da cozinha e deixei Susan cortar os legumes enquanto vestia as novas peças com empolgação.

Desfilei para ela e Frieda na cozinha enquanto Nick batia as tampas das panelas no chão.

"*Et voilà!*", quase gritei, rodopiando.

Uma blusa preta e uma saia de tweed azul que ficou perfeita na minha bunda, me deixando sensual, gostosa, atraente, fodível!

"Você precisava ver minha saia vermelha também, nela quase paro o trânsito", agora eu estava falando de um jeito que fez Susan voltar a dar risadinhas, ela não me entendia, mas me deixou continuar o espetáculo.

"Você está ótima, Sylvia!"

Peguei a faca de cozinha no intuito de cortar a cebola e alguns talos de aipo para que Susan não fizesse tudo sozinha, mas num movimento apressado demais, a faca atravessou meu polegar, e o sangue vermelho começou a jorrar sobre a tábua.

"Susan!", gritei.

Ela me acudiu depressa.

Era quase novembro, o aniversário da morte do meu pai, e eu estava com tranças no cabelo e o polegar infeccionado sob o curativo, o que de alguma forma combinava incrivelmente bem com quem eu queria ser neste exato momento...
Livre...
Infeccionada...
Verdadeira.
Numa noite dos escritores em Londres, eu permaneci junto às taças, sob a custódia segura do garçom que servia espumante aos convidados e facilmente poderia entreter a mulher perdida e bem-vestida que era eu, e que não tinha ninguém com quem conversar.
Mostrei-lhe meu polegar infeccionado.
"Por que não vivo aqui, num mundo de prédios altos?", reclamei. "Ai, por que estou presa num vilarejo de Devon?"
Ele riu de mim, dizendo que eu parecia uma escritora. "Se alguém deveria morar em Londres, é você", afirmou. "Você parece feita para o mundo."

Quem está na cidade grande precisa carregar nas tintas, tem que bravatear. Então comecei a fofocar sobre Ted.

"A vida no campo nos fará bem, afirmou meu marido quando nos mudamos... Londres pôs arame farpado na minha cabeça, disse ele também... Ah, eu poderia escarrar as porcarias do meu ex-marido como pedaços de muco na pia!"

De repente, perdi minha companhia.

E Al Alvarez, o badalado crítico do *Observer*, poderia pensar, ao me ver dando passos na sua direção sobre meu grande palco — Londres, o epicentro das noites dos escritores —, que minha liberdade era uma liberdade reativa.

Ela profere todas as suas declarações de liberdade como reação a Ted, ele poderia pensar quando me aproximei, trêmula, segurando minha taça. Mostrei o polegar para ele também, comentei o quanto doía.

E Al Alvarez me cumprimentou com beijinhos como de costume, sentiu um cheiro de perfume forte demais atrás da orelha, pensou:

Ela está muito produzida.

É praticamente uma espécie de viúva.

Ela se comporta como se o marido estivesse morto.

Ela está aqui para se congratular por sua própria excelência, eu não me deixo enganar, ela quer mostrar como seus poemas são bons e por que será que alguma coisa dentro de mim geme e se contorce? É como se sentisse *pena* dela.

E ao mesmo tempo Al Alvarez estava ali com sua poderosa manga de blazer a meu lado, de forma que quase nos tocávamos. Conversamos aos cochichos, no ouvido um do outro, e eu levantei a voz um pouco demais, direcionando minha fala um pouco descuidadamente.

Fazia tempo que eu não vinha a Londres. Agora as impressões me inundavam, e eu precisava me acostumar aos passos, ao ritmo — precisava de algum tempo de adaptação, isso sim. Como se eu tivesse esquecido. O que fazer, havia muitas pessoas aqui que eu não reconhecia, o mundo dos escritores dava voltas, substituía-se e começava a fervilhar de gente nova que queria alguma coisa, e todos acreditavam que tinham uma voz, era assim.

Contei a Al Alvarez que no dia seguinte eu gravaria poemas para a BBC.

E mais uma vez ele pensou: Mas ela o *copia*. Ela faz tudo exatamente como ele. Entendo por que Ted quis se livrar dela. Opa — se ele está escrevendo peças para o rádio, então ela de repente escreve peças para o rádio. Que coisa mais impessoal.

Ele pigarreou.

"Então, Sylvia, que poemas você está escrevendo para a BBC? Posso ouvir?"

Dei risada e me mantive perto dele, pois ele era um homem grande e protetor em quem grudar nessa situação de socialização, eu não queria perder seu interesse e arriscar que escapasse para conversar com algum outro talento, não, eu precisava viver diante dele agora, ele tinha que sentir como eu vibrava.

Por isso, ri e ri de novo.

"São poemas sobre o amanhecer", eu disse. "Muito bons, modéstia à parte. Pela primeira vez, eu..."

Al estava interessado, ele queria escutar a continuação.

"Pela primeira vez, fiz uso da autoficção, sim, caramba! É verdade."

Al riu, estava se divertindo comigo.

Então prossegui.

"Acho que Ted tinha razão quando disse que eu sempre costumava *imitar*, que eu tentava, que eu forçava coisas para as quais eu não tinha lastro mental. Entende?"

Al Alvarez fez que sim. Mais uma vez — trata-se de Ted; ela está obcecada por Ted, pensou ele. Por que será? Eu precisava mudar a abordagem.

"Então, agora procuro desfiar os poemas, como num outro compasso, como numa embriaguez."

"Olha só."

"Parei de lutar."

"Que interessante."

"De verdade, parei de lutar."

E Al Alvarez, que era outro homem que eu idealizava, viu que eu estava falando sério, que alguma coisa havia acontecido comigo, e isso lhe serviu de alento, construiu uma espécie de muro em torno de sua compreensão de mim. Ele parecia estar feliz por mim.

E ainda assim — pela minha aparência — as rugas no rosto, a perda de peso no corpo delgado, magro, descarnado — e os cabelos que trancei num penteado de tia, recatado demais, e o sorriso com os dentes amarelos, e os olhos histéricos que careciam de proteção...

Ainda assim, ele estava preocupado.

Ela é viúva. É como se Ted tivesse morrido para ela.

E quem quer transar com uma viúva?

"A gravação será no British Council", eu disse, para não perder a postura.

Eu tinha acabado de lhe recitar "Daddy".

Foi um acontecimento tão decisivo.

Ele respirou fundo.

Então disse:

"É intenso, Sylvia. É tremendo. Você se tornou muito, muito boa."

Houve um salto dentro de mim.

Eu tinha vencido. Eu sabia. E me apaixonei por Alvarez quando ele disse isso. Quando ele articulou algo sobre meu poema que eu mesma não podia dizer.

* * *

Dormi tão bem aquela noite, sem soníferos, porque havia mostrado minha alma a alguém, a Al, e ele julgou que ela era boa, ela prestava, ela era bela.

Imbuída do silêncio que só pode surgir depois que falamos, como que saciada, eu estava deitada olhando para o teto, depois das gravações no British Council.
Era amor que eu sentia. Eu sabia.
Eu havia me perdido — surfei em demasia nas ondas da vida, deixando os Estados Unidos e entrando na vida de Cambridge, onde eu era "a outra", "a da bicicleta", "a americana", aquela que, como Ted viu, também escrevia.
Mas agora. Depois; agora eu via o amor mais claramente.
A luz de novembro às vezes parecia uma luz primaveril, como a luz peneirada pelo vidro. Eram todos os clarões dos arranha--céus enviados para meu quarto aqui no hotel, no quinto andar.
Sua branda clemência.
Eu também estava branda agora.
Despi toda a minha parafernália, deixando-me ficar nua no quarto, recordando outros quartos onde quis me desnudar, mas não pude: o quarto estúpido de Richard em Connemara, o hospital de Londres no ano retrasado enquanto estive internada. E

em casa na Court Green, onde eu constantemente precisava ser alguém decente que estava às ordens dos outros, preparada para a visita relâmpago do próximo vizinho.

Eu tinha perdido peso, mal estava visível, mal me lembrava de quem eu era onde eu estava, então era assim a sensação de sofrer de anorexia, de negar a si mesma seu alimento sua alegria sua estabilidade. Sim, seu próprio corpo.

Eu estava feliz em Londres agora — neste exato momento, sim —, mas conhecia muito amargamente o recuo; o mecanismo que mandava a pessoa feliz de volta das alturas me era familiar.

Até eu tinha medo dele.

Até eu — embora detestasse que minha mãe dissesse isso desse jeito nas cartas, que justamente eu estivesse em apuros, que era terrível para minha saúde o que estava acontecendo agora, que eu precisava me cuidar muito agora...

Até eu entendi.

Acho que não quero passar mais um inverno na Inglaterra, como escrevi em confidência à minha mãe numa carta em agosto.

Minha mãe irremediável; se ao menos fosse possível ser franca, de igual para igual! Se eu não fosse sua filha sempre e para sempre daquele jeito horrível. Se minha felicidade ou infelicidade não desencadeasse todos os céus e infernos *nela*. Se ela apenas pudesse me ouvir com sobriedade e confiança.

Uma vez.

Mas ela não era capaz.

Por isso, o resto do mundo teria que me ouvir.

Peguei o livro que trouxera comigo; era isso, eu precisava pôr minha leitura em dia. *A arte de amar*, de Erich Fromm, o opúsculo que a dra. Beuscher me pedira para ler. Leia-o e tente conciliar-se com seu próprio anseio e suas emoções, especialmente ao viver as bruscas oscilações entre a esperança e o desespero, quando sua segurança parece estar em risco, e tente desvelar as imagens ideais que construiu de sua mãe e de Ted. Encontre a si mesma em tudo isso, Sylvia, e se liberte.

Eu sabia que tinha uma lição a aprender, que eu havia reprimido meu próprio trabalho interno durante muito tempo, e veja só no que deu, olhe o resultado dessa negação — uma mãe sem marido (exatamente como minha mãe!), abandonada pelo pai dos filhos, desamparada, à mercê dos meus esforços literários, solidão não era força, e oooooooooaaaaaaaaaiiiiiiii como eu sabia e como doía e ardia. Com tanto medo de doença com tanto medo da morte com tanto medo de feridas com tanto medo da vulnerabilidade com tanto medo da fragilidade assim como meu pai que nunca revelou a si mesmo e a seu entorno que estava doente quando na verdade estava moribundo — o homem grande e forte da minha vida, PAPAI, que ele fosse fraco, que ele me seria arrancado, que fosse mesmo POSSÍVEL amputá-lo, que seu pé murchasse. Que ele morresse.

"Tente não sentir que tudo precisa ser perfeito", a dra. Beuscher escreveu numa carta. "Pratique a aceitação. Agora ficou assim, nem sempre há uma simples explicação, às vezes a vida fica como fica, sem um padrão ou manifestações do destino, nem sempre há uma questão de culpa. As coisas surgem, as coisas acontecem, estão além do seu controle, tente se convencer disso."

E se ela estivesse na minha frente numa sessão, eu teria respondido:

"Mas eu tenho medo da imperfeição, então não tenho coragem de viver, é assustador."

E ela teria me perguntado:

"O que é assustador?"

E eu teria ficado calada algum tempo. Depois, teria esfregado meus longos e finos dedos uns nos outros numa espécie de dança com as mãos que você encena diante do psiquiatra para parecer que está pensando e para ganhar tempo; para parecer pequena, para parecer vulnerável, mas sem sê-lo.

E aí teria dito:

"Sinto que se não estiver segurando as rédeas, não posso viver, é pior do que a morte para mim, então perco o controle..."

"E o que há de perigoso nisso?"

E eu responderia:

"É o que estou tentando descobrir! Não tenho uma resposta boa... Suponho que minha escrita seja uma espécie de resposta... Há alguma coisa em mim que não compreendo."

Silêncio.

"Acho..."

"O que você acha?"

"Acho que a morte me atingiu quando eu era criança, num momento em que estava desprotegida, estava completamente nas mãos de outra pessoa. E então ele morreu. Eu deveria estar preparada. Deveria ser mais inteligente."

E ela sacudiria de leve a cabeça e diria:

"Você percebe que é exatamente o que está prestes a acontecer agora? Você se convenceu de que tem controle sobre tudo, de uma forma que te deixa cega caso as coisas escapem de suas mãos outra vez?"

Eu ficaria imóvel, nem mesmo as mãos se moveriam uma contra a outra dessa vez.

Eu realmente sentiria a dor do que ela disse. E com olhos grandes e culpados, perguntaria:

"Então é minha culpa? Você quer me culpar?"

E a dra. Beuscher negaria as acusações com uma expressão cortante de que bastava.

"Pode parar já, Sylvia. É o seu ego que está falando. Não alimente seu ego! Você não tem culpa nenhuma nisso, o ego ama a culpa, vive da culpa, o que digo é que você está exposta ao próprio mecanismo do qual pensa que pode se manter afastada ao ficar vigilante. Mas não, o incontrolável volta, sem exceção."

A essa altura, eu estava gelada. Se eu pudesse ser poupada de ter esses pensamentos e apenas me deleitar no amor-próprio que você sentiu por três minutos depois de alguém ter amado seus poemas.

Aquele cara de olhos escuros no British Council — ah, como eu fui pomposa diante dele! Passeando pelo escritório com minha voz, recitando para mim mesma, antes de ser posta diante do microfone. O microfone — meu lugar de direito, as ondas de rádio — meu verdadeiro refúgio no mundo. Lá eu prosperaria por toda a eternidade, amém. E que delícia depois, pronto, fechar o caderno e simplesmente descer no metrô de Londres e voltar para casa, para o hotel, onde uma cama com dois cobertores me aguardava, além de uma espécie de chuveiro na banheira e um livro que me iluminaria sobre meu amor-próprio, cujo nome era A arte de amar.

Não abri o livro. De fato, não abri. Com tanto medo da verdade, com tanto medo de me confrontar comigo mesma, bem, mas me deixe descansar, pensei, me deixe ser imbuída do amor que surge depois de você ler dois dos seus melhores poemas no British Council e ser amada por causa disso, ser elogiada por sua voz. Voz grave e forte. Deixe passar desta vez, Sylvia. Você tem a vida toda para se conhecer!

Olhei para o teto e fiquei quieta respirando até sentir o frio possuir o corpo inteiro. Eu estava fria como um cadáver. A pele estava lustrosa como madrepérola. E era eu e ninguém mais.

Naquele momento, quando a vida havia me deixado temporariamente e senti a solidão em cada poro do corpo, levantei a mão para o teto e a apoiei sobre meu segredo.

Meu segredo, meu sexo.

A linguagem de tudo o que carregamos juntos, mas não tínhamos mais.

Ele havia me possuído — eu havia materializado seus filhos — nosso amor havia escorrido entre minhas pernas. E eu ainda carregava esse segredo, essa escura caverna da vida, o sexo feminino, o buraco, a ferida, sempre levando essa vulnerabilidade comigo.

Carregando a ferida viva no âmago do corpo.

Sempre.

Pus a mão sobre meu segredo que era meu sexo e movi o dedo para cima e para baixo até o tecido e a secreção juntos parecerem veludo. Cuspi no dedo, enviando-o para dentro da caverna que era eu. Que era todo meu espaço, minha pergunta. O fruto estranho do universo. A pergunta que não podia ser respondida: Mas o que ERA o sexo feminino? O que IMPLICAVA andar por aí com algo assim?

E por que ele transava com Assia Wevill agora?

Eu não achara que ela fosse durar; achei que seria "ela e as outras mulheres", que ela seria uma em meio à multidão, mas NÃO. Era *ela*. Ele estava sendo fiel.

Eu estava sentada no metrô de Londres com as mãos juntas sobre o colo. Parecia uma oração ridícula. Por isso soltei as mãos, deixando os dedos deslizarem desabrigados sobre o tecido frio da saia, e olhei para fora, para os túneis escuros. Logo, um sol que nasceu sobre Primrose Hill — uma mulher que emergiu do subterrâneo — os trens que continuaram a andar lá embaixo, por sua causa, se ela apenas escolhesse, e a luz sobre as fachadas coloridas das casas aqui em Primrose Hill em Londres, onde eu certa vez nasci como mãe de Frieda.

Ninguém olhou para mim no vagão, mas tudo bem, pensei, era novembro, eles olhariam para mim mais tarde, isso aqui era um trabalho preparatório, algo que fiz para me tornar imortal, para deixar minha forte razão assumir o papel principal, para que eu pudesse ser lembrada depois, como a poeta mais esmerada e ao mesmo tempo mais interessante de todos os tempos. Em comparação, Ted empalideceria como uma camisa suja e amassada.

Saí dos túneis, e uma vez lá em cima ao ar livre, era como se um vento agarrasse meu casaco e me levasse adiante. Ali havia

um salão de cabeleireiro, ali havia um mercadinho para quando fosse preciso alimentar a boca dos meus filhos, a poucos passos estava a biblioteca e depois o parque e as galerias...
Este seria o fim de semana no qual eu cortaria meu cabelo. Primrose Hill, foi aqui que eu já estive mais viva, e o que havia de errado em viver de conquistas passadas, ou simplesmente reaver alguma coisa que tinha sido perdida?
Quem poderia me culpar por isso?
Abundância, pensei, apagando o cigarro sob o sapato. Eu tinha lido isso no livro que estava lendo agora, aquele sobre o cérebro que a dra. Beuscher havia me recomendado, eu não me lembrava do título — que algumas pessoas pensam que vivem numa situação de grande escassez e, consequentemente, tudo para o que se preparam são coisas negativas, evitar desastres. Outras pessoas (e eu não tinha vontade de dividir a mim e Ted em qualquer das categorias, mas não era estúpida, eu também percebia as coisas) — enfim, outras pessoas, ou seja, o resto do mundo, aquelas que não eram eu — outras pessoas viam sobretudo a abundância, viviam com uma sensação constante de que havia o suficiente para todo mundo, de amor, de estabilidade, a vida era como um bolo que lhes bastaria.

A caminhada de Primrose Hill levou menos de cinco minutos, e havia casas mais tristes nesta rua, as cores das fachadas eram mais feias, os carros pareciam sem graça, mas eu não enxergava isso. Inspirava um gélido e preto ar londrino e engolia em seco. Havia chegado ao número 23 da Fitzroy Road.

Abundância, pensei, subindo a escada até a porta marrom debaixo da placa azul que informava que o poeta W. B. Yeats vivera ali quando criança. Meu Yeats, meu poeta do amor, meu herói irlandês; eu queria saborear a glória de seu nome, o mar verde e frio, sua abundância, o mar que refrescava e bastava para todos, querendo englobar tudo.

Meu elemento — o mar, o todo abrangente, o perigoso, o extintor de incêndios, o impetuoso, as grandes ondas nas quais eu um dia quisera nadar, com Mel, amigo nos tempos dos meus dezenove anos, e ele tinha gritado, temendo que eu pretendesse morrer ali, nas ondas verdes, que eu nadasse para fora e nunca mais voltasse. Talvez ele estivesse certo daquela vez, mas ainda assim, que difícil empreendimento, morrer, que tarefa dura pra caramba.

Eu havia voltado, cuspido a água que estava na boca, dado risada de sua preocupação.

A vida simplesmente te inundava com sua vitalidade.

Forçando você a permanecer.

Bati à porta, uma, duas, três vezes. Aqui estava uma jovem mulher na flor da idade esperando permissão para entrar.

Londres. A casa de Yeats. Eu a encontrara. Nunca mais viveria amarga, sozinha e abandonada numa casa asquerosa no campo que me fazia lembrar de todas as minhas perdas e das qualidades que ninguém entendia.

Eu não seria esquecida.

Eu não seria um descarte, uma fase da vida a ser ticada.

Eu não seria frígida e usada como um par de meias.

Eu floresceria.

Agora estou no meu auge, pensei. Tenho meus poemas, tenho minhas gravações para a BBC, tenho meu nome de escritora, Sylvia Plath, dei à luz meus filhos e agora estou aqui aguardando para ser admitida no apartamento que me trará minha vida de volta.

Ted já foi esquecido, foi levado embora feito um pedaço de alga na orla. Varrido para o mar. Eu era o mar. Eu era as ondas. Ele só tinha se esquecido disso. Eu era o futuro. Eu o carregava no peito. Eu era o tempo, eu era a própria vida, eu era a mãe primordial, era eu quem cuidava das crianças.

Ah, eu tiritava e tremia de frio, pois será que ninguém abriria logo, será que não seria do jeito que eu queria, será que a lua brilharia cedo esta noite para me guiar de volta ao hotel onde dormi na noite passada, será que essas pessoas também haviam se esquecido de mim? Depois do que pareceram dez minutos, alguém entreabriu a porta. E eu fui convidada por um senhor de idade a entrar. Havia dois apartamentos à disposição. Um deles pertencia a um velho — "não ligue para ele, mas ele é gentil, você pode precisar de um homem confiável na casa". Dei uma risadinha, era assim que se fazia na flor da idade, você dava risadinhas, era jovial, de trato fácil.

O homem me mostrou o caminho para o apartamento dos meus sonhos. Claro que era decaído, um pouco escuro, mas eu não enxergava a escuridão, não via como estava desgastado, só enxergava o potencial — ou via o desgaste e era seduzida justamente por ele; como a decadência reverberava em mim, aquilo que precisava ser consertado e costurado, o papel de parede murchando de umidade e desgraça, o vaso sanitário que parecia surrado e cuja descarga no momento não funcionava.

"Temos que dar uma olhada nisso, mas não se preocupe, é só uma questão de fazer a água passar. Vou chamar o encanador na segunda-feira, então você se livra disso", ofereceu o homem.

Meus olhos brilharam. Segurei o batente da porta, sentindo um leve cheiro de mofo e encardido, mas também vi — meus olhos me serviam agora — vi um tipo de luz, um ar com o qual eu podia viver; como as janelas deixavam entrar essa luz com a qual eu já vivera, a luz de Primrose Hill.

A primeira luz primaveril dos anos sessenta, imbuída de pele de bebê.

Era isso que eu queria.

"Vou ficar com ele", declarei, estendendo-lhe a mão, ele nem tinha acabado de mostrar tudo, estávamos na cozinha, e na cozinha despertou em mim uma sensação de estar completamente ancorada e em casa na minha própria casa, no meu próprio tempo e até no futuro.

Isso aqui era meu.

Meu — e dos meus filhos.

Ted viria para cá e os levaria ao museu, ao zoológico e em passeios. Eu queria voltar para cá, para o ponto de nascimento, a chegada de Frieda ao mundo, como éramos felizes naquela época, como eu estava no topo do mundo, da mesma forma que eu mais uma vez estaria no topo do mundo naquela primavera, quando o romance fosse publicado, o incrível A *redoma de vidro*, e quando os novos poemas tivessem uma editora.

O homem desconhecido pegou minha mão. Ele pôde ver que naquele instante eu havia tomado minha decisão, sem hesitação.

Final de novembro na Court Green, uma das últimas vezes. Era eu, sozinha, no meu quarto, que tinha sido o quarto de dormir meu e de Ted. Eu esvaziava as roupas do guarda-roupa. Agora tudo sairia. E eu precisava decidir, lidar com tanta coisa. Enquanto as crianças tinham seu último dia com Susan como babá, eu precisava dar conta de tudo. Tantas decisões — tanta faxina a ser feita — tanto futuro a moldar — tanto amor a administrar por conta própria. Então, essa era eu. Essas eram minhas roupas antigas. Feias, nojentas! E o tempo todo eu não havia suspeitado de nada, pensando que as roupas estivessem *bem* dentro do guarda-roupa, quando pus um saquinho de lavanda lá, o que deixaria a roupa confortável e cheirosa; mas na realidade os pequenos monstrinhos estavam lá, roendo nossa seda, nossa lã.

Desgraçada mentira nojenta que eu havia vivido!

Agora eu tirava tudo, agora arrancava os cabides.

Eu não era mais uma consequência, uma atividade paralela,

eu não era o incentivo para alguém poder viver sua vida. Eu não era o começo para ninguém. Eu era o começo para mim.

Então, como esse começo se iniciava? Como se formava? Como era?

Eu tinha deixado uma pilha de peças antigas do guarda-roupa sobre a minha colcha; também começava ali — um começo tão bom quanto qualquer outro. Estavam ali, poeirentas e infestadas de besourinhos de carpete, que delas haviam comido. Grandes buracos onde meu amor estivera. A pergunta mais profunda era esta: Como eu me viraria com o amor que tinha?

Quem me daria agora?

Amor.

Quem construiria a grande proteção de que eu precisava lá fora no mundo?

LONDRES, querido. Londres por si só. Eu havia visto as possibilidades — a casa de Yeats com a placa azul — eu vira o destino inscrito ali nos velhos tijolos das paredes da casa: Meu destino. Fim. Minha casa.

Estivera lá o tempo todo esperando por mim. A casa que me desprenderia dessas garras que deitaram as mãos sobre mim — as garras de corvo de Ted, sua forma corvídea, nos cafundós do campo inglês.

Como um balão de hélio, eu subiria aos céus se eu não me ancorasse, se não arranjasse uma porta para nos trancar, camas onde colocar as crianças.

A casa antiga de Yeats.

Havia esperado por mim o tempo todo.

Todos os dias desse outono pareciam meu aniversário.

Tirei o pó das roupas, dobrando-as uma por uma, e as enfiei numa sacola. Uma sacola grande e funda para minhas velhas roupas que em tempos passados me esquentaram. As lembranças dessas peças de roupa — aquela vez que eu e Ted estávamos juntos na ventosa York e seus pais viram nosso futuro em mim, assim como eu agora via meu futuro na casa de Yeats. Viram que meus olhos avaliavam tudo e que eu estava com dúvidas. Não era certeza que eu serviria para Ted.

Ficaria limpo aqui quando eu deixasse a Court Green e alugasse nossos quartos a estranhos, não haveria sinal de nós. Seríamos purgados, a casa seria purificada de nós.

A pergunta mais profunda era essa (e levei-a para a capital): Como eu seria profundamente amada?

Quem me amaria profundamente?

Quem, se não Ted?

Se não Ted, quem mais poderia me amar de verdade?

A traição de Ted me fez lembrar disso, cravando a ponta de um parafuso na carne vermelha que era meu coração: ele nunca me amou, nunca profundamente, nunca genuinamente no decurso de nossos sete anos.

Era exatamente como ele me havia dito: falso. Falsidade e ficção, nunca realidade. Ele me amava como tema. Me amava como imagem. Amava o tipo, a americana, a emocional, a poeta. Amava minhas altas exigências (e as odiava). Amava ter uma esposa pensante. Amava ter uma esposa. Amava que eu pensasse e esmagasse meus pensamentos, assim não se materializavam nos textos depois. Amava que eu tentasse e falhasse. Que me levantasse e fosse corneada, como uma cabra. Que eu não fosse quem desejava me tornar. Ele amava minha imperfeição, e no meio dela estava eu tentando ser perfeita.

Naquele hiato, nenhum de nós poderia amar.

Agora eu sabia.

Então, o que eu faria agora ao partir para Londres?

Quem me amaria agora?

Eu tinha as crianças, mas também estava embarcando numa era inteiramente nova, um novo calendário, um novo período.

Era tudo desconhecido. Eu sabia disso. E ainda assim — estava certo. Precisamente por isso — estava certo. Estava certo, porque eu não ia mais ficar na posição fetal e ser uma vítima. Eu seria real, eu seria texto, eu seria uma escritora aclamada, eu faria waffles para os meus filhos de dia e frequentaria coquetéis londrinos à noite. Faria parte da minha própria elite. Não da dele — eu seria MINHA.

O amor-próprio que eu havia me negado antes, eu pouparia agora. Me daria. Eu daria, eu daria, eu daria! Então, quem me amaria agora? Eu.

Fui tirar a carta da gaveta, a carta que sentira tanta vergonha de receber na semana passada. Foi a dra. Beuscher que me escreveu dizendo que não deveria pôr minha vida nas mãos do amor de Ted, aquele que ele não pretendia me dar de qualquer forma. Eu não deveria construir um modelo de amor baseado em Ted. Ele não deveria ser meu pai substituto, nem meu mentor. Nem meu editor, nem meu primeiro e último leitor, como dizíamos antes, nem o irmão mais velho do qual sempre senti falta, nem... o substituto da minha mãe.

Ele não deve ser nada para você agora, escreveu Beuscher. Não atribua nenhuma importância a ele. Nenhuma consideração. Ele é papel. Triture-o. Faça seu próprio pequeno ritual! Tente. Brinque uma vez na vida. Experimente. Triture-o até virar pó em sua mão.

Fiquei tão envergonhada com o que ela disse porque sabia que era isso que eu havia feito — *comigo*. Mesmo que estivesse do outro lado do Atlântico, Beuscher — ela me conhecia, ela sabia como eu funcionava. Como ela podia me ler daquele jeito?

Eu precisava de um homem assim; um homem que me deixasse tomar meu tempo e meu espaço, um homem que entendesse que uma mulher nunca poderia crescer e se tornar mãe ao mesmo tempo; pois naquele momento ela se punha à disposição do universo, passando a pertencer ao cosmo, não mais a si mesma. Eu deveria ter um homem que me entendesse dessa maneira. E que me amasse, ao mesmo tempo. Enfim, triturá-lo num ritual. Pesquei o pulôver mais feio de Ted, um que já estava esfarrapado com grandes furos, eu achava que ele ficava tão nojento com aquilo, era um pulôver que Ted vestia por cima da camisa quando tinha manchas suficientes — esse mesmo, esse eu esfarelaria.

Puxei o furo e comecei a desfiá-lo. Fio por fio, Ted seria pulverizado, da mesma forma que ele me transformara em ar. Me transformou num micélio inútil, fio por fio, mas nada desenvolvido, nada valioso.

Agora ele estava desfeito em fios no chão.

Senti-me tão vazia e imensa.

Subi na cama entre todas as roupas que ainda não tinham ido para a sacola, engatinhei entre elas, me arrependendo do que acabara de fazer, pus a blusa de 1959 sobre meus olhos e me deixei levar pelo cheiro até Yaddo, até o verão no chalé de Saratoga Springs, estávamos escrevendo, ainda tínhamos o mundo fresco e úmido diante nós, eu tinha uma vida na barriga. Grávida de Frieda, nossa primeira.

Agora eu estava chorando debaixo da blusa.

Era escuro ficar debaixo de velhas roupas chorando — e eu não deveria ficar deitada aqui, eu deveria ser determinada e respeitável, saber o que estava fazendo, porque logo Susan chegaria em casa com as crianças, era a última vez que ela cuidava delas como babá, e eu já tinha alugado o apartamento em Londres, marcado a data da partida e feito as malas — e era novembro denso lá fora, cinzento e frio. Eu queria recebê-las com o sorriso da vida quando voltassem, o amor assado e glorioso que era o direito das crianças nesse mundo e que apenas eu tinha a lhes dar.

Não queria que encontrassem um monstro chorão deitado sobre uma pilha de roupas e reminiscências e que o monstro chorão fosse eu.

Queria dar a mim mesma o amor que eu depois daria a elas. Mas, meu Deus — como você dá amor a si mesma? Como você ama a si mesma?

A dra. Beuscher pediu especificamente que eu lesse Erich Fromm por essa razão — o amor-próprio —, para eu encontrar uma maneira de encontrar o amor-próprio, e esse seria o ponto de partida para o meu início. Minha nova vida.

Oh, choro desagradável grande devastador — de que valia mesmo o choro se não havia ninguém diante de quem chorar?

De certa forma, eu ficaria feliz se Susan irrompesse aqui e eu desmoronasse na sua frente, se ela pudesse ser minha babá assim como era agora a protetora das crianças; eu também queria me entregar e me soltar das minhas próprias garras, também ser apenas acolhida.

Eu gostaria de ser amada assim…

E então eu precisava me expor.

Tal era a essência do amor.

Então me levantei e me posicionei na frente do espelho da parede, lançando a palma da mão com força contra minha própria face até arder. Depois, a outra face, e então voltei à primeira. Eu me esbofeteei até as faces queimarem e exalarem rubor. Não havia como encontrar a paz. Não havia como alcançar a quietude. Simplesmente não havia isso em mim. Nenhum porto seguro. Nenhuma calma. Nenhuma redenção. Nenhum prazer.

Percebi isso agora ao olhar para mim mesma.

Eu era um caso perdido.

Teriam que me dar respiração artificial. Eu precisava de uma máquina de vento que soprasse ar sobre mim para me dar estabilidade e direção. Eu mesma não tinha direção. Nem quando tomava alguma decisão, quando estava pronta para algo, quando eu havia encontrado um endereço para onde fugir: Londres, Fitzroy Road, número 23. Nem assim.

Arranquei as roupas de Ted da sacola.

Eu faria o seguinte: faria uma mala para Ted, cheia de suas roupas velhas. Então ele mesmo decidiria, caso viesse, se valia a pena guardar.

Eu não decidiria seu destino.

Eu não controlava Ted mais!

Era um alívio.

Busquei a mala marrom no quarto de despejo, abri e dobrei com esmero todas as roupas de Ted (exceto o pulôver). Foi bom para nossas roupas não terem que estar no mesmo saco.

Profundamente amada.

Era assim que você era amada profundamente — você deixava os outros tomarem conta da sua própria sujeira, você não se responsabilizava demais pelos outros. A roupa de Ted para Ted. Minha roupa para o esquecimento. De qualquer forma, eu compraria roupas novas com todo o dinheiro que ganharia em janeiro, com a publicação do romance.

Como foi libertador fechar à chave as camisas de Ted e suas velhas blusas carcomidas, aquelas que eu uma vez havia amado.

Era assim que você se tornava profundamente amada: Você pensava em abundância, não chafurdava em velhas ofensas, você tomava vitaminas e se mantinha saudável, você dormia quando as crianças dormiam. Assim você era profundamente amada: Você esperava seu tempo, escrevia seus poemas, aderia a sua rotina, tentava encontrar uma maneira de se amar.

Respirei fundo. As garras se soltaram, a ansiedade saiu cavalgando do quarto. Eu permaneci — eu respirava, eu estava aqui. Levantei com esforço. Agora podia ouvi-los. Estavam chegando. A porta bateu. Eram meus filhos, ainda! Eu ainda era sua mãe!

Desci a escada correndo, meus passos ressoaram, eles me tinham ali — mamãe — mamãe! — e abracei seus pequenos corpos, delgados e gloriosos, minha carne por sua carne, meu sangue por seu sangue.

Aquecemo-nos mutuamente, eu não queria soltar o abraço, embora Frieda logo quisesse tagarelar. Ela já falava tanto! E Nicholas, como ele balbuciava as palavras, logo faria um ano, meu Deus, quão rápido um ano poderia passar, quanta desgraça e amor um ano poderia conter?

"Venha cá", eu disse a Nicholas. "Venha cá, meu menininho. Venha ficar aqui."

Agora eu só precisava dar uma refeição aos pequenos fregueses. Porque eu era sua mãe. E o menininho se encaixava em mim, no meu quadril.

E agora Londres, por um fim de semana.

A última semana de novembro também havia passado, e era isso que era tão maravilhoso com Londres — a cidade grande encobria todas as estações rigorosas, o inverno não ficava tão perceptível aqui. Eu encheria a casa onde Yeats cresceu de bexigas e papel de parede azul-claro.

E minha mãe sabia, do outro lado do Atlântico, ou ela o sentia no fundo de seu estômago, que quando eu proferi as palavras *Se eu conseguir aquele apartamento, serei a pessoa mais feliz do mundo* — e depois, quando eu havia pousado no meu apartamento: *E posso afirmar categoricamente que nunca estive tão feliz na minha vida...*

Que era aí que sua filha estava com sérios problemas.

A cidade estava enevoada, não vi minha mão ao estendê-la à minha frente a caminho da cabine telefônica, e era uma delícia ser embrulhada, desaparecer numa multidão e se transformar em fumaça dessa forma.

As crianças e eu havíamos nos instalado temporariamente

na casa do namorado de Susan, no bairro de Camden. Havia tantas coisas contra mim, e eu trabalhava tão duramente quanto um fuzileiro naval. Agora eles queriam referências minhas. Uma mulher rígida (sempre eram as mulheres) falou comigo da cabine telefônica vermelha no nevoeiro; sua voz de girafa me explicou que eu afinal de contas representava certo risco para eles, eu não tinha renda fixa, eu era jovem, eu era americana — sim, ela me trancou em todos esses estereótipos. Então cuspi no chão de ferro, onde eu estava plantada, lisa como uma tábua, de cabelos curtos e com lábios vermelhos inchados.

A vida não acabava nunca.

Eu fiquei lá para sempre, eternamente jovem, eternamente lutando pelo meu futuro. Sem ser vista, dentro da minha pequena jaula, escondida pela névoa, eu batalhava. Sem qualquer intervenção de outra pessoa — a guerra se travava exclusivamente na minha pequena vida, era eu quem lidava com os desastres, quem encontrava o caminho em meio ao nevoeiro, quem alugava casas e contratava e despedia babás, quem limpava o catarro e o vômito de crianças.

Eu disse à mulher girafa que tinha uma mãe lá nos Estados Unidos que poderia constar como fiadora do aluguel.

"Com que sua mãe trabalha?", perguntou ela, então.

"Ela é professora titular", retruquei.

Professora titular — de onde veio isso? Foi nesse ponto que meu coração começou a acelerar as batidas num pulso que disparou e se tornou o mais alto de Londres entre os vivos, mas isso não se ouvia na voz que eu agora apresentava à mulher girafa na cabine telefônica. Ela não fazia ideia de que minha mãe na realidade adoecera durante o verão, no rescaldo da visita a nós. Ela ficou doente e foi demitida do trabalho. Arruinada, com uma pobre pensão. Com problemas de estômago. Essa era a "professora titular", na verdade.

Ai, esse maldito "na verdade" que eu evitava como a peste! Não havia na verdade.

Na verdade, eu também não passava de uma mãe cansada e desamparada com filhos pequenos, que logo não teria dinheiro nenhum, descarnada pelos efeitos do parto e pelos resfriados que seguiam latentes na minha garganta.

Gorgolejei e pedi que ela me aceitasse, você simplesmente tem que me aceitar, disse eu, preciso dessa casa, é meu apartamento dos sonhos, meu seguro para o futuro e SERÁ MINHA, está me ouvindo?

Vou morar na Fitzroy Road, número 23.

Saí em meio às brumas e mal podia ser vista, minha capa marrom se misturava com a rua, se eu pisasse meio torto para fora da calçada que já estava lotada — fervilhava de gente com chapéus e capas por todo lado — tudo acabaria num instante.

Um carro poderia atropelar meu corpo funcional, e pronto. Eu já era.

Uh, pensamento horrível.

Fui até Susan, que se acomodara com as crianças no apartamento do namorado ali perto. Ela estava tomando chá e ouvindo jazz nos braços do amado. Eu não queria interromper o seu "na verdade", não queria perturbá-los, mas precisei desabafar minha merda com ela enquanto as crianças estavam dormindo seu sono noturno. Eu disse:

"Acho que evitei o desastre ao declarar que minha mãe é professora titular."

O namorado de Susan ergueu os olhos, vi neles que estavam olhando para um rosto monstruoso e surrado, e fiz uma tentativa de me encobrir, pois esse corpo era meu, era eu quem andava por aí vivendo exatamente tão cansada e emaciada quanto parecia, na realidade.

Essa era eu.

E a única coisa que me ajudava a impedi-los de me ver tão depenada e nua como estava eram as palavras, eram os sonhos do futuro, era que eu seria um sucesso, que eu agora segurava as rédeas desse cavalo desenfreado, eu tinha acabado de pegar meu futuro e beijá-lo e abençoá-lo.

Logo restaria apenas colher os frutos.

Frutos: o romance número um (chegaria em breve à cena inglesa, e que estreia seria — haveria uma multidão de clubes do livro que iam querer falar sobre ele em toda parte, e a saúde mental se tornaria uma conversa na boca de todo mundo — eu daria o tom!!). O romance número dois (seria lançado no ano seguinte como consequência natural do primeiro sucesso, e então os direitos para filmes e peças de teatro se venderiam automaticamente, já que eu era *na verdade* prosadora, eu era um talento do caramba; ou — em tantas áreas, eu estava quase lá, eu era um grande "na verdade"!).

Na verdade eu era isso, na verdade eu era aquilo! Na verdade eu não vivia! Na verdade eu não estava morta de maneira alguma! Na verdade eu era uma força primordial que você levava para a eternidade! Na verdade eu era como o mar!

Como se pode ver, todos os meus poemas estavam cheios desses na verdades; eles estavam por todo lado. Na verdade, essa expressão significava isso; na verdade, essa expressão significava aquilo. Tantos significados em minha escolha de palavras, tantas ambiguidades, tantos NA VERDADES!

Tão repletos de simbolismo.

Na verdade, eu era apenas uma fabulosa rainha escritora que estava sentada aqui no sofá de Susan e seu namorado, e eles não sabiam que mulher magnífica eu era, feita para proezas e prodígios, e que tinha dado à luz duas criancinhas maravilhosas. Elas não poderiam ter saído de outra mulher.

E na verdade tudo estava bem.

O que era um pouco de cansaço comparado a ser dona de tudo? Sim, a vida inteira e seu glorioso destino que se desenrolavam aqui e agora. Que tomavam seus lugares. Eu tinha conseguido fazer a megera de voz de girafa na cabine telefônica londrina perceber suas deficiências neste mundo (quem era ela? Uma simples locadora) e me dar o direito de alugar o apartamento que eu havia algumas semanas tinha cobiçado tão ardentemente. Agora os mercadores seriam postos no seu devido lugar. Agora eu finalmente mostraria com quem estavam lidando. Agora o mundo estava pronto.

Eu não estava nem aí para as preocupações da minha mãe, acomodada atrás do Atlântico. Eu detestava quando ela se dava ares de superioridade e tinha a ousadia de se preocupar comigo. Com o que ela tinha que se preocupar? Qual era a porra da sua identificação comigo? Ela precisava parar com aquilo, e eu desmentiria sua preocupação — esse era meu maior objetivo agora: eu lhe mostraria quem era a mais bem-sucedida do mundo. Mostraria como eu me virava perfeitamente bem sozinha. Ponto.

"Vai fazer sol amanhã", disse Susan. "Que tal levar as crianças ao zoológico?"

EU A AMAVA!

Então me levantei do sofá, feliz com meus cabelos curtos e castanhos, que ao brilho do fogo adquiriam uma espécie de fulgor ruivo — e mergulhei na sua comunhão com o namorado ali no sofá, para lhe dar um beijo na testa.

"Eu te adoro, Susan", exclamei. "Estou tão feliz em ter você aqui. Você me ajuda a ser a rainha que sempre fui."

Susan deu risada e pediu que eu parasse, nada de palavras grandiosas agora!

"É só uma ideia", disse ela, dando risadinhas.

"Será nada menos que perfeito!", engatei, estendendo as mãos. "Ah, é tão maravilhoso aqui — este é meu lugar — e fui muito bem recebida pela mulher da mercearia lá embaixo, e até pelo açougueiro! Eles me reconheceram, e a mulher se lembrou do meu nome! Meu Deus, eu estava tão cansada de todo o povo bovino de Devon que quase havia esquecido como são os seres cultos e educados. Quase me convenci de que todos os que vivem e respiram no mundo mais se parecem animais — torpes, incapazes de fineza e... *linguagem*."

O namorado bebericou sua xícara de chá. Eu tinha meu público. Estavam aguardando minha próxima palavra, a próxima coisa que sairia da minha boca vermelha. Eu estava com cara de cansaço, tinha rugas, um sorriso enrijecido e desbotado — mas eu não sabia, eu ainda acreditava que o que dizia era a verdade, que eu representava minha própria realidade.

Que o que eu mostrava era o que eles viam.

Só que não era assim.

Eu já estava morta.

Eu tinha ido longe demais, não sabia que havia dado o maior lance pelo meu próprio caixão.

Que na verdade estava assinando o contrato da minha própria sepultura.

Pela qual estava dando meu último dinheiro.

Da qual pedi à minha mãe para ser fiadora.

Ela se preocupava com isso; ela sentia no fundo do estômago lá em Boston, e eu a odiava por isso.

Ninguém podia me parar. Oh, eu estava tão cansada. Oh, será que ninguém via os sinais? Não, eu era irrefreável. Susan e seu namorado eram jovens demais para ler os sinais; eles me achavam engraçada. Engraçada pra caramba. Eu os divertia. O. Que. Essa. Mulher. Louca. Está. Fazendo?

Sylvia Plath: ainda era quase eu.

Em uma semana eu levaria meus pertences para a casa de Yeats, uma folha em branco, e lá moraríamos sem móveis de verdade, para começar. Viriam depois! Por enquanto apenas um berço e uma cama de solteiro para mim e Frieda. (Sim, ela teria que dormir comigo agora. Seu corpo quente e esperançoso. Em homenagem ao fato de termos nascido ali, tanto eu quanto ela; a apenas um quarteirão de distância ficava o apartamento onde dei à luz Frieda, e onde ela me fez mãe, a mais feliz.)

Poxa, ela parece uma tia, Susan estava pensando. E seu namorado bocejou: *Que mais ela pode inventar para nos incomodar agora?*

Senti a súbita mudança na sala e estendi umas notas para Susan.

O namorado pôde ver como eu lhe pagava bem.

"Ah, muito obrigada", disse ela.

"Eu que agradeço", respondi logo e fui me despir e deitar lá no quarto com as crianças.

Uma última olhada no espelho antes de tirar o sutiã. Eu me amava. De verdade. A vida era imparável. Minha mãe não podia me censurar por mais nada.

Se alguém entrasse despercebido aqui e tirasse uma foto minha agora, eu me mostraria do jeito que era.

Independente dos poemas. Independente da voz.

Este era o objetivo: me mostrar tal qual eu era. Possuir o tema. Primeiro precisava apenas me fazer *merecedora* de um tratamento assim. Logo, logo. Logo todos me descobririam e descobririam minha pele branca. Fariam fila para tirar suas fotos. Como seria beijar minha boca? Minha história? Eles todos iam lê-la. Folha após folha após folha. O texto estava pronto na editora, e eu havia feito as gravações. Aliás, quando voltasse a Devon, eu me divertiria escrevendo uma lista de razões por que realmente não queria morrer agora. Seria bom para mim, para ter à mão nos momentos de maior necessidade. Dias assim viriam. Eu sabia. Mas o que me faria querer morrer? Agora? Na marcha da vitória?

Desabotoei o sutiã, depositando-o na minha frente, aqui estava apenas eu, o colar de pérolas e meu novo corte de cabelo curto. A pele de mármore branca sugada. Uma fofa coelhinha branca, e dois filhotes dormindo.

Tirei os grampos do cabelo. Fiquei pensando por um longo tempo, até escorrer um calor, um calor profundo e belo, como se uma onda quente lá de Winthrop me inundasse.

Bem, se Ted engravidasse Assia, pensei, enterrando o pensamento ao vestir minha camisola no momento seguinte. Pensamento horrível e absurdo. Se ele injetasse seu esperma no ventre infértil dela e sorrateiramente plantasse um irmão para meus filhos.

Isso decidiria a questão.

Que sorte enorme, então, pensei, aconchegando-me na cama quente que Susan e seu Romeu me emprestaram, que essa possibilidade não existisse. Que o útero de Assia Devil estivesse selado como um túmulo.

Ted esbarrava num ventre morto toda vez que deitavam juntos.

Ha!

O pensamento me deixou meiga e maleável. Eu estava cansada — cansada demais. Nada de escrever poemas durante esse processo de mudança, nem era preciso comprimidos para dormir; mas com toda a certeza eu já tinha escrito meus poemas mais marcantes, e o romance estava lá, e as resenhas, os recitais, minha voz através da eternidade na BBC.

E as crianças estavam lá. As crianças. Enquanto as tivesse a meu lado, adormeceria como um filhote de coelho exausto. Eu havia corrido o dia todo e agora alcançava a paz.

Elin Cullhed
28 de fevereiro de 2020

ESTA OBRA FOI COMPOSTA EM ELECTRA PELO ACQUA ESTÚDIO E IMPRESSA
EM OFSETE PELA GRÁFICA SANTA MARTA SOBRE PAPEL PÓLEN SOFT DA SUZANO S.A.
PARA A EDITORA SCHWARCZ EM MAIO DE 2023

A marca FSC® é a garantia de que a madeira utilizada na fabricação do papel deste livro provém de florestas que foram gerenciadas de maneira ambientalmente correta, socialmente justa e economicamente viável, além de outras fontes de origem controlada.